Tra
paça

CB051695

Luís Costa Pinto

TRAPAÇA

SAGA POLÍTICA NO UNIVERSO PARALELO BRASILEIRO

Vol 1 | Collor

GERAÇÃO

1ª edição – Novembro de 2019

Grafia atualizada segundo o Acordo Ortográfico da Língua Portuguesa de 1990, que entrou em vigor no Brasil em 2009.

Editor e Publisher
Luiz Fernando Emediato

Diretora Editorial
Fernanda Emediato

Estagiário
Luis Gustavo

Capa
Raul Fernandes

Diagramação
Alan Maia

Revisão
Josias A. de Andrade

Dados Internacionais de Catalogação na Publicação (CIP) de acordo com ISBD

P659t Pinto, Luís Costa
Trapaça: saga política no universo paralelo brasileiro / Luís Costa Pinto. - São Paulo : Jardim dos Livros, 2019.
288 p. ;15,6cm x 23cm.

ISBN: 978-85-8130-429-8

Biografia. 2. Luís Costa Pinto. 3. Política brasileira. 4. Jornalismo. I. Título.

CDD 920
2019-1837 CDU 929

Elaborado por Vagner Rodolfo da Silva - CRB-8/9410

Índices para catálogo sistemático
1. Biografia 920
2. Biografia 929

GERAÇÃO EDITORIAL

Rua João Pereira, 81 – Lapa
CEP: 05074-070 – São Paulo – SP
Telefone: +55 11 3256-4444
E-mail: geracaoeditorial@geracaoeditorial.com.br
www.geracaoeditorial.com.br

Impresso no Brasil
Printed in Brazil

Ao hiato geracional do jornalismo brasileiro que produziu um verão luminoso nas redações entre fins dos anos 1980 e a década de 1990. Havia sol nas bancas de revista.

À *Patrícia, companheira desta e de tantas viagens, por tudo. E pelo* imprimatur, *claro.*

A Rodolfo, Bárbara, Júlia e João Pedro, pelos incentivos. A toda e qualquer hora.

À *Cristina, pelo* nihil obstat.

A todos os que leram este livro no curso de sua produção e ajudaram-me muito com observações pertinentes, correções necessárias e ponderações relevantes.

SUMÁRIO

PREFÁCIO

*Renato Janine Ribeiro**

Este livro sai em momento oportuno, porque ele importuna. Este é um paradoxo: oportuno é o que sai na ocasião certa, atendendo ao que os gregos chamavam o *kairós*, a oportunidade que o bom jogador, guerreiro ou estadista sabe agarrar e, com isso, vencer; já o importuno é o que faz pensar. Estou supondo, aqui, que ação e pensamento são um pouco opostos, ou pelo menos diferentes. A ação exige a rapidez, o pensamento a demora. Por que é oportuno este livro? Porque lembrar o *impeachment* de Fernando Collor, melhor ainda, revelar aspectos ainda desconhecidos do período feliz em que a derrubada pela via constitucional do primeiro presidente eleito após a ditadura abriu lugar para duas décadas de equilíbrio político e de inclusão social é muito importante, especialmente depois que a derrubada pela via torta da quarta pessoa a presidir o Brasil após a ditadura, Dilma Rousseff, abriu uma caixa de Pandora que nos impôs um atraso civilizacional enorme, e do qual será difícil, custoso e mesmo nada certo que nos recuperemos.

E por isso mesmo ele importuna. Faz pensar: como foi que aqueles que se uniram por um Brasil melhor, em 1992, conseguiram se desunir, conseguiram ter tanto ódio entre si, a ponto de abrirem as portas para um personagem cuja força não é própria, mas reside apenas na fraqueza de todos os demais atores da política brasileira? Nossa cena política se esvaziou. O PSDB de Aécio Neves, depois de se subordinar à extrema-direita de Eduardo Cunha e dos movimentos de rua, cometeu haraquiri, tanto assim que sua carcaça foi ocupada por pessoas que nada têm a ver com sua história

— gente que causaria um choque talvez letal a Franco Montoro, Mário Covas, Ruth Cardoso, ícones por quem a juventude quase bolsonarista que ocupou o próprio cenário tucano não sente o menor respeito. O PT, depois de dois golpes, um que derrubou a presidente, outro que impediu no melhor estilo de nada pujantes democracias como a Malásia e a Rússia a candidatura do favorito Lula à Presidência, parece não ter rumo, e só propõe a retomada de seus tempos gloriosos, hoje que as condições são totalmente distintas e dificilmente viveríamos uma reprise da feliz primeira década do século XXI. Por que isso?

Estas questões se abrem a cada página do livro de Luís Costa Pinto, jovem repórter, no começo da história que narra — e que teve nele um inesperado protagonista, pois foi ele quem conseguiu a decisiva entrevista com Pedro Collor, que denunciou o que pôde do irmão presidente e assim preparou sua queda. Luís, que não chamarei pelo apelido tipicamente pernambucano (Lula) para não o confundir neste breve prefácio com o xará presidente, foi o detonador de um processo que na época parecia perigoso, mas acabou unindo o país, dando-lhe a esperança de figurar entre os países mais maduros do mundo. Na época, o jornal francês *Le Monde* deu uma manchete de página interna dizendo que o Brasil tinha se tornado adulto ou algo assim; esta era uma sensação frequente aqui no próprio país; e foi esse o tema de uma optativa que ministrei no curso de Filosofia da Universidade de São Paulo, em 1993 ou 1994, discutindo o bem-fundado de aplicar uma categoria da vida individual a um país, a um Estado, a um corpo político.

Éramos otimistas, e se o sonho de uma grande união das duas grandes forças políticas que se estruturavam, o PT já com onze anos, o PSDB mais criança porém logo aquinhoado pelo dedaço de Itamar Franco com a Presidência da República, se esvaiu (no que então chamei de nossa *tragédia soft*, a incapacidade de nossos dois melhores partidos se juntarem no poder), tivemos a vantagem de viver vinte anos cravados sem o medo de que o poder federal caísse em mãos do retrocesso. Foram seis eleições sem pesadelos, pelo menos para quem prezava a democracia acima de tudo. Havia diferenças sensíveis entre PT e PSDB, que foram se acentuando, mas era impossível, ainda em 2015, imaginar a grande regressão (nome de um livro internacional no qual recentemente colaborei) que se produziria, não só no Brasil, é verdade, mas também aqui. Parecia que tínhamos um casamento indissolúvel com a democracia. Haveria crises e discussões de relacionamento, mas ninguém rasgaria o papel passado.

É nesta hora que, como dizia o Julien Sorel, de Stendhal — que entra na vida social com um duelo — Luís Costa Pinto se torna conhecido graças a um estrondo, a entrevista com Pedro Collor, que ele frequentava fazia tempo, com uma paciência rara num jovem como o que era, então, o jornalista que recém-mudara do Recife para Brasília. Foi uma época de sucessivos impactos, um dos momentos mais altos do jornalismo brasileiro, com revelações que terminaram por minar um governo a um tempo corrupto e fracassado em seus projetos.

Lê-se como um *thriller*. Mesmo quem conhece os principais fatos, ignora certamente cada passo que o repórter dá, mostrando os bastidores do poder. E, para quem não acompanhou aquele tempo, é bom conhecê-lo pelas memórias de um dos principais protagonistas, o autor das páginas que se seguem.

Se a primeira parte é muito pessoal, a segunda descreve os desdobramentos. A ação heroica dos jornalistas passa aí ao campo dos jogos parlamentares. Da ação, passamos a instituições que, depois da longa noite ditatorial, fazem sua estreia — e a fazem bem. O período que começa com o *impeachment* de Collor é um tempo de otimismo. Um parêntese se seguirá — já fora do alcance deste primeiro *Trapaça* — com as crises econômicas do segundo mandato de Fernando Henrique Cardoso (1999-2002), mas pode-se dizer que, de 1992, ano da queda do presidente processado e condenado, até pelo menos o fim do mandato de Lula, em 2010, ou ainda mais um tempo, talvez a metade do mandato inicial de Dilma, por volta de 2012, o Brasil vive seus melhores momentos: democracia, estabilidade monetária, desenvolvimento, inclusão social.

E por isso o livro dá a pensar: por que o primeiro *impeachment* deu tantos frutos positivos, enquanto o segundo, já transcorridos vários anos, teima em nos assombrar com sucessivos atrasos, decepções, frustrações? Mas aí é o leitor que deverá dar a resposta.

* Renato Janine Ribeiro, 70 anos. É filósofo, cientista político e professor universitário. Foi ministro da Educação do Brasil (2015). Professor-titular de Ética e Filosofia Política, recebeu o Prêmio Jabuti de Literatura em 2001 com a obra *A Sociedade Contra o Social*. É colunista no jornal *Valor Econômico* e colabora com diversas outras publicações no país.

UMA AULA DE JORNALISMO

*Por Xico Sá**

Quando cheguei ao fim da leitura deste **Trapaça, vol.1** a sensação foi a de um viciado em uma série moderna de televisão que chegou ao fim da temporada. Bateu a crise de abstinência. O jornalista pernambucano Luís Costa Pinto escreveu um *thriller* político que convida o leitor a acompanhá-lo, na condição de infiltrado luxuoso, aos subsolos do poder federal e das redações da imprensa brasileira. Estamos em 1992 e vamos conhecer, de uma forma como ninguém contou até agora, os bastidores da queda do ex-presidente Fernando Collor de Mello.

Com apenas 23 anos, Costa Pinto foi o responsável pela explosiva entrevista com Pedro Collor, irmão de Fernando Collor de Mello que escancarou ao país o esquema de corrupção montado no governo pelo empresário Paulo César Farias, o PC, ex-tesoureiro da campanha presidencial do candidato alagoano. Como este jovem repórter da revista *Veja*, que acabara de sair da cidade do Recife, faria a metamorfose de foca — profissional ainda inexperiente no ofício — para cobra criada? É este personagem, o mais célebre jornalista do caso *Collorgate,* que narra a sua aventura e enriquece a história recente do país.

O livro de Lula — como ele é conhecido pelos colegas do ramo — é um fabuloso exercício de jornalismo literário em primeiríssima pessoa. Tudo o que o repórter contou nos anos 1990 da maneira mais objetiva possível, como pedem os manuais de redação, retorna neste primeiro volume de **Trapaça** com o requinte narrativo de um romance. Ainda no prólogo, uma cena de arrepiar: o jovem jornalista auxilia um médico-legista a fazer a necropsia e embalsamar um cadáver no Serviço de Verificação de Óbitos da Universidade Federal de Pernambuco.

Assombrações do Recife à parte, o fio da novela de terror, no entanto, começa a ser desenrolado durante a CPI do PC quando o próprio Costa Pinto, que provocara a abertura da Comissão Parlamentar de Inquérito com a entrevista de Pedro Collor, usa o seu faro e imbatível apetite pelo ineditismo na revelação de provas assustadoras que derrubariam o presidente.

A perseguição implacável pela notícia não esgotava, porém, o poder olfativo do repórter para as boas coisas da vida. Em outras palavras: o jovem jornalista era muito romântico. Foi assim que sentiu o perfume Fendi da repórter do jornal *Zero Hora*, colega de cobertura do escândalo de corrupção que chacoalhou a República. Depois de noitadas de jazz & gin tônica, o flerte daria em casamento. Mas calma: isso é coisa para um segundo volume de **Trapaça**.

Cativar, verbo ingênuo que nos parece subtraído de um Saint-Exupèry de *O Pequeno Príncipe*, é essencial entre as ferramentas de um grande repórter. Foi com bom humor, vigilância permanente e muita paciência que o manhoso Lula conquistou a confiança de Pedro Collor. Foram dezoito meses entre voos, salas de espera e muita sola de sapato na estrada para transformar a confiança conquistada no histórico furo jornalístico. Trata-se de uma aula magna sobre a relação fonte-jornalista. Jovens, leiam e releiam os detalhes caprichados deste livro, aprendam como construir, fio a fio da trama, um épico da imprensa.

Óbvio que existem caprichos que não constam nem devem fazer parte dos austeros manuais de redação. Lula foi obrigado, por exemplo, a funcionar também como cupido entre Pedro e Thereza Collor, sua mulher, em momentos de tensões do casal. Um conselho sentimental aqui, um álibi acolá, e assim o jeitoso pernambucano ganhou as graças dos pombinhos.

Com uma ponta de canalhice lírica, digna de uma crônica de Antonio Maria, o jovem repórter não esconde o seu alumbramento com a musa da CPI ou a "cunhadinha do Brasil", como Thereza era chamada. Passagens relaxantes e divertidas em meio ao horror das maracutaias que emergiam do subsolo do Planalto.

Em uma breve e certeira advertência sobre a natureza de **Trapaça**, o autor decifra o espírito desta saga: "*No Brasil, realidade e ficção muitas vezes se confundem. Vivemos num país onde, não raro, a mentira é mais verossímil que a verdade. E onde a verdade, quase sempre, tem de se esforçar para ser crível. Nossos dramas políticos sugerem narrativas ficcionais. Aqui nem tudo é verdade, mas tudo pode ter sido verdade*".

Publicado com o distanciamento de quase três décadas desde o vendaval *Collorgate*, as memórias de Luís Costa Pinto, sem cair na tentação nostálgica, mostram como a imprensa, naquele Brasil que elegeu nas urnas o primeiro presidente depois da Ditadura, aprendeu a investigar as tenebrosas transações do Poder Público. O legado é visto até hoje, com a enorme vantagem das ferramentas da internet. Uma simples busca no Google ou no *site* de um tribunal de justiça resulta em dados que demandavam um esforço de operário empreendido pelos repórteres em 1992.

O caso eu conto como o caso foi: sem corporativismo, o autor expõe as intrigas e vaidades do meio jornalístico na corrida pelo furo e narra truques que estavam fora do alcance dos leitores naquela época. É o deputado federal José Dirceu, petista de São Paulo, que dá amparo legal aos editores da revista *Veja* na publicação de cópia da declaração de Imposto de Renda de PC Farias. Protegido pela imunidade parlamentar, Dirceu assume ter obtido o documento que fora uma descoberta do jornalista Kaíke Nanne, chefe da sucursal da revista no Recife, que substituíra o próprio Costa Pinto no posto. A área jurídica da editora que publicava *Veja* temia complicações jurídicas ao assumir a quebra de sigilo da Receita Federal.

Trapaça, em seu volume de abertura da saga, chega como uma obra extraordinária de jornalismo literário. Escrito como os melhores roteiros de ação e suspense, deixa o leitor roendo as unhas pela publicação da segunda parte da história. Bate aquele vazio no ponto-final. Que o autor e a Geração Editorial nos solucionem, o mais breve possível, essa crise de abstinência.

* Xico Sá, 57 anos. Jornalista, cronista e roteirista, nasceu na cidade do Crato (CE) e se formou em jornalismo na Universidade Federal de Pernambuco. Atuou como repórter especial em publicações como *O Estado de S. Paulo*, *Folha de S. Paulo* e revista *Veja*. É autor de diversos livros, entre eles *Big Jato*, *Sertão Japão*, *Divina Comédia da Fama* e *Nova Geografia da Fome*. Também é comentarista esportivo em canais de TV por assinatura.

Não há notícia de outro jornalista cujo ofício tenha se iniciado numa sala de necrotério público, sob o testemunho de defuntos anônimos, a auxiliar um professor de Medicina Legal no embalsamamento do corpo de um amigo ao lado de quem o aprendiz havia passado mais da metade do dia anterior. O acaso e a fortuna me visitaram no mesmo dia, pouco antes de completar 22 anos, uma semana depois de ter colado grau na Universidade. Os caminhos que me tinham levado sem relutância ou reservas às geladeiras de cadáveres do Serviço de Verificação de Óbitos do Hospital Universitário da Universidade Federal de Pernambuco, calçado de luvas e metido num avental de tanatopraxista amador, explicam em parte a forma como passei a atuar na profissão. Dizem muito, também, acerca da frieza ante as adversidades mantida por mim depois de me libertar das redações.

* * *

Julho de 1990. Bruno Bittencourt era o chefe da sucursal de Veja *no Recife. Não o conhecia até ele entrar na pequena sala que fazia as vezes de escritório regional da* Folha de S. Paulo *na capital pernambucana. Eu cobria as férias do jornalista Paulo Sérgio Scarpa. Defensor da desregulamentação do exercício da profissão, tese que combati como liderança estudantil e presidente de Diretório Acadêmico, o jornal paulistano aceitou me contratar antes da conclusão do curso. Revi minhas convicções sem pestanejar. Por um bom emprego, larguei o estágio que me pagava dois salários mínimos num diário local e abracei as certezas da* Folha *com pragmatismo.*

— Ouvi os três melhores jornalistas da cidade. Todos me garantiram que você é o cara que devo pôr no meu lugar — disse Bruno Bittencourt enquanto trocávamos um aperto de mão mais longo que o protocolo.

— Você deve ter ouvido Scarpa, que está na Praia dos Carneiros com a mãe, Antônio Portela, meu editor no Jornal do Commercio, *e Fernando Menezes, meu professor na faculdade. Aí não vale.*

Rimos e nos sentamos. Ele estava de mudança para São Paulo, onde assumiria o cargo de subeditor da editoria "Assuntos Gerais" na Veja. *A sucursal da revista em Pernambuco era responsável por cobrir um território compreendido entre os estados de Alagoas e Piauí, contava com um fotógrafo e dois repórteres. Caberia a mim contratá-los. Comandaria ainda uma equipe de dez freelancers no Recife, quatro em Fortaleza e um em cada uma das demais capitais sob a minha responsabilidade — caso aceitasse o cargo, óbvio.*

— Nem me formei ainda — adverti.

— É isso o que o povo quer lá em São Paulo: gente jovem, sem vícios na profissão e com coragem. Topa? Se topar, embarca quarta-feira para conversar com o Tales Alvarenga. Devia ser com o Mário Sérgio Conti, mas o Mário está de férias. Tirou uns dias antes de assumir a direção de redação. Tales será o redator-chefe.

— Topo.

— Ótimo. Minha secretária, Rizande, vai ligar para mandar passagem e voucher *de hotel. Vá de terno. Impressione os caras. A gente se vê na volta.*

* * *

Retornei de São Paulo na madrugada de uma sexta-feira. Fui direto para a sucursal da revista, onde me reuni com Bruno. Ele apresentou a equipe de apoio: motorista, secretária, teletipista, *office-boy*. Mal iniciamos a conversa, o telefone de sua mesa tocou. Alguém deu a notícia da morte de Victor Civita, fundador da Editora Abril, matriz empresarial de *Veja*. Boa parte do conteúdo da publicação teria de ser refeita e atualizada na sede, em razão das homenagens e do obituário. Podíamos, portanto, dedicar-nos à passagem do bastão editorial e às conversas de fundo sobre temas preferenciais da revista, características pessoais dos editores e formas particulares de conduzir os assuntos.

Por volta das seis da tarde decretamos encerrado o expediente. Fomos ao Bar Savoy, tradicional reduto boêmio da cidade, tomar um chope. Não demorei. Casaria dali a um mês. Precisava cuidar de alguns detalhes da cerimônia. Despedi-me de Bruno no bar. Ele vestia uma calça *jeans* e camisa de linho verde-água. Fui cuidar da vida.

Na manhã seguinte recebi um telefonema de Evaldo Costa, chefe de reportagem do *Jornal do Commercio*, onde havia feito estágio. Os relógios não marcavam nem oito e meia da manhã daquele sábado.

— Meu velho, você soube do Bruno?

— Não.

— Morreu num acidente, esta madrugada, em Ferreiros. É uma cidade a duas horas daqui. Estava indo para Campina Grande, ver uma namorada. Pegou um atalho pelo meio de um canavial, bateu numa ambulância. O corpo está lá ainda.

O choque não me tirou totalmente o rumo das ideias. Calibrei as palavras. Escutei:

— Vamos mandar um carro, com repórter e fotógrafo. Quer ir?

— Quero. Estou no Espinheiro. Apanham-me aqui?

Espinheiro é um bairro do Recife. Ali ficava a empresa de minha família.

— Sim. Onde?

— Marquês do Paraná, 297. Diga ao motorista para vir pela Avenida João de Barros.

— Indo. Reginaldo será o motorista.

Reginaldo havia sido um grande parceiro de reportagens e pequenas viagens nos meus anos de estagiário no JC. *Evaldo sabia disso, por isso o mandou.*

Enquanto esperava o pessoal do jornal acionei Rizande, a secretária, e Chico, o motorista de *Veja*. Soube por eles que Bruno estava dirigindo o carro da revista, o que de certa forma era irregular pelas normas da Editora Abril. Sosseguei Chico: não haveria repercussões contra ele. Deram-me o número do telefone da residência de Tales. Comuniquei-o da morte. Lamentou muito. Mineiro como Bruno, fora o responsável pela promoção dele a subeditor. Recebi a instrução para cuidar de tudo, levar o corpo para Recife enquanto a Editora faria o que fosse necessário para transladar o morto até Belo Horizonte. Lá morava o restante da família Bittencourt.

Cheguei a Ferreiros pouco antes do meio-dia. Parei direto no hospital municipal, um posto de saúde transformado em algo a mais sem nenhum merecimento aparente. Um vigilante me conduziu a uma espécie de lavanderia nos fundos do prédio. A edificação era térrea, acanhada, revestida por azulejos brancos e encardidos. Piso de lajotas vermelhas. Na área que identifiquei como lavanderia havia um balcão de alvenaria, igualmente azulejado. Os mesmos azulejos brancos e encardidos das paredes. Jazia ali um corpo. Antes de olhar o rosto inchado dos mortos; e Bruno tinha o rosto inchado dos mortos, verifiquei isso depois; reconheci meu amigo pela camisa de linho verde-água e pela calça *jeans*. Faltavam-lhe os sapatos.

— Cadê os sapatos? — perguntei ao vigilante e a uma enfermeira que me acompanhavam.

— Roubaram. Chegou aqui assim, com a carteira vazia, sem anéis nem trancelins — respondeu a enfermeira.

Trancelim é como chamamos cordões de ouro ou de prata em Pernambuco. Até a noite anterior à sua morte, Bruno tinha um trancelim com um escapulário e ainda usava a aliança do casamento desfeito. "É para me lembrar de Bruna", disse-me durante nossa conversa no Savoy. Havia felicidade na mesa. Bebíamos e ríamos e fazíamos planos de futuro. Bruna era a filha dele, tinha menos de dois anos e regressara a Minas Gerais com a mãe, Sandra, depois da separação.

— Preciso levar o corpo para Recife. Como faço?

— Não pode. Não há médico na cidade para assinar o óbito dele — alertou-me a enfermeira.

— Você pode assinar?

— Se o delegado deixar, posso.

— Como falo com o delegado?

— O delegado está fora da cidade.

— Você tem cópia de atestados antigos aí?

— Tem de redigir, e eu não sei fazer um.

— Eu redijo. Tem máquina de escrever aqui?

— Tem.

Sentei e redigi um atestado de óbito seguindo o exemplo de dois ou três documentos, iguais àquele que encontrei arquivados na sala de administração do hospital do vilarejo, que não contava mais do que duas mil vidas. Ali estava eu me enrascando em meio a uma morte. Com algum custo, a enfermeira desenhou seu nome no papel usando meia dúzia de rabiscos.

— Tem caixão?

— Caixão?

— Sim, caixão para pôr o morto.

— Em toda Ferreiros só tem um caixão de defuntos vazio, na venda de Seu Raimundo.

— Onde é?

Ela me orientou sobre como chegar. Fui lá. Era um caixão simples, humilde como o povo daquele lugar esquecido no meio das plantações de cana onde Pernambuco e Paraíba se misturam no mapa. Paguei com o que tinha no bolso. Caro aquele ataúde de laca com alças de ferro entalhadas sugerindo toscas patas de leão, revestido de cetim roxo. Certamente haviam me cobrado bem mais do que valia. Reclamei do preço.

Voltou-me à memória a experiência de anos antes, quando precisei comprar um caixão para um tio morto de infarto na casa da amante. Naquela ocasião vi-me na inusitada situação de cabalar valores e escolher modelos. Ao ser informada das circunstâncias da morte do marido, minha tia recusou-se a cuidar das exéquias.

Em Ferreiros eram bastante escassas as opções e a margem de negociação. Retornei ao hospital. Acomodei Bruno no caixão com a ajuda de Reginaldo, o motorista.

— Você não pode sair do hospital com o corpo sem autorização do delegado.

— Mas o delegado não está na cidade.

— Tem um agente lá. Ele precisa assinar a autorização — alertou-me a enfermeira.

Dirigi-me à delegacia. O agente me recebeu. Educado, mas pouco útil.

— Quero ajudar, mas sou analfabeto. Não posso escrever a liberação.

— Eu redijo.

Sentei-me na cadeira do delegado, perguntei o que era preciso dizer. Ele falou mais ou menos o que deveria constar no papel. Deu-me o nome. Escrevi o que imaginei ser um termo de liberação de corpo. Pedi que assinasse. Lembrou-me: "Sou analfabeto". Tirei a carga de minha caneta esferográfica, cortei-a com uma navalha que estava sobre a mesa do delegado, pus a tinta azul sobre um bloco de papel e pedi que melasse o dedo polegar. O agente obedeceu. Deixei a impressão das digitais dele no termo legal que eu havia inventado. Voltei ao hospital. Podia, enfim, levar o corpo de Bruno para Recife. Tinha atestado de óbito e liberação policial. Reginaldo, entretanto, advertiu: o caixão não cabia no carro do jornal — um Gol, modelo desprovido de bagageiro. Foi no justo momento em que um tenente da Polícia Militar entrou em cena na lavanderia do hospital. O ambiente fazia as vezes de sala de perícia necrológica. Anunciou-se:

— Bom dia. Fui enviado pela Casa Militar.

— Como? — quis saber.

— O governador Carlos Wilson mandou que eu viesse até aqui e procurasse o senhor Lula Costa Pinto. É para ajudar no que precisar.

— Sou eu. Como posso falar com o governador?

— Tenho o telefone da Casa Militar do Palácio Campo das Princesas. O senhor quer? Lá eles transferem a ligação para a ala residencial.

Carlos Wilson Campos, Cali como era chamado pelos amigos, assumira o governo do Estado com a desincompatibilização de Miguel Arraes. O titular deixara o mandato para disputar uma vaga de deputado federal nas eleições gerais daquele ano. Conhecia-o das rodas sociais e das arquibancadas recifenses dos estádios de futebol, Arruda e Aflitos. Cali torcia pelo Náutico, adversário do meu time.

Liguei para ele.

— Cali, bom dia. Aqui é Lula.

— Eu sei. Mandei um tenente até aí para ajudá-lo em tudo. Evaldo Costa me contou da morte de Bruno. O que você precisa?

— Preciso transportar o corpo para Recife num caixão, mas não tenho carro para isso.

— Traga no carro da Casa Militar. É uma Caravan. Se abaixar o banco, cabe.

— Ok. Posso pedir isso ao tenente?

— Deve. Peça em meu nome.

Situação resolvida. Acomodamos o caixão no compartimento traseiro da Caravan da Polícia Militar. O tenente e um sargento, motorista, foram na frente. Arranjei-me no espaço que sobrou na traseira do carro oficial. Meio deitado, meio sentado. Viajamos assim por duas horas. Chegamos ao Recife no meio da tarde sob temporal intenso. Chuva e vento. Quando estacionamos diante do Instituto Médico Legal soubemos que os médicos-legistas haviam decretado greve. Seria impossível fazer a necropsia de Bruno e embalsamar o corpo. O procedimento era obrigatório. Cadáveres só podem voar embalsamados e formolizados. Um grupo de jornalistas, amigos do chefe da sucursal de *Veja*, estava diante do Instituto Médico Legal. Queriam vê-lo, despedir-se, chorar a morte. Yvana Fecchine, repórter da sucursal do *Jornal do Brasil*, tomou a iniciativa de contornar a nova dificuldade. Abriu a agenda telefônica, encontrou o número de um professor de Medicina Legal da Universidade Federal de Pernambuco (UFPE), sua fonte, narrou a situação e conseguiu que ele fizesse a necropsia e o embalsamento no Serviço de Verificação de Óbitos daquela Universidade. Começava a escurecer naquela tarde cinza. Estávamos no bairro de Santo Amaro. Para chegar à Universidade, na Várzea, na periferia, cruzaríamos a cidade em meio ao aguaceiro. Era lua cheia, a maré subia. Na maré alta os canais de drenagem do rio Capibaribe atingem seus limites facilmente. Enquanto dirigíamos, percebi sinais de alagamento por toda a cidade.

— Boa tarde — disse o professor, médico-legista, que já nos esperava na entrada do centro.

— Abri o necrotério do Hospital Universitário. Mas não tenho ninguém para me auxiliar nesses procedimentos. Preciso de um ajudante.

— Eu auxilio. Você me orienta sobre o que fazer.

Disse aquilo sem pensar duas vezes.

— Tem certeza? Você já entrou numa geladeira de cadáveres?

— Não, nunca.

— Há muitos corpos aí. Não é agradável.

— Vamos.

— Você terá de ver seu amigo ser aberto, exposto. É desagradável. Há outros corpos ao redor. Vamos trabalhar em meio a corpos nus de gente que você nem conheceu em vida.

— Vamos.

Fomos. Naquele momento aprendi a olhar por sobre os acontecimentos, a ignorar o entorno — e o entorno, no caso, era aterrador.

Havia cadáveres semiabertos deitados sobre mesas de aço inoxidável. Alguns crânios estavam organizados numa fileira lógica sobre uma prateleira. Uns, puro osso. Outros, completos. Primeira lição: concentrar-me totalmente no que tinha de ser feito, sem deixar o ambiente me tirar o foco. Nem o corpo frio, cinza-azulado, de um homem de tez pardacenta e que parecia hipoteticamente com tantos outros que via pelas ruas da cidade, foi capaz de me distrair. Morrera de olhos abertos, coitado. Parecia observar fixamente uma mancha marrom do teto. Levamos umas quatro horas na execução dos tais procedimentos. Vencidas as incisões inaugurais do bisturi do professor, enfrentado o susto de aparar os jorros do sangue ainda meio liquefeito que corria a espasmos, tudo transcorrera normalmente. Não enjoei, como imaginava. Não tive náuseas ou tontura. O tempo passava e tive a sensação de ver-me olhando-nos de cima, numa espécie de descolamento entre corpo e alma. Naquele transe, filmava o salão dos mortos de algum ponto da sala. Não sabia se tudo era mentira, ou se tudo aquilo era mesmo verdade.

Concluído o trabalho de formolizar e embalsamar o cadáver de Bruno, devolvi-o ao caixão. O professor de Medicina Legal ajudou-me a carregar o conjunto — corpo e ataúde — até a área externa do Serviço de Verificação de Óbitos. A Caravan da Casa Militar tinha ido embora, fora trocada por uma Kombi da Polícia Civil, também enviada por Cali. Pusemos o caixão na Kombi, saímos do *campus* universitário e pegamos um trecho urbano da BR-101. Quando fizemos a conversão para entrar na Avenida Caxangá, constatamos o previsível: inundação. O carro da Polícia Civil em que estávamos, por ter o motor na parte traseira, atravessara bem o primeiro quilômetro da via inundada. Mas agora a água ultrapassava um metro de altura. A Kombi morreu. Um dos policiais pediu que eu descesse para empurrar. Desci e empurrei. O motor pegou, contudo ele não podia desacelerar. O policial disparou na frente. Corri atrás deles por uns seiscentos metros. Ele subiu a rampa do estacionamento de uma farmácia a fim de me esperar com o motor funcionando. Era tudo tão patético, mas tão pavorosamente real, que parecia filme. Levamos outras duas horas para chegar ao setor de hangares do aeroporto.

Não podia me comunicar com ninguém, não havia telefones celulares naquela época. Impossível saber se as tratativas para o translado do corpo haviam sido bem-sucedidas. Na entrada do setor de aviação executiva do Aeroporto Internacional dos Guararapes o editor da revista *Exame* no Nordeste, José Maria Furtado, já me esperava. A *Exame* também pertencia à Editora Abril, título dedicado à cobertura econômica. Furtado era mineiro como Bruno, como Tales e como a Líder Táxi Aéreo, que faria o voo derradeiro com meu amigo e cujo dono ele conhecia pessoalmente. As amizades fizeram tudo funcionar, apesar dos imensos contratempos daquela tragédia.

— Lula!

Era Deca, como havia sido apresentado a Furtado. Ele me abraçou aos prantos. Não consegui chorar. Nem sequer sentia ser eu mesmo quem restava ali.

— O jatinho que a Líder disponibilizou não pode voar agora. Chove muito. Preferem esperar o sol nascer.

— Ok, Deca. Vamos esperar o sol nascer.

Às cinco da manhã do domingo, o avião levantou voo do Recife levando o corpo embalsamado de Bruno Bittencourt. Furtado acompanharia as cerimônias fúnebres com a família. Voou junto. Os dois haviam convivido no Recife, com as respectivas esposas e os filhos. Deca conhecia Sandra e Bruna. Olhei a aeronave ganhando altitude ao encontro do sol laranja nascente, procurei a mim depois daquela experiência, pedi que alguém me deixasse num táxi, desembarquei na casa de meus pais em Olinda antes das sete da manhã, engoli um café em silêncio, fui me deitar. Acordei no fim da tarde sem saber ao certo distinguir o que era fato e o que era ficção, e foi dessa maneira tão perfeitamente latino-americana que abracei de vez a carreira de jornalista.

* * *

Deixei as redações em 2002 para fazer uma campanha eleitoral presidencial. Desde essa época, dou consultorias de comunicação, faço análise de cenários políticos, produzo auditorias de campanhas políticas. Decidi contar o que vi e o que vivi da forma como os relatos voltaram à minha memória. Desenvolvi, neste livro, um estilo que creio ser singular: a autobiografia psicografada baseada em fatos reais.

É como classifico o que ora lhes entrego.

No Brasil, realidade e ficção muitas vezes se confundem.
Vivemos num país onde, não raro,
a mentira é mais verossímil que a verdade.
E onde a verdade, quase sempre, tem de se esforçar para ser crível.
Nossos dramas políticos sugerem narrativas ficcionais.
Aqui nem tudo é verdade,
mas tudo pode ter sido verdade.

Parte 1

A IMPRENSA

Havia duas semanas que não nos falávamos. Nos últimos meses era incomum hiato como aquele. Em janeiro ele foi a Brasília e não me encontrou. Eu estava de férias. Ainda assim, aceitou o convite para um café com um colega de redação. Foi revelador ao chamar Paulo César Farias, o PC, de "lepra ambulante". Deixou outro recado: deveria procurá-lo tão logo regressasse.

* * *

Raramente a fonte que detém uma notícia reconhece-a como tal. Muitas vezes, quem deseja fazer um jornalista comprar uma informação possui mercadoria sem qualidade. O furo jornalístico resulta do balanço menos imperfeito possível entre o reconhecimento da pedra bruta, a guarda do mapa do tesouro até que ele possa ser revelado e se proceda a lapidação pós-garimpo. Há sempre muita vaidade, algum interesse financeiro e razoável jogo de poder envolvidos nesse processo complexo.

Por dezoito meses, no circuito Recife-Maceió-Brasília, minerar aquele filão tornou-se uma busca obsessiva.

* * *

Maio de 1992. Brasília vivia um momento de inflexão. Derrotado em suas teses mais fundamentalistas de abrir a economia nacional a fórceps, obrigado a segurar uma alta inflacionária à unha, o presidente Fernando Collor capitulara na alardeada independência de partidos e de políticos tradicionais. Para conduzir seu governo, convocou o Partido da Frente Liberal, o PFL, nascido de uma costela da Aliança Renovadora Nacional. A Arena tinha dado sustentação ao golpe militar de 1964, concedendo aos generais um lustro civil, embora a maioria deles desprezasse a civilidade. O recuo no discurso de campanha tinha sido celebrado em boa parte da imprensa como reconhecimento do voluntarioso Collor aos ritos e caminhos da política tradicional.

A turma do PFL conhecia os mais recônditos escaninhos dos palácios brasilienses. Agarrara-se à máquina pública como mariscos oportunistas em casco de navio. Acenando com migalhas e carcaças das estruturas de poder à pefelândia, como eram chamados os ávidos parlamentares da sigla, Collor apostava ganhar tração e governabilidade para sua administração. Contra ele e seu governo eram sopradas denúncias esparsas de corrupção. Quase todas carentes de provas. Sendo nome egresso das hostes da direita e sem formação específica no liberalismo econômico, o presidente conservava um apoio assentado em certa idolatria vazia de parcela razoável da população. Era assim sobretudo entre militares e anticomunistas. Por má-fé ou ignorância, pareciam ainda viver num mundo bipolar. O Muro de Berlim ruíra havia três anos. Existiam, também, os fanáticos religiosos.

Ao admitir governar em sociedade com o PFL, Collor devolveu de certa forma a maioria das coisas ao lugar que elas ocupavam na capital da República, desde a quartelada de 1964 que inaugurou o regime de exceção constitucional.

Era um cenário de razoável normalidade. Preparava-me para entrevistar o vice-presidente Itamar Franco. Terça-feira, começo de uma tarde úmida típica dos outonos do Planalto Central. O desafio: provocar o vice e fazê-lo falar duas ou três coisas fortes o suficiente para lançá-lo contra o presidente. A missão: fermentar artificialmente um clima de disputa entre os dois.

* * *

Quando não há intrigas em Brasília, cabe-nos fabricá-las. Jornalismo, às vezes, é isso.

Itamar era um político pouco levado a sério. Mineiro, foi prefeito de Juiz de Fora e se elegeu senador em 1974 quando o Movimento Democrático Brasileiro (MDB), sigla de oposição à ditadura militar que aglutinava partidos proscritos do centro à esquerda, surpreendeu o regime e começou a virar o vértice da resistência democrática à ditadura. Reeleito senador, presidiu uma Comissão Parlamentar de Inquérito (CPI) da Corrupção durante o governo de José Sarney. Isso lhe conferiu notoriedade. Obrigado a nacionalizar o discurso porque seu nome ganhara viabilidade depois de ter envergado a fantasia de "caçador de marajás" — os funcionários públicos alagoanos de altos salários — e ampliá-lo para "caçador de corruptos", Collor convidou o mineiro para ser o vice em sua chapa presidencial. Itamar aceitou de imediato. Tinham valores, projetos políticos e trajetórias distintos. Donos de temperamentos acidamente diferentes, detestavam-se. A ausência de sintonia sempre foi evidente.

Era necessário potencializar aquela acidez divergente em um governo que se estabilizava depois do furacão do confisco das poupanças e dos depósitos à vista nas contas correntes, efetuados no primeiro dia de mandato, em 15 de março de 1990. O Plano Collor inoculara o vírus da resistência ao governo que entrava. Latente, o organismo inflacionário começava a despertar e passava a comprometer atividades vitais da República.

* * *

A redação da revista ficava no 9º andar de um dos raros edifícios comerciais do Setor Comercial Norte. Era uma Brasília cujo Plano Piloto ainda permanecia em construção naquele início dos anos 1990. O prédio foi um dos primeiros a adotar na cidade a estética duvidosa de granito, vidro fumê e nome em inglês na fachada. Chamava-se *Trade Center*. A paisagem da metrópole inventada na prancheta de Lúcio Costa nascera para ser marcada pelos palácios de vãos livres e colunas singulares de Oscar Niemeyer.

A redação, decorada com móveis simples, dividida por uma dúzia de baias e telefones de cor creme com teclados digitais pretos, tentava imitar o *Washington Post* cenográfico de *Todos os Homens do*

Presidente. Os aparelhos telefônicos tocavam mais do que o fluxo de entrada de informações. Persianas laminadas sambando ao sabor do vento constante da capital modulavam a luz natural. Ao fundo, à direita, separada dos repórteres por divisórias de vidro, ficava a sala de teletipos, *telex* e *fax*.

Teletipos eram máquinas conectadas às agências de notícias. Na era pré-internet, davam-nos noção do que estava sendo notícia no mundo e também no Brasil, sobretudo pelas duas mais capilares instituições da imprensa brasileira: a Agência JB, do *Jornal do Brasil*, e a Agência Estado, de *O Estado de S. Paulo*. As máquinas de telefoto eram impressoras de fotografias a distância. Havia duas ali — uma em preto e branco, outra colorida. O telex era, ainda, meio ágil de reportar textos e determinações a distância. E o *fax*, o suprassumo do avanço tecnológico na época. Recebia página a página um original que se queria transmitir instantaneamente e entregava a cópia em qualquer lugar do planeta onde houvesse outro aparelho conectado por meio de linha telefônica. Tínhamos uma das redações mais bem equipadas da imprensa brasiliense.

A entrevista com Itamar seria às onze horas. Eram dez e meia. O ramal direto de minha mesa tocou enquanto vestia o paletó do terno de linho verde-água. Era o mesmo que usara em meu casamento, menos de dois anos antes. Poucas pessoas tinham aquele número. Em geral, as ligações chegavam à secretária da redação, que ficava ao alcance de um olhar, e ela nos transferia de acordo com a conveniência. O ramal tocou, olhei para Vera. Ela não me encaminhava chamada alguma. Atendi, seco e lacônico como sempre. Era uma forma de fingir distanciamento e dispensar logo o interlocutor, se não fosse algo interessante.

— Redação *Veja*. Brasília. Bom dia.

— Sou eu, Pedro. Tudo bem?

Sem esperar resposta, como de hábito em nossas conversas, ele emendava um assunto no outro. Sempre cheio de determinações e assertivas.

— Você está perto de um *fax*? Vá para perto de um *fax* e me passe o número. Não fale com ninguém.

— Pedro? Tudo bem? O que há? Você estava sumido.

— Tudo bem. Tudo ótimo. Viajei na Semana Santa, fui para as Bahamas, pescar peixe grande. Paraísos fiscais. Vou te contar: estou feliz com a pescaria. Quero te mostrar meus peixes.

— Pedro, estou saindo para entrevistar o Itamar agora. Entrevista marcada há muito...

— Esquece o Itamar, porra.

— ... tempo.

— Lula, o Itamar não vai para canto nenhum. O que tenho é coisa muito boa. Vai para a frente do *fax*. Passa o número. Desmarca a entrevista. Não fale com ninguém. Recebe as páginas e me liga. Quando você perceber a importância do que vou te mandar, vai me agradecer não ter ido conversar com o maluco do Itamar.

Passei o número de um dos *faxes* e pedi à secretária:

— Liga para João Emílio.

— O Falcão? Assessor do vice?

— Isso. Diz a ele que não irei. Não quero falar o porquê agora. Tento marcar outra hora depois. Não me transfere. Não poderei falar com ele.

Entrei na sala de teletipos e a máquina de *fax* já despejara na cestinha de metal localizada abaixo dela três páginas daquilo que parecia ser um desconexo dossiê. Li a primeira vez na diagonal. Gostei. Reli.

No total, 17 páginas de procurações, extratos de transferências de fundos entre instituições financeiras no exterior e aberturas de firmas em paraísos fiscais me haviam sido enviadas. Só um dos papéis continha o nome e a assinatura de Paulo César Cavalcante Farias, o PC.

PC Farias era um empresário alagoano desafeto de Pedro Collor. Foi tesoureiro nacional da vitoriosa campanha presidencial do irmão de Pedro, Fernando, em 1989. Circulavam pelo país informações de movimentações acintosamente irregulares de PC — tráfico de influência, pressões indevidas sobre empresários e executivos de empresas públicas, cobrança de pedágios financeiros em torno de decisões de governo. Ninguém apresentava provas de nada disso. Mas o tom e a intensidade de todos os rumores aumentavam dia a dia. Li o material e liguei, como combinado. Ele atendeu direto.

— Leu? O que achou?

— Parece-me relevante.

— Relevante, pô? É ótimo. Ó-ti-mo. Uma bomba. O governo do Fernando cai.

Pedro era um entusiasta das próprias ideias. Procurava transferir tal entusiasmo para a forma como falava das coisas. Era expansivo, sutilmente arrogante. Eu encarava aquilo com alguma naturalidade, dada a posição que ele ocupava na escala de relevância social: aos 38 anos podia ser considerado rico, bem-sucedido, ampliara a fortuna herdada, estava casado com uma bela mulher. As mulheres, por sinal, consideravam-no um homem bonito. Era sociável e comunicativo. Além disso tudo, irmão caçula do jovem presidente da República.

— Calma, Pedro. Preciso entender melhor esses papéis. Só tem assinatura em um deles.

— Eu explico, mas pessoalmente.

— Você está onde?

— Em Maceió, embarcando para o Rio. Tenho um jantar com o Leleco. (*Leleco Barbosa, diretor de TV e cinema, filho do* showman *Chacrinha*).

— Vou encontrá-lo no Rio.

— Vá, mas chego e vou direto para o jantar. Falo com você depois.

— Depois não, Pedro. Você vai beber... vai com a Thereza?

— Não, só.

— Depois, jamais. Sem Thereza você vai pirar, vai beber. Terá mulheres lá. A última pessoa que você vai querer ver serei eu, muito menos para explicar esses documentos.

— Ok. Fico no Hotel Glória. Vai logo. Falamos antes do jantar. Eu explico. Espero você.

* * *

Começava uma empreitada jornalística de cinco meses. A partir dela o Ministério Público e a Polícia Federal souberam construir suas independências institucionais em relação aos Três Poderes republicanos, um governo caiu e se iniciou nova transição na política nacional: não mais da ditadura para a democracia, mas sim de uma nomenclatura formada por políticos que resistiram e venceram a ditadura minando-a com astúcia e persistência para um Estado de Direito, que amadureceria ao derrubar um governo eleito sem interromper a ordem constitucional. Muito antes do que era possível imaginar, o Brasil estava a testar as ferramentas democráticas de impedimento de chefes de governo contidas na Constituição de 1988.

* * *

A conversa no Rio foi dividida em duas etapas. Li junto com Pedro cada um dos papéis que recebera. Ele explicou do que se tratava:

- Em 18 de junho de 1991 fora constituída na França a S.C.I. Financière Albert 1er. A consultoria francesa Fidal Paris & Associés enviou cópia do extrato de criação dessa empresa no Registro de Comércio de Paris ao alagoano Paulo Jacinto Nascimento, advogado de PC Farias e conhecido de Pedro. Em outubro daquele mesmo ano Jacinto limpou o nome de Paulo César Farias no cadastro do Banco Central. Negociante de carros usados e vendedor de tratores no começo de sua vida profissional, PC se metera em alguns negócios mal explicados e emitira cheques sem fundo. Jacinto resolveu esses problemas todos — e os de natureza mais elevada em Paris. Na papelada que Pedro reunira, e que me explicava ali, a S.C.I. Financière seria a base de operações de PC na França.
- Com dois cheques cujas cópias estavam anexadas, um deles com data de 18 de junho e outro de 18 de novembro de 1991, cada um de 14,9 milhões de francos franceses (equivalentes a US$ 2,7 milhões), o francês Guy des Longchamps comprou a empresa D'Almeida Carneiro e transferiu-a para a S.C.I Financière. Longchamps, que começara a vida em Maceió como vendedor de tratores na revenda do próprio PC, casou-se com uma alagoana apresentada pelo chefe, virou professor da Aliança Francesa em Brasília e depois funcionário do

Banque Nationale de Paris no Panamá e na capital francesa. Longchamps era o procurador francês de PC.

- Em 29 de fevereiro de 1992, mostravam os papéis reunidos por Pedro Collor, PC Farias nomeou o consultor panamenho André Giulio Gomez-Mena seu procurador junto ao Citibank em Miami. Aquele era o único documento com a assinatura de Paulo César. O objetivo da procuração era fechar a conta da empresa Dupont Investment Ltd no Citibank da Flórida e transferir o saldo para o Multi Commercial Bank de Zurique, na Suíça. O Multi Commercial Bank era ligado ao BNP, onde trabalhara Guy des Longchamps, o amigo e procurador de PC.
- Em 31 de março de 1992, a consultoria Fidal Paris & Associés enviou um *fax* para Gomez-Mena, também anexada ao papelório de Pedro Collor, remetendo documentos referentes à transferência de fundos das contas das empresas Madsen Company Ltd e Begelier Ltd. Segundo o dossiê do irmão do então presidente, as empresas seriam braços financeiros de Paulo César Farias em Miami e em Paris. O *fax* da Fidal Paris & Associés mostrava que o dinheiro saíra do banco ANZ Gindlays, de Londres, e parou no Banque SCS Alliance, de Genebra.

* * *

Era o que eu tinha nas mãos. Precisava me fiar nas palavras de Pedro. Ele descrevia as operações com a naturalidade de quem também as executava. Eu acompanhava. Fingia compreender cada palavra, cada operação. Não anotava. Menos por arrogância, mais por técnica de entrevista: procurava não tomar anotações no curso de minhas conversas com as fontes. Esperava o diálogo acabar, ou interrompia meus interlocutores uma ou duas vezes caso as conversas fossem longas demais, trancava-me num banheiro ou numa antessala reservada, e desovava num bloco tudo o que memorizara — frases, explicações, detalhes. Também era avesso a usar gravadores.

Gravações inibem as fontes. Ou uma história faz sentido, ou você não tem uma história.

— Pedro, entendi. Mas preciso compreender melhor. Vá para o seu jantar. Não se entregue à esbórnia, por favor. Tomamos café às sete horas, aqui?

— Fechado. Guarde isso. Não fale com ninguém.

— Tenho que falar. Vou falar com Eduardo e com Mário Sérgio.

Pedro conhecia Eduardo Oinegue e gostava dele. Eduardo me precedera na chefia do escritório da revista no Recife. Em 1989 coordenou, para a publicação, a cobertura jornalística da campanha de Fernando Collor. Conquistou a partir dali a confiança da equipe do então candidato. Mário Sérgio Conti era o jovem diretor de redação. Ficava em São Paulo. Pedro ainda não o conhecia.

— Oinegue, ok. Mário, não. Café, amanhã, sete horas, queridão. Sem falta.

Tão logo Pedro deixou o Hotel Glória a bordo de um Volkswagen Santana sedã, dourado, vidros escuros, enviado para apanhá-lo, subi ao apartamento e liguei para Eduardo e para Mário Sérgio. Contei-lhes o que tinha e o que pretendia fazer: voltar a conversar com Pedro na manhã seguinte e voar para São Paulo.

— Venha, determinou Mário. — Marcarei entrevistas suas com ao menos dois especialistas no assunto. Fontes do Antenor. Esteja ao meio-dia num banco aqui em São Paulo. Dou o endereço depois.

Antenor Nascimento era o editor de Economia. Obviamente, tinha fontes melhores do que as minhas para destrinchar as informações financeiras. O banco do qual Mário falara era onde trabalhava um dos melhores operadores de mercado de São Paulo. O outro especialista, eu sabia, era Ibrahim Eris, ex-presidente do Banco Central que mudara de Brasília para a capital paulista e passara a tocar uma consultoria econômica. Já havia conversado com ele algumas vezes.

Às sete e cinco do dia seguinte, quando cheguei ao salão de café da manhã do icônico Glória, um hotel que conhecera o auge no Rio de Janeiro dos anos 1950, encontrei Pedro Collor dando instruções ao garçom sobre o ponto que desejava os ovos fritos:

gemas moles, sem queimar as bordas da clara. Sentei-me à mesa. "Brioches, e não torradas, para acompanhar", concluiu ele.

— Cinco minutos atrasado. Eu virei. Tomei banho e desci. Estou com um belíssimo contrabando no quarto. Sejamos breves.

— Pedro, seja sincero: essa briga entre você e PC é em razão de alguma divisão de lucros, de *lobby*, de negócios que vocês tenham em comum?

— Não nasci ontem. Não sou santo. Fernando não é santo. Paulo César não é santo, queridão. PC virou sócio do Fernando.

Fez a autocomiseração e prosseguiu.

— Juntos, eles querem me destruir em Alagoas. Vão montar um jornal, estão comprando uma TV. Ele vai me destruir onde vivo, onde ganho dinheiro, onde sempre ganhei. Fernando me odeia, detesta meu sucesso como empresário.

— Ok. Estamos apurando a história. Vou sair daqui direto para São Paulo. Quero traduzir a lógica daqueles papéis com gente do mercado financeiro.

— Faça isso. Se sua fonte entender mesmo, verá que a complexidade dessas operações que te entreguei é típica de quem tem ao menos 50 milhões de dólares lá fora. PC é o testa de ferro do Fernando.

— Pedro, eles vão te estourar. Vão negar. Isso aqui cria uma crise enorme para o governo.

— Publique.

— Vamos apurar e publicar. Mas você está pronto para ser implodido?

— Eles não têm coragem. Sabem que posso derrubar, de verdade, o governo do Fernando. Isso diz a Paulo César o que eu posso vir a fazer. Meto medo nele, assim ele vai recuar. Se não vierem conversar, se não houver recuo em Alagoas, aí o pau vai cantar. Tenho muito mais coisas. Vou para cima do Fernando.

— Você não vem para cima agora?

— Não é hora. Esses papéis são da história de Paulo César e não de Fernando. Se Paulo César tiver juízo, mantém a crise no colo dele e reduz o volume de suas operações. Se for doido, cai tudo. Pague para ver. Isto aqui é um jogo.

— Pagarei. Até! Dou notícias. Eu te ligo à noite.

— Em Maceió. Liga em casa. Voltei com a Thereza.

— Ok. Até!

Engoli o café preto, aguado, servido no bule de prata com o brasão do Glória e na louça francesa decorada com o logotipo do hotel. Resquícios de um tempo que não voltaria nunca ao Rio de Janeiro nem ao Hotel Glória.

Antes das oito e meia o táxi me deixou no Santos Dumont. Precisava ir ao guichê da Vasp pegar o PTA (como naquele tempo eram chamados os *vouchers* para retirada de bilhetes aéreos a distância) e emitir a passagem na ponte aérea. Com sorte, voaria no avião das nove e meia. Chegaria com folga ao banco de investimentos na Avenida Paulista na hora marcada, meio-dia.

* * *

Durante o voo, excitado e exausto, li os jornais do dia e repassei os cadernos para os demais passageiros do avião. Costumava fazer assim nos tempos pré-tablets. Detestava acumular quilos de papel no meu colo (comprava ao menos dois jornais do Rio, dois de São Paulo e um de economia antes de embarcar em qualquer voo, de qualquer distância). Reclinei a cabeça, fechei os olhos e rememorei os quase dois anos de relação que tinha com Pedro Collor.

Em seu livro de memórias Passando a Limpo — a trajetória de um farsante, *publicado em 1993, Pedro escreveu que decidira me entregar o dossiê contra PC com a intenção de levar à luz "apenas alguns documentos". Ele queria, em suas próprias palavras, "administrar a informação devagar". Admitiu, porém, que ao me encontrar perdeu o controle do que tinha. "Entreguei toda a papelada: era tudo ou nada", escreveu.*

Na semana trágica e caótica que vivi quando entrei em Veja, *cheguei à redação às seis da manhã da primeira segunda-feira de meu contrato de trabalho. Como Bruno Bittencourt estava morto e não poderia me passar a rotina aos poucos, conforme combinado, tratei de ler cada um dos textos produzidos pelo escritório nos últimos anos. Entrevistei a secretária, o* office-boy, *o motorista, o teletipista, o fotógrafo. Precisava saber como funcionava o dia a dia da sucursal, como se dava a relação com o pessoal da sede e como me portar com eles. Logo formei minha equipe. Adotei um ritmo de 20 horas de trabalho por dia. No primeiro plantão de uma sexta-feira à noite, em meio ao fechamento, Eduardo Oinegue ligou. Ele chefiava a sucursal de Brasília. Não o conhecia. Quando morou no Recife, trabalhando no posto que eu ocupava naquele momento, havia conhecido apenas sua mulher. Ela trabalhava na sucursal de* O Globo *e eu era estagiário do* Jornal do Commercio. *Cruzávamo-nos em algumas coberturas, sobretudo nas áreas de Ciência e Meio Ambiente, editorias para as quais eu escrevia.*

— E aí meu caro, tudo bem?

Eduardo usava a forma de tratamento consagrada em Veja. *Qualquer conversa, oral ou escrita, telegrama ou telex, começava com "caro" ou "cara". A frieza daquela forma de tratamento ao mesmo tempo aproximava e distanciava os interlocutores.*

— Entusiasmou-se com a primeira semana? Vi que você já está emplacando texto daí. Muito bom.

— Isso. Valeu, obrigado! Deu trabalho. Tentei me adaptar ao estilo dos textos, como escrever para vocês... mas pego o jeito no dia a dia.

— Só não esqueça, jamais, que o chefe da sucursal do Recife cobre a maior área de uma sucursal da revista. *Seu território vai de Alagoas até o Piauí.*

— Irei a cada uma das capitais visitar os freelancers *e um ou outro informante, uma ou outra fonte, que vinha tendo boa relação com Bruno, com você, com Laurentino* (Laurentino Gomes, autor de uma das melhores coleções de obras paradidáticas sobre a História do Brasil, também passara por aquele posto).

— Se posso te dar um único conselho, ouça: faça do Pedro Collor sua melhor fonte. Maceió é sua área, está a quatro horas de viagem de carro do Recife ou a vinte minutos de avião. Pedro mora lá e vive em Brasília. É irmão do presidente. Toda fofoca que ele tiver pode ter um fundo de verdade. Ele gosta de falar com jornalistas. Qualquer dia desses marque com o Pedro e vá até lá tomar um café, valerá a pena.

Sugestão acatada. Na terça-feira seguinte àquela conversa saí do Recife às seis horas da manhã num voo para Maceió que pousava na capital alagoana, vinte e cinco minutos depois. Era o "voo da cana". Sempre estava lotado com usineiros, engenheiros químicos, administradores e advogados das usinas de açúcar e álcool que movimentavam a economia tanto de Pernambuco quanto de Alagoas.

Cheguei cedo, às sete e meia, na sede das Organizações Arnon de Mello. O grupo empresarial levava o nome do pai de Pedro e de Fernando. Foi ali que o irmão do presidente marcou nosso café da manhã. Magnético e interessante, Pedro lembrava o irmão embora fosse mais simpático. Seu carisma não estava contaminado pelo ar pernóstico de Fernando. De saída, entabulou um discurso pró-direitos humanos e justificou-se: tinha "ranço de jornalista, que quer as coisas certas". Passou-me as primeiras pontas de duas histórias, mais à frente convertidas em reportagens de diversas páginas na revista. Agendou um almoço para dali a dez dias. Ligou pouco depois para passar uma informação que viraria nota de abertura de uma seção específica da revista chamada Radar. *Cumpriu o* by the book *integral de uma relação fonte-repórter. Devolvi na mesma moeda. Fui leal na publicação. A partir dali, e até eu me mudar para Brasília em maio de 1991, não passava quinze dias sem ir a Maceió. Quando deixei o Recife conservamos o contato, mas ampliamos o prazo mensal para conversas pessoais. "Ainda vou te dar uma grande história", prometia Pedro. "Eu a escreverei", respondia.*

* * *

Ao pousar em Congonhas um motorista da revista me aguardava com uma plaquinha.

— Lula?

— Sim.

— Julinho mandou te buscar e levar a um banco na Avenida Paulista.

Júlio César de Barros era o secretário de redação de *Veja*, cuidava da parte operacional de nosso dia a dia.

— Sei. Vamos.

Pelo *pager (equipamento que substituíra o "bip", pré-celular, por meio do qual era possível ler breves recados escritos numa tela verde)* recebi algumas instruções sobre a entrevista: a quem devia procurar, como devia me apresentar e o que devia negociar com ele para que as informações não vazassem.

— Bom dia. Procuro uma pessoa...

— Já sei quem é. Ele está à sua espera. O senhor é da *Veja*, não? Amigo do Antenor.

— Sim.

— Por aqui.

Fui levado a uma sala, um cubículo com três paredes de divisórias de mdf, uma porta numa delas, e um janelão envidraçado na derradeira. Embaixo, a Avenida Paulista. Uma mesa redonda com cafeteira elétrica, duas xícaras, duas garrafas de água mineral. Aguardei o interlocutor, que logo entrou.

— Bom dia. Antenor me falou que você viria, disse mais ou menos o que você tem e em que estão trabalhando.

— Bom dia. Sim, uma pauta, por enquanto. Não sei se temos uma reportagem. Não sei se temos uma história.

* * *

Ainda era quarta-feira e o mercado financeiro sempre foi ávido por especulações. Dar certeza a um operador que aquilo poderia ser publicado no fim de semana, que se referia ao presidente da República e a seu operador de negócios e metia instituições bancárias numa pequena enrascada, era temerário. Quase uma irresponsabilidade. Dar um downgrade *na minha história, evitar que alguém do mercado a usasse, era uma das instruções que recebera pelo* pager.

* * *

Entreguei-lhe os papéis e esperei que os lesse. Leu e releu. Passou as páginas lentamente, estabeleceu em silêncio relação lógica entre uma e outra. Depois de uns 25 minutos fitou-me:

— Isso aqui mostra que uma pessoa, e pelo que eu entendo é o Paulo César Farias, possui uma empresa na França cuja natureza é administrar patrimônios. Essa empresa se beneficiou de depósitos bancários dispersos entre a Flórida, as Bahamas, Londres e Suíça. E o Banque Nationale de Paris, o BNP, parece ser estruturador financeiro de tudo isso. Esse Guy des Longchamps é o responsável pela gestão desse negócio em nome de Paulo César Cavalcante Farias.

— Perfeito. Agora explique como você chegou a essa conclusão.

Ele levou mais meia hora a ligar ponto a ponto cada um dos documentos, cantando-me as conexões.

— Esse Paulo César é o PC, não é?

— É.

— Vocês vão publicar isso?

— A direção da revista é que decide. Por mim, publicamos. Mas vou ouvir outra pessoa do mercado.

— Vai ser explosivo. Muita gente vai ganhar dinheiro, muita gente vai perder dinheiro. Por favor, sejamos responsáveis.

— Pode deixar.

— Foi um prazer te receber.

Corri para o escritório de uma consultoria no Itaim. O bairro começava a florescer como a joia do mercado imobiliário paulistano, mas os prédios comerciais estavam longe de ter a envergadura de hoje. O ex-presidente do Banco Central que se radicara na capital paulista recebeu-me numa camisa azul-clara, calças *jeans*, cardigã vinho. Quase uma caricatura do paulistano de almanaque. Era magro e tinha um sotaque indefinido, levemente acentuado revelando a ascendência árabe. Ibrahim Eris sempre fora cordial comigo, apesar do raríssimo contato pessoal. Quando fui morar em Brasília ele já havia mudado para São Paulo. Conhecera PC Farias no curso da campanha presidencial de 1989. Com algum cuidado exibi os documentos e narrei a história que imaginava ter até ali — ilustrando tudo com os documentos. Descartava-os um a um na mesa dele à medida que isso se fazia necessário para meu enredo demonstrar coesão. O ex-BC ouvia tudo em silêncio, calmamente. Quando parei de falar, pediu-me para ler todos os papéis. Deteve-se nas transferências bancárias. Examinou a procuração para Guy des Longchamps. Passava um pouco das duas da tarde quando ele saiu brevemente da sala. Voltou com duas novidades:

— Você falou com alguém antes de vir aqui?

— Sim. Por quê?

— Está ocorrendo uma movimentação atípica no mercado. Começou uma pressão por dólar vinda de dois bancos médios. E especulações em torno de duas empresas, uma pública e uma privada. Acho que tem gente começando a ganhar com isso.

— Filho da puta! — Desculpe, falo da outra fonte...

— Tudo bem. Sei como é isso. Já me sentei naquela cadeira do Banco Central. Sei como se ganha, como se perde, como se especula e como se some depois da especulação.

Fez uma pausa. Parecia lembrar algum episódio específico dos tempos de BC.

— Vocês têm uma grande apuração. Esses documentos são explosivos. PC tem dinheiro lá fora. Um dinheiro que não terá como explicar. Sempre se passou por empresário mediano de Alagoas. Esperto, mas quebrado. Conheci o PC...! Em relação ao que temos aqui, não tenha dúvidas: ele movimentou no mínimo 50 milhões de dólares no exterior nos últimos meses.

— É a segunda vez que ouço essa cifra. A primeira vez ouvi de quem me deu os documentos. Agora você diz a mesma coisa. Por quê?

— Porque ninguém criaria um esquema dessa complexidade se não fosse para operar no mínimo — no mínimo — esse valor. Senão, faria mais sentido apenas abrir uma conta no exterior e transferir via doleiro, por dólar-cabo.

A conversa converteu-se numa aula de como mandar dinheiro frio para fora, esquentá-lo e repatriá-lo. Conversa teórica, claro.

— Aqui, com esses papéis, nós temos uma engenharia financeira sofisticada de quem já tem recursos lá fora e se prepara para levar mais. Estamos tratando de PC Farias, o homem que vive na antessala do presidente, que fala com os empresários em nome do governo. Sei como é isso. Sei como isso bate em Brasília e no mercado, aqui na Avenida Paulista. Sei o potencial de crise que isso pode criar no Congresso. Você não tem só uma história. Tem uma grande confusão.

Encerramos a conversa.

Segui rumo à sede da editora.

Estava agitado, inebriado, aceso. Sentia a pupila dilatada. Suava um pouco. Enfim, tinha uma história nas mãos. Precisava convencer a cúpula da revista — Mário Sérgio Conti, o adjunto dele, Tales Alvarenga, que entendia mais e melhor de economia, e sobretudo o dono da Editora Abril. Tínhamos um furo.

* * *

Passava um pouco das quatro da tarde quando Mário Sérgio iniciou a reunião. Todos na sala, dispersos em meia-lua, tendo-o como uma espécie de "sol" a liderar o grupo. Mal entrado nos quarenta anos, ele fazia o gênero *blasé*. Mas gostava da pompa, da exibição de poder explícito. A enorme e desarrumada mesa de trabalho, um tampo de fórmica creme com vidro por cima, separava-o de todos nós. Sobre a mesa, exemplares de livros não lidos e de fitas K-7 não ouvidas — eram lançamentos que o mercado literário e as gravadoras mandavam para lá a fim de serem destinados aos críticos. O diretor de redação abriu a reunião. Havia um respeito quase religioso no ar. Aquilo me incomodou. A ordem não escrita era só falar quando perguntado.

— Bem... o Lula está aqui para finalizar uma apuração que me parece muito boa. Não sei se é. Só vou saber quando ele escrever. A princípio é. O que temos?

Introspectivo, apesar da ascendência italiana, Mário falava de forma difícil de entender. Modulava a voz para que fosse alta no início das frases e abaixasse até quase um resmungo no final. Era muito magro. Parecia fazer questão de demonstrar ser inacessível a quem estivesse abaixo dele na pirâmide alimentar das redações. Foi assim que me autorizou a falar. Mostrei ao grupo o conjunto de 17 páginas de documentos que havia sido entregue pelo irmão do presidente — era tudo o que tinha de provas até ali — e narrei as conversas mantidas com o próprio Pedro, com o operador de mercado, com o ex-presidente do Banco Central. Dei o veredito dos dois. Mário Sérgio retomou o protagonismo:

— Acionei o Fábio em Paris.

Falava de nosso correspondente na França, Fábio Altman, um repórter minucioso, cauteloso, brilhante.

— Fábio já descobriu quem é esse Guy des Longchamps, qual a especialidade dele: operações financeiras com paraísos fiscais. Descobriu também o nome da esposa dele e o Kaíke chegou até a sogra do Guy.

Kaíke Nanne, pseudônimo de Cassius Severo da Silva, era o chefe da sucursal do Recife, nomeado por mim. Eu o deixara em meu lugar e ele assumira a operação Nordeste da publicação.

Mário fez uma de suas tradicionais paradas sarcásticas na narrativa, olhou cada um de nós no olho, contorceu o lábio e revelou:

— A sogra meio que entregou o cara!

Disse isso e gargalhou. Era uma gargalhada alta. Fazia questão de ouvi-la soar sarcástica. Encerrava-a com uns arrancos de fumante quando inspira menos ar do que a necessidade de seus pulmões.

— Segundo ela o Guy des Longchamps conhece o PC há muito tempo, trabalhou para ele na Tratoral, empresa de tratores do PC, e chamou o ex-chefe para ser padrinho de casamento dele. O francês parece ser um bom gerentão de negócios. Com conhecimento de paraísos fiscais. Não quer falar conosco. Fábio vai em busca dos endereços dele em Paris. Isso pode gerar um desconforto, e talvez o leve a falar conosco. Mas por que o senhor Paulo César Farias...

Percebendo ter convencido o dono da revista da necessidade de publicar aquela história, ao chegar naquele ponto Mário se tornou ainda mais teatral. Era-lhe impossível esconder a verve italiana. Carregou o acento carcamano em cada palavra:

— ... por que o senhor Paulo César Farias, amigo do presidente da República, ex-tesoureiro nacional da primeira campanha presidencial vitoriosa depois da ditadura, montou uma empresa lá fora destinada a fazer trânsito de recursos entre contas bancárias?

Subiu a voz. Ao pronunciar o nome de PC disse-o sílaba a sílaba. Fez trejeitos com o rosto, encarou-nos enquanto falava. O coração da apuração havia se transformado num drama teatralizado. A pergunta que Mário Sérgio queria deixar no ar ali era a mesma que faria na revista para os leitores responderem.

Pausa.

Silêncio.

Quando a tomada foi se tornando longa em excesso, dez segundos, infringi a regra de só falar quando perguntado.

— Temos um baita furo nas mãos.

— Calma. Não temos nada ainda porque você não escreveu nada.

Tales me cortou. Mineiro de almanaque, baixo, bigode farto, ar desconfiado, tinha um tique: observar os interlocutores por sobre o ombro. Seu olhar era mais arrogante que sua alma. Sisudo, cabelo começando a ficar grisalho, parecia um cossaco russo. Seguiu do ponto em que me interrompera:

— Além do mais, esta tarde o mercado financeiro oscilou. Já tem gente ganhando dinheiro nas nossas costas. Esse Pedro não está te usando, não?

— Claro que Pedro pode estar usando Lula. Pode estar usando a todos nós, pode estar usando a revista.

Mário saíra em defesa da apuração e do jornalismo. Continuou:

— Mas esses caras também perdem o controle daquilo que querem vazar. A imprensa é usada por eles, mas nos cabe identificar o momento desse uso e também usar as fontes a favor da notícia.

— Falamos com PC?

A voz carregada de um sotaque ora inglês de anúncio de pacote turístico, ora italiano, firme e cheia de autoridade, era de Roberto Civita. O controlador e presidente da Editora Abril queria saber o básico: ouvíramos o outro lado?

Nascido na Itália, Civita estudou e morou nos EUA por longo período. Nunca perdeu totalmente o sotaque italiano nem o americano. Entrara em seus sessenta anos. Alto, meio calvo, gestos econômicos e sorriso escasso. O nariz esponjoso, grosseiro, destoava do perfil refinado de filho da elite paulistana. Nem pertencia exatamente à categoria, visto que o pai emigrara da Itália fugindo da Segunda Guerra Mundial. Não era antipático, entretanto jamais falava o que se pudesse revelar desnecessário.

— Não, disse eu. — Não o conheço. Eduardo conhece. Pode falar.

— Eu conheço, Mário atalhou. — Já disse ao Aleluia, assessor dele que fica no Rio, que preciso falar. PC estará aqui amanhã. Chega de madrugada. Minha ideia é ter a história mais ou menos organizada em nossas cabeças e falar com PC amanhã.

Tales apartou e ordenou, fitando-me:

— Lula, mãos à obra. Escreva o que tem. Em detalhes. Assegure a Pedro Collor que vamos publicar a matéria. Não podemos correr o risco de ele passar isso para outro. Cabe a você enrolá-lo até a gente decidir se irá, ou não, publicar o texto.

— Ok. Faço as duas coisas. Mas ele às vezes é um pouco desconfiado com essa indecisão de apurar e não publicar.

Adverti-os, afinal tínhamos na memória de nossa relação ao menos uma história apurada, verdadeira, confirmada com Pedro e não publicada. Dos meus tempos recifenses.

— Por que você diz isso? — quis saber Mário Sérgio.

— Porque no ano passado, quando eu ainda estava no Recife, tivemos a informação do filho bastardo do Collor. Localizei o garoto, fui até a casa dele. Ele e a mãe confirmaram a história. Era filho do presidente. O Collor seduziu a mulher quando era deputado federal. Ela servia cafezinho na *TV Gazeta*. Tudo confirmado. Contou quando e onde transaram e como ele ofereceu dinheiro para o aborto. Pedro também nos deu segurança. Na última hora a revista recuou porque o Cláudio pediu.

Disse aquilo olhando para o redator-chefe, a quem coube derrubar a notícia que estivera paginada na revista. Continuei advogando por minha fonte:

— Pedro sabe que o Cláudio acenou com informações futuras para não publicarmos uma história do presente. E que, aliás, continua inédita.

O Cláudio em questão era Cláudio Humberto Rosa e Silva, porta-voz e secretário de imprensa da Presidência.

— Foi decisão nossa. Minha. Não cabe a você contestar. Muito menos à sua fonte.

Mário atalhava, irritado, pondo-me no lugar em que desejava me conservar. A regra de só falar quando solicitado fora quebrada uma vez. Não me foi dada a chance de fazê-lo novamente.

— Faz o que o Tales mandou. Desova. Precisamos estudar esse cadáver antes de ter a conversa de amanhã. Se é que ela vai ocorrer...

* * *

Escolhi uma mesa na baia da editoria de "Brasil" e comecei a escrever o que tinha. Tentava ser minucioso ao transpor para o papel tudo o que apurara. Lera os relatórios chegados do Recife e de Paris, alguma apuração vinda de Brasília também. Pedira reapurações, confirmações.

Os ritos, por meio dos quais as informações transitavam na revista, também revelavam a hierarquia da publicação. Eu não podia falar diretamente com quem estivesse acima de mim, ou paralelo a mim, na estrutura da Veja. *Logo, só determinava as coisas para o chefe da sucursal do Recife. No mais, tinha de pedir a alguém que pedisse algo a outro alguém. Era o poder interno, a sacralidade do exercício do poder nas velhas redações. Por volta das duas horas da manhã da quinta-feira, encerrei o esboço de narrativa e entreguei-o a Mário Sérgio.*

* * *

— PC marcou a entrevista. Será às oito horas da manhã no Caesar Park da Rua Augusta. Vai dormir um pouco. Passo no hotel sete e quinze e te pego.

Mário dava-me as coordenadas para encontrar PC.

— Ou melhor: você está em que hotel?

— Eldorado Higienópolis.

— Vai para o hotel, dorme um pouco e nos encontramos às cinco para as oito no *lobby* do Caesar Park da Augusta. *Right?*

— *All right.*

— Belo trabalho até aqui.

— Obrigado.
— Vamos ver o "a partir daqui".

* * *

Chegamos em sincronia ao Caesar Park. Eu de táxi. Ele, dirigindo o próprio carro — uma perua cor vinho, se não me falha a memória. Mário Sérgio nos anunciou. Subimos até a suíte onde PC estava. Hildeberto Aleluia, um jornalista carioca, professor universitário sem passagens dignas de nota por redações, dedicado ao ramo da comunicação empresarial ora nascente, recebeu-nos antes do cliente. Vestia um terno azul-marinho, camisa branca, gravata vermelha. Parecia um comissário de bordo da Varig. Era magro, pele estragada, marcada por úlceras e manchas, cabelos penteados para trás e fixados com gel.

— Olhem, vai ser uma conversa em *off*. Nada de gravação, nada de anotação. Aspa, só o combinado. E, por mim, a única aspa é "eu não falo sobre isso".

Aleluia demarcava os limites da entrevista e estabelecia que não poderíamos ser literais ao citar qualquer coisa que o ex-tesoureiro de campanhas de Collor, o homem que circulava com desenvoltura entre as agendas públicas e privadas do país, viesse a falar. Eram as regras do jogo.

PC deixou o quarto e nos recebeu na pequena sala contígua. Acabara de sair do banho. Perfumado, barba escanhoada, bigode escovado. Vestia um terno verde de tecido italiano, meias verdes, camisa branca, gravata estampada Hermès de seda. A Hermès era uma das marcas icônicas da duvidosa sofisticação grifada da turma que chegara ao poder. Cinto e sapatos marrons, couro cru. Não se podia dizer que não era um homem elegante. Levemente afetado, mas elegante. Sorria nervoso, mas estava longe de soar ameaçador.

* * *

Paulo César Cavalcante Farias não havia chegado aos cinquenta anos. Dono de uma calva precoce — começara a perder os cabelos mal saíra da juventude — era chamado de "Careca" pelos íntimos desde aqueles tempos. O Careca ainda conservava um semicírculo de cabelos na região temporal e na nuca. Isso, a baixa estatura — um metro e sessenta e oito —, o sorriso enigmático entre o tímido e o sarcástico e a cintura roliça dos gordinhos bonachões conferiam a ele um ar de personagem eclesiástica. Um padre, talvez um bispo. Em razão do conjunto era chamado de "Dom", título que precede o nome de integrantes do alto clero da Igreja. "Dom Paulo", ou "Don Pablo", como preferiam os irmãos mais novos. Declinado em ítalo-espanhol, o apelido soava ora como deferência a um hipotético mafioso italiano, ora a um chefe de cartel colombiano.

"Don Pablo" era o mais velho de uma família de cinco homens. O rosto angelical e os gestos suaves escondiam um antípoda dos frades franciscanos. Olhar sagaz, capacidade incomum de concentração, parecia já ter nascido versado na lábia dos bons vendedores — dos caixeiros-viajantes que vendiam tecidos, livros e liquidificadores de porta em porta. Trazia consigo ainda a simpatia dos "melhores amigos para a vida inteira" e o pragmatismo de quem sabia que para vencer na vida era necessário dar o tiro certeiro com a bala de prata. Vivia a caçar a tal bala de prata.

Dele, dir-se-ia até que era "uma boa figura humana": divertido, mas sem caráter. Era amoral. Religioso, ex-seminarista, criado no catolicismo ora pueril, ora cínico do Nordeste, estabeleceu pontes em Brasília e passou a integrar os mais influentes círculos políticos. Logo revelou na vida privada a personalidade eclética que sempre o marcou no mundo dos negócios. Pragmático, relacionava-se com todos e com qualquer um, desde que obtivesse alguma vantagem mais adiante. As traições corriqueiras à mulher, Elma, que seguia em Maceió e cuidava dos filhos com devoção, eram toleradas havia muito tempo. PC se dedicava às amantes em dupla com outro amigo, sozinho com outra mulher, com duas ou três mulheres ou em verdadeiros bacanais.

A vida mundana, no entanto, era sempre um breve intervalo no ofício a que se dedicava com prazer, com foco e sobretudo com folga de tempo: a estruturação de operações financeiras que envolviam decisões de governo, passavam pelo caixa de ministérios e de empresas estatais e terminavam irrigando os cofres de corporações privadas. Alguns davam àquilo o nome de *lobby*. PC dava o apelido de "prazer". "Entrego-me ao prazer com sofreguidão todos os dias", dizia aos mais íntimos antes de cair nas suas largas, longas e sonoras risadas.

"Careca", "Dom Paulo", "Don Pablo". Os apelidos haviam se convertido em senhas para abrir cofres públicos e potencializar ganhos privados — lícitos ou não. "Legal ou ilegal não importa. O bom é o prazer de ganhar", dizia PC.

* * *

Sentamo-nos a uma pequena mesa redonda com quatro cadeiras que havia na antessala. Sobre ela, uma bandeja com uma garrafa de uísque Logan *(outro ícone daquele pessoal que integrava o grupo denominado por nós "República de Alagoas")* consumida até a metade. Copos de cristal e garrafas fechadas da água mineral francesa Perrier *(mais uma marca deles. Só faltava a champanhe Crystal).* Lancei um olhar para dentro do quarto. A porta ficara entreaberta. Sobre a mesa de cabeceira uma garrafa vazia da Crystal e uma taça. Bingo!

— Vocês estão loucos de acreditar no Pedro? Mário, você está louco? Pedro é um maluco, invejoso, recalcado. Quer destruir o governo do irmão por inveja. O Costa Pinto, tudo bem, não o conheço, é jovem, sem muita responsabilidade, sei dele por causa do que fez ao Cleto.

PC queria estrategicamente nos dividir e colocar meu chefe contra mim. Tinha a voz mais fina que o prontuário pessoal poderia sugerir. Não economizava nos gestos. Mas não era grosseiro. Usava as mãos para pontuar as frases. Franzia os lábios ao negar algo e antes de expressar a discordância com palavras. Apelava, sem dizer, a uma responsabilidade geracional e hierárquica de Mário Sérgio sobre mim. Ao falar de Cleto, lembrava de uma reportagem que eu havia publicado nos meus primeiros meses brasilienses. O texto foi *o estopim da destruição política do deputado alagoano Cleto Falcão, líder do governo Collor destituído do posto depois da publicação de uma reportagem. No texto Cleto admitia que ganhava pouco, exibia a vida de luxos na capital e confirmava que amigos empresários pagavam suas altíssimas contas — incluindo os almoços aos sábados oferecidos em sua casa para parlamentares, ministros e jornalistas, eventos que, em geral, contavam com a presença do próprio Fernando Collor. Além disso, para acentuar nosso distanciamento, PC me tratava pelo sobrenome. Todo o mundo, em Brasília e nos círculos políticos e jornalísticos, chamava-me pelo apelido.*

— Paulo César, a gente tem uma história. Temos documentos. Vamos publicar.

— Que documentos? Um dia desses, em fevereiro, o Pedro me procurou dizendo que tinha feito um dossiê contra mim. Pedi para ler. Não tinha nada ali contra mim. Não tinha nenhum papel com minha assinatura. Tudo fantasia.

Mirou-nos, fez uma pausa e seguiu falando. Voz alterada:

— Ele está puto porque vamos abrir um jornal em Alagoas, eu e Fernando, e vamos montar uma TV lá também. Será o fim do micropoder dele. É isso. Por isso ele quer derrubar o governo. Vocês vão entrar nessa?

— PC, estamos conversando. Isto aqui não é uma entrevista. Queremos explicações. Aleluia acertou conosco que seria assim, até a gente combinar o *on*.

Mário tentava dar um rumo lógico e proveitoso à conversa. Entregou os documentos ao ex-tesoureiro, exceto a procuração que continha o nome, os números de identidade e passaporte de Paulo César Cavalcante Farias e a sua assinatura. Eram o nosso trunfo.

— Esse é o mesmo papelório que Pedro me mostrou. Só esse negócio do Guy des Longchamps aqui é novidade. Isso não tinha visto. Mas Guy é um operador. Olha aqui, uma empresa lá fora lista ele como operador. Conheço Guy. Bom sujeito. Ele se apaixonou por uma alagoana... estão casados até hoje.

— Você é padrinho de casamento dele, PC.

Lancei aquela carta na mesa com intenção de mostrar a ele que tínhamos ido além do dossiê de Pedro. O alagoano me fuzilou com os olhos. Trancou o rosto.

— Essa empresa é sua, PC.

Aproveitando a deixa, Mário entrava pelo flanco aberto na retaguarda do ex-tesoureiro da campanha presidencial.

— Como minha? Vocês estão loucos!? Não há um documento que prove isso.

Mário Sérgio descartou na mesa o ás faltante: a procuração com o nome e a assinatura de nosso entrevistado. Os olhos de PC esbugalharam por trás dos óculos. O cenho da testa revelou um vinco. Fechou o semblante. Era perceptível o ar enrubescido. Havia tensão na suíte do Caesar Park.

— Nunca vi esse documento.

— Pedro não te mostrou este aqui, quando mostrou os outros, porque não estava com ele. Foi pescar nas Bahamas durante a Semana Santa. Daí, pescou esse peixe grande.

Pontuei com prazer o ar irônico ao falar e olhei para ele, observando as reações. Enquanto isso, o diretor de redação de *Veja* filmava com o olhar, meticulosamente, as reações de PC Farias.

— Esta assinatura não é minha. A letra não é minha. O que isso prova?

— PC, se não é sua assinatura, deixe-me ver um documento seu. Sua identidade. Sua carteira de motorista. Qualquer coisa, pedi.

Ele olhou para Aleluia. Com um gesto de cabeça, o assessor indicou que deveria se negar a apresentar qualquer papel com a própria assinatura.

— Não ando com documentos. Deixo tudo no meu escritório.

Mentia descarada e profissionalmente.

— Como é que é, PC? — quis saber Mário Sérgio. — Você não anda com documentos? Você se hospedou aqui sem documentos?

— Sim, a suíte é um contrato de longo prazo. Fica reservada para mim. Ando sem documentos.

— Então escreve alguma coisa aqui — entreguei para ele um bloco que tinha no bolso do paletó. — Escreve e assina. Vamos comparar a letra e a assinatura.

— Você está maluco? Machuquei a mão. Não consigo escrever.

Disse aquilo e sorriu, como se tivesse virado o jogo.

— Machuquei a mão e ando sem documentos.

— Sem documentos, PC...?

Era Mário, com incontido sarcasmo.

— Sem documentos você vai preso por vadiagem. Va-di-a-gem!

Ninguém esperava a presença de espírito do diretor de redação de *Veja*. Nem ele mesmo, creio. Gargalhamos, quebrando o gelo na suíte. Mas Paulo César Farias compreendeu que estava mais enrolado do que imaginara. Contou novamente os detalhes da relação com os irmãos Fernando e Pedro Collor. Criou uma narrativa fantástica sobre o mundo da provinciana sociedade alagoana. Nela, segundo disse, todos se conheciam e todos se invejavam. Sugeriu haver uma disputa entre os irmãos Fernando e Pedro pelas atenções de Thereza, mulher de Pedro e herdeira de uma das maiores fortunas do Nordeste naqueles tempos. Escutamos com atenção, com respeito ao direito de a fonte se defender. Era incomum jornalistas ouvirem PC Farias por tanto tempo. Ele era ousado e desinibido entre os iguais ou diante de suas vítimas e sócios. Conosco, jornalistas, não.

— Paulo César, estou convencido que temos uma história e vamos publicar. O Lula vai descrever esta conversa aqui. O que você quer aparecer dizendo na revista?

Mário retomava o controle da situação. Falava pausadamente e olhava PC no fundo dos olhos.

— Vou negar tudo. Pode dizer que nego.

— Ok, mas não pode negar a conversa, porque nós nos registramos na recepção. Poderemos provar que estivemos aqui.

A ameaça evitaria mentiras que desacreditassem a apuração.

— Façam o que quiserem. Mas lembrem: governos são fortes. Governos anunciam. Anunciantes privados gostam de estar bem com governos. Editoras precisam pagar as contas, títulos quebram.

— Até logo, PC. Vamos publicar a história.

Conti decretava, daquela forma, o fim da conversa que se encaminhava para uma fronteira perigosamente sombria.

Descemos o elevador em silêncio. Mário Sérgio foi até a sede da revista instruindo-me sobre o que fazer. Mandou-me ligar para Pedro Collor, narrar a conversa e garantir: publicaríamos.

* * *

A edição com data de capa de 13 de maio de 1992 de *Veja* trazia a reportagem "Os Tentáculos de PC". Era uma bomba lançada nas vitrines dos palácios do governo. Antes mesmo de os exemplares chegarem a Brasília as páginas com a reportagem foram transmitidas por *fax*, numa frenética manhã de sábado, para residências e gabinetes de ministros, deputados, senadores.

Recebíamos exemplares da revista aos sábados, no fim das manhãs, por meio de uma entrega especial remetida por via aérea direto da gráfica para um despacho executivo que tínhamos na sucursal. Fui ao escritório pegar meu exemplar. Morava sozinho em Brasília. Mulher e filho recém-nascido seguiam no Recife. Marcara um almoço com colegas de redação no Carpe Diem, restaurante movimentado, meio boêmio. Localizava-se estrategicamente ao lado da sucursal do jornal *Folha de S. Paulo*.

Entrei no Carpe Diem às 13h30. Estava lotado. Muitos colegas de profissão, alguns de plantão, outros com as famílias. Era dia de feijoada. Chovia. Eu ainda me sentia um forasteiro na cidade. Conhecia poucas pessoas. Chegara havia menos de um ano, aluguei um apartamento na Área Octogonal Sul, quase fora do Plano Piloto. Nos fins de semana costumava refugiar-me sozinho no apartamento. A turma com a qual andava era o pessoal que trabalhava diretamente comigo. Além deles, um jornalista de *O Estado de S. Paulo*, outro do *Jornal do Brasil*. Só. Localizei quem me esperava. Veio então a saudação de Eduardo em voz alta:

— Arrebentou, hein? Do caralho. Agora temos trabalho para o resto do ano. Sente-se.

Acomodei-me à mesa com mais dois repórteres de *Veja* e um casal de jornalistas de outros veículos, amigos comuns.

— O Cláudio me ligou. Disse que Pedro era louco.

Cláudio Humberto Rosa e Silva, ex-secretário de imprensa e antigo porta-voz do Palácio do Planalto, procurara o chefe da sucursal. Havia menos de um mês Rosa e Silva fora transferido para a Embaixada do Brasil em Lisboa, como adido cultural. Criou a antipedagogia do "bateu, levou", marca da primeira fase do governo Collor. Protagonizou atritos com aliados, com a oposição e com a mídia. Cláudio Humberto certamente teria sido um bombeiro mais eficiente para o ex-chefe do que a assessoria que deixara no Planalto. Tinha uma cabeça estratégica. Eduardo seguiu o relato.

— Perguntei se o Planalto ia desmentir o irmão do presidente. Ele disse que achava que não, a princípio. Recomendou que ignorassem a reportagem. "É uma história de vocês, só vocês têm. Vamos ver a repercussão disso." Foi o que me disse.

— A oposição já falou numa Comissão Parlamentar de Inquérito — completou Gustavo Paul, meu amigo e companheiro de redação. — José Dirceu já pediu CPI.

José Dirceu de Oliveira e Silva, então deputado federal, era uma das mais expressivas lideranças do PT derrotado por Collor na campanha de 1989.

— Só vai ter CPI se a crise aumentar. A crise só aumenta se outros veículos forem atrás. O governo vai tentar nos isolar nessa cobertura. Acabei de falar com o ministro Bornhausen. Ele disse que se a oposição pedir CPI vai deixar ter CPI. Segundo ele, o governo tem maioria na Câmara e no Senado e nunca viu CPI dar em nada.

Era Expedito Filho dando seu relato. Olhou-me com sarcasmo:

— Segure sua aposta, gordinho. Você apostou nessa linha. Nem sempre dá certo.

Expedito era considerado o melhor repórter de política da cidade e um dos melhores do país. Havia um ano, recebera diversos prêmios de jornalismo por ter recontado a farsa das apurações oficiosas do atentado à bomba no Riocentro, em 1981, e descoberto a proteção ao grupo de militares de extrema-direita que planejou o ataque. Tinha quase doze anos a mais do que eu. Apesar da diferença de idade e de experiências de vida, eu aterrissara em Brasília num patamar de igualdade funcional com ele. Disputávamos as mesmas fontes, brigávamos pelos mesmos espaços nas publicações. Éramos grandes antagonistas. Desleais um com o outro, às vezes. *Inimigos, nunca.*

Em minha primeira semana brasiliense marquei um almoço com Ricardo Fiúza, líder do PFL na Câmara dos Deputados e um dos criadores do Centrão. Movimento conservador, durante a Constituinte de 1987/88 o Centrão deslocou o espectro da nova Constituição brasileira pós-ditadura da esquerda para o centro. Fiúza era a melhor fonte de Expedito. Mas eu tinha histórico pessoal com o deputado: estudara com uma de suas filhas no colégio e com as sobrinhas na universidade, no Recife. Meu pai fora seu amigo de juventude.

No almoço de boas-vindas que fizera para mim em seu apartamento funcional, o deputado pernambucano pôs à mesa um bife de fígado acebolado. Estávamos na pequena copa. Fígado, purê de batatas e farofa torrada. Muita cebola e suco de carambola. *Conversa espetacular. Tinha liberdade com ele. Rodara o Congresso, pedira conversas com alguns parlamentares. Sobretudo, observara muitos diálogos, em silêncio. Espantara-me a forma próxima, carinhosa até, como Fiúza era tratado pelos adversários — do PT, do PCdoB, por exemplo.*

"Fiúza, sabe o que quero entender? Como você é tão duro na luta política com essa turma da oposição e eles, na vida privada, se mantêm tão tranquilos com você, te respeitam tanto?" Em menos de dois segundos veio a resposta. "Vou explicar, meu filho: você vem à minha casa, mas não gosta de mim. Quer me matar. Traz uma faca, senta-se à minha mesa, olha nos meus olhos e diz: 'Vou te matar porque não gosto de seu bigode, não gosto de sua voz, não gosto de seu jeito, não gosto de suas ideias. Trouxe uma faca e vou enfiar ela no seu peito, atingir o coração. Vou metê-la entre as costelas, dois dedos abaixo de seu peito'. Eu tenho a opção de me defender, de tirar essa ideia de sua cabeça, de expulsá-lo daqui, de te matar ou de morrer resignado. Mas você foi leal comigo. Você matará e será respeitado por alguém, pelos seus, porque fez isso."

Olhei-o espantado. Prosseguiu:

"Mas se esperar que eu me levante, que eu me vire, para só então cravar a faca nas minhas costas, você terá sido covarde e desleal. Perderá a confiança de todo o mundo em Brasília, até mesmo dos melhores amigos, daqueles que desejam a minha morte porque sou um reacionário desgraçado e vocês são todos comunistas. Essa cidade não tolera a deslealdade. A política não tolera a deslealdade".

Abracei-o e encerrei o almoço. Considerava ter recebido uma aula. Ao voltar à redação, em meio a uma pausa para café no começo da noite, narrei o episódio para alguns colegas. Varamos a madrugada trabalhando. Antes do amanhecer fui então chamado por Expedito à copa da sucursal. Olhar grave, encarou-me: "Você esteve com Fiuzão?". Respondi positivamente. "Olha aqui: fonte tem dono nessa cidade." Balancei a cabeça negativamente, um pouco assustado — não sei se pelo inusitado do que escutava naquele momento, ou se por implicância mesmo. "O jornalismo é um xadrez. Você chegou na partida agora", tentou ensinar. "Eu jogo com as pretas."

No xadrez, quem joga com as pedras pretas tem a precedência da primeira jogada e abre a partida. Em tese, isso dá ao competidor a vantagem de mexer primeiro no tabuleiro. Era ousadia demais.

"Não jogo. Faço reportagens", respondi. Encerrei a conversa deixando o café pela metade. Voltei à minha posição na redação. O episódio marcou nossa relação, contaminada mais para a frente por incontáveis reproduções daquela esgrima corporativa.

* * *

Ali no Carpe Diem, ao pôr em dúvida o acerto da publicação do dossiê de Pedro Collor contra PC Farias, Expedito Filho apenas jogava mais um lance de nossa eterna partida de xadrez.

Não existe governo fraco. Ou há presidentes fortes, ou há desastres políticos.

O domingo que se seguira à circulação de *Veja* com a primeira reportagem da série que seria capital para ejetar o presidente da República da cadeira palaciana, no primeiro *impeachment* realmente consumado de toda a História, era um dia especial. Era o Dia das Mães.

* * *

Em 1972, nos Estados Unidos, Richard Nixon renunciou à Presidência antes de ser aberto o processo de impeachment *em razão do desenrolar das investigações do caso Watergate, e negociou o perdão e o indulto promovidos pelo seu vice e sucessor Gerald Ford, livrando-se de condenações judiciais.*

* * *

Leda Collor, matriarca da família Collor de Mello, aproveitou a data festiva para convocar uma reunião familiar em que tentaria um armistício entre os irmãos. Ordenou que Pedro fosse a seu apartamento no Parque Guinle, condomínio de alto padrão no Rio de Janeiro. Sabendo que um cerco familiar havia se formado para pressioná-lo a recuar, Pedro rebarbou o almoço e chegou na casa da mãe no começo da noite. O grupo de pressão era formado pelos irmãos Leopoldo e Ledinha, mais velhos do que ele e Fernando. Contavam com o auxílio do embaixador Marcos Coimbra, casado com Ledinha e assessor internacional da Presidência da República. Ainda integravam aquela trincheira de contenção o senador Guilherme Palmeira, igualmente alagoano e um dos homens mais influentes do PFL nacional, e o amigo da família José Barbosa, conselheiro do Tribunal de Contas de Alagoas. Barbosa havia sido um dos parceiros mais próximos do senador Arnon de Mello, patriarca do clã morto havia anos.

— Meu filho, sei que você tem uma bomba nas mãos — disse Dona Leda ao receber o caçula, sozinha, em seu quarto. — Estou assustadíssima. Não dá para aliviar um pouco?

— Mãe: o Paulo César quer destruir não somente a mim, mas a você também. À família toda. Tudo o que construímos. Não dá. Só paro quando botar o PC na cadeia.

Pedro estava irredutível:

— Diga ao Fernando que não quero derrubar o governo dele. Quero é manter as minhas posições. Ele tem o Brasil, então me deixe Alagoas e não atrapalhe os outros negócios.

— Converse com o Marcos. Converse com o Barbosa. Ouça a Ledinha.

Dona Leda, de uma poltrona em seu quarto, lançava apelos ao filho. Sentado na ponta da cama, Pedro os ignorava e encarava a mãe. Era uma mulher esguia, magra, impecavelmente maquiada: sombra, *blush*, cílios postiços, batom carmim, o colo empoado de talco e uma fragrância de Chanel nº 5 no ar. Colar de pérolas no pescoço.

— Sou vacinado contra o Fernando. Quero que ele pare de andar atrás da Thereza, que pare essa fixação. Eu me casei com a Thereza. Ele, com a Rosane.

A conversa foi breve. Pedro deixou o apartamento da mãe no Parque Guinle e saiu para jantar com um amigo. Não dormiria no Rio. Depois do jantar pegou o avião para Maceió. Ainda naquela madrugada, a irmã Ledinha telefonou-lhe em casa. Foi uma longa conversa, inútil. Leopoldo ligou. Também inútil. Marcos Coimbra, o embaixador, idem. E idem para Guilherme Palmeira e José Barbosa.

A crise não arrefecera, mas Pedro recusava-se a gravar uma entrevista em *on*. Sabia ainda ter margem para manobras. Voei de Brasília para Maceió no dia 11 de maio. Encontrei-o no começo da noite no escritório da TV Gazeta, retransmissora da Rede Globo, um dos negócios da família.

— Vamos gravar uma entrevista. Você está sendo triturado.

— Não. Calma. Não é assim.

— Pedro, você está usando isso para se cacifar no governo.

— Quem você pensa que é? Falar assim comigo? Puta história você publicou. Ok, tudo certo. Ninguém está aí te processando porque os documentos são verdadeiros. Mas não quero derrubar o Fernando. Quero prender o PC. Se Fernando não entende que ele é o presidente e PC é o lobista que vai derrubar o governo dele, paciência.

— Vamos gravar...

— Não. E sabe o que mais? A pressão está insuportável. Saí de casa de novo. Eles ficam buzinando no ouvido da Thereza. Estamos separados mais uma vez.

— Porra, Pedro, mas você apronta muito também. Essas idas ao Rio, essa mulherada que só dá mole para você.

— Fernando tentou me separar da Thereza. Tentou de tudo, vive atrás dela. Sabe o que ele fez? Vou te contar:

Súbito, era como se tivéssemos naquele momento nos tornado amigos de adolescência. Ele parecia estar em busca de um ombro onde chorar, lamurioso como bêbado em fim de festa.

— Sabe o que aconteceu um dia, quando ele era governador aqui de Alagoas e eu estava no exterior? Ele convocou Thereza para uma reunião no Palácio dos Martírios à tarde. Mandou marcar audiências com um monte de prefeitos e deputados estaduais na mesma hora, ou um pouquinho antes.

Pedro narrou a partir dali uma das tentativas públicas de sedução e de desmoralização que o irmão promovera contra a mulher dele. Os olhos pareciam injetados de sangue, a voz chegava a ficar embargada em alguns momentos.

— Thereza esperou dez minutos na antessala. Estava linda e perfumada, como sempre, como ela é. Todo mundo ficou babando por ela. Aí ele foi buscá-la sozinho, sorridente. Fez um monte de salamaleques, entrou com ela e sorriu para a plateia reunida por ele. Mandou fechar a porta e determinou que não servissem água nem cafezinho. Ficou lá, numa conversa de cerca-lourenço que durou duas horas. Duas horas! A sala fechada. Um monte de político do interior do lado de fora. Todo o mundo comentando como ele tratava bem a cunhada. Duas horas depois, a antessala lotada, ele libera a Thereza todo simpático, sorriso malandro no rosto, vai pessoalmente deixá-la na porta e lança um olhar para a sala lotada... O que todo o mundo comentou depois?

— ?!?!?!

Meu silêncio surpreso, aliado a um olhar com um vezo de ironia, irritaram-no. Pedro gritava:

— Queridão, depois o estado inteiro falava que Fernando tinha um caso com a Thereza. Isso é mentira! Ele sempre quis ter um caso com a Thereza, mas nunca teve. Então, criou esse ambiente para me humilhar. A Thereza percebeu isso depois. No meio dessa crise ele mandou alguém me lembrar disso. Fui cobrar a Thereza. Ela não podia ter sido tão ingênua. Estou fora de casa.

— Vamos gravar.

— Gravar... não! Que insistência!

Aquela conversa seguiu, *off the records*, por mais duas horas. Pedro contou tudo o que me contaria novamente na semana seguinte, deixando-se gravar. Fiel à regra autoimposta — permitir que o entrevistado se sentisse o mais à vontade possível –, parava o papo a cada 20 ou 30 minutos e anotava detalhes e frases. Sabia que tinha uma entrevista espetacular em mãos.

O irmão do presidente da República dizia:

- "PC é o testa de ferro do Fernando";
- "os dois dividem tudo. Todos os negócios";
- "Fernando usou drogas em sua juventude brasiliense" (*quando o pai deles exercia o mandato de senador*):
- "70% dos ganhos ilícitos iam para Fernando Collor, 30% para PC".

Enfim, era uma bomba. Mas não estava gravada. A única opção seria transformar *off* em *on* e eu jamais faria isso. Seria alta traição à fonte.

No dia seguinte Kaíke Nanne, o chefe da sucursal da revista no Recife, chegou a Maceió para apanhar um calhamaço de documentos que viria a ser crucial em todo o processo: as declarações de renda de Paulo César Farias, ano a ano, entre 1987 e 1991. Nenhuma das operações efetuadas no exterior estava listada. O patrimônio de PC não era compatível com alguém que teoricamente movimentasse US$ 50 milhões em contas no exterior, como haviam dito nossas fontes. Um jovem promotor de Justiça de Alagoas obtivera aquelas declarações, mas usá-las abertamente era quebra de sigilo fiscal e renderia um pesado processo contra a revista e contra quem assinasse a reportagem. Kaíke tinha posto as mãos numa barra de ouro. Precisávamos, porém, saber como operar no mercado para transformá-la em produto final, numa joia: reportagem. Ele firmara um compromisso com sua fonte, o procurador, de não assinar a reportagem e apagar um carimbo específico que a papelada tinha recebido ao dar entrada em determinada seção judiciária.

Paralelo a isso, Mário Sérgio havia determinado que metade da força motriz de apuração da revista passasse a trabalhar em função do caso. Não haveria recuo. A missão número um seria publicar uma entrevista em *on* com Pedro Collor, que seguia sem querer gravá-la. Desgravei a conversa no hotel durante a madrugada. Estava convencido da boa qualidade e da força de repercussão do material. Ia encontrá-lo à noite para nova rodada a fim de esmerilhar e arredondar pontos abertos na conversa anterior. Tomamos um uísque num restaurante que ficava à beira-mar da praia de Pajuçara, na subsede do Centro Sportivo Alagoano (CSA). Bebemos um litro de Red Label. Até para se diferenciar do irmão presidente, Pedro abominava Logan. Só bebia Johnnie Walker ou Old Parr.

Depois de um litro de uísque e mais duas horas de conversa, comendo queijo coalho com orégano e lascas de queijo do reino com molho inglês por cima, pratos típicos da culinária de boteco naquelas bandas do litoral brasileiro, revelei:

— Pegamos o imposto de renda de PC. Kaíke pegou.

— Como?

— Temos o imposto de renda de Paulo César, dos últimos cinco anos, mas não sei como vamos publicar.

— Vocês têm de publicar! O que tem lá?

— É ilegal publicar. Quebra de sigilo. Dá cadeia, sobretudo contra o primeiro amigo do presidente da República. Ah, e não tem nada...

— Não tem nada, como?

— Nenhuma das operações no exterior, nenhum dinheiro lá fora declarado. Em resumo: o imposto de renda de PC Farias é incompatível com a vida de nababo que ele leva, com os luxos que tem, com tudo o que demos esta semana.

— Excelente.

— Nada disso. Só podemos publicar se encontrarmos uma forma de lavar essa informação sem expor o Kaíke e a pessoa que passou a declaração de renda para ele. E você pode ajudar.

— Como? Eu não posso patrocinar isso. Senão quem vai para a cadeia sou eu.

— Vou para São Paulo amanhã. Tentarei fazer com que o departamento jurídico da editora nos libere para publicar isso sem origem. Nós, jornalistas, bancamos essa quebra de sigilo e corremos o risco de ir para a cadeia. Mas você me deixa publicar essa entrevista. Mesmo sem gravar.

— Sem gravar?

— Sim. Transformar o *off* em *on*. Só que você não pode me deixar na mão. Se depois você negar que me disse tudo isso, além de ir para a cadeia porque quebrei o sigilo de PC, eu vou para o hospício porque vão me acusar de ter inventado a entrevista.

— Pode publicar. Não sou doido. Não vou negar. Mas você diz que foi uma quebra de *off*.

— Ah, Pedro, aí fica ruim para mim também. Vou virar o escroto da parada.

— Ok, publique. Não desminto nem confirmo. Vamos ver como as coisas evoluem.

* * *

Maceió ficou para trás na manhã da quarta-feira. Desembarquei em São Paulo. Tinha os papéis da quebra de sigilo de Paulo César Cavalcante Farias comigo. Era meio-dia de 13 de maio de 1992 quando entrei no prédio da Editora Abril, na Avenida Marginal Tietê. Ainda hoje, passadas três décadas, não lembro de ter pisado outra vez numa redação e sentido a sensação de equipe, de time que joga junto, tão patente e tão vibrante. Todos pareciam saber em que reportagem trabalhávamos. Queriam colaborar com aquilo. Não tinha dúvidas: estava em curso uma vingança coletiva contra o homem que pouco mais de dois anos antes vencera a primeira eleição presidencial direta desde 1960. Ele, o "caçador de marajás" e o "terror de corruptos", não existia mais. *Veja* havia contribuído de forma decisiva para a construção daquela imagem fazendo mau jornalismo, cumprindo pautas acríticas, deixando de dar ouvido às denúncias que já circulavam em Alagoas durante a administração estadual de Collor. Mas a partir da reportagem *"Os Tentáculos de PC"* cada gol de nossas apurações era celebrado coletivamente. Cada *downgrade* em uma prova, por mais banal que fosse, era lamentado também coletivamente. Entrei na sala do diretor de redação.

— Mário, eis o Imposto de Renda do PC. Encomenda do Kaíke.

Entreguei a ele os papéis com o furo do colega de redação.

Mário Sérgio olhou a papelada. Silêncio. Olhou de novo, fez um bico com os lábios e ordenou à secretária, em voz alta, dispensando a chamada por ramal telefônico:

— Chama o Lourival!

Lourival, cujo sobrenome o tempo cuidou de apagar de minhas lembranças, era o chefe do departamento jurídico da editora. Homem conservador nos detalhes, como a maioria dos advogados que se dedicam às bancas empresariais — sobretudo os paulistanos: cabelos grisalhos (haviam sido louros, tinham marcas daquele passado) penteados para trás com o auxílio de *mousse* para lhes dar volume. Barba escanhoada com obsessão. Calça cáqui, *blazer* azul, camisa quadriculada branca com linhas azuis. Gravata-borboleta vermelha. Suspensórios. Não era gordo a ponto de precisá-los, mas usava suspensórios.

— Ele não nos deixará publicar isso.

— É ouro em pó. Assumimos a autoria. Kaíke Nanne e eu, se for necessário.

— Não. O crime será da revista também. E meu.

O chefe do jurídico chegou à sala.

— Não é, Lourival? Lou-ri-vaal!! Temos um furo. Um furo! E você não nos deixará publicar.

Mário fazia o apelo final. Tentava seduzir o homem do jogo duro legal.

— PC não tem condições de ter a vida que tem. Não é um homem rico. O imposto dele é igual ao seu, ao meu, mas a gente não tem empresa em Miami, em Paris, nas Bahamas. Não transferimos dinheiro de lá para cá.

O diretor de redação resumira com precisão o material.

— A revista não publicará uma quebra de sigilo ilegal.

— Qual o risco? — quis saber Mário.

— Eles — apontou para mim. — Você, eu, o doutor Roberto... todo o mundo vai em cana. Cadeia. E podem fechar a revista. A lei estará contra a gente. Governo é governo. Ou é forte, ou não existe.

— Não há nenhuma saída? — quis saber.

O advogado passara a noite matutando possibilidades. Falara do assunto com velhos colegas advogados. Mário Sérgio revelou ter pedido a Eduardo Oinegue que consultasse, em *off* e em tese, o ministro do Supremo Tribunal Federal, Francisco Rezek, sobre a eventualidade de a *Veja* divulgar a quebra de sigilo fiscal de uma personalidade pública contra quem não havia nenhum processo instaurado ainda. "Cadeia", sentenciou pragmático Rezek sem saber de quem se tratava. Mas Lourival esboçaria uma saída.

— Há: alguém que tenha imunidade assume a quebra de sigilo e corre os riscos.

— Quem seria este alguém? — perguntou Mário.

— Alguém que tenha imunidade. Um deputado, um senador, por exemplo. Ou um procurador. Mas o procurador poderia ser processado. Deputado ou senador, não. Estaria usando o cargo a favor de uma informação de relevância pública. Eles não precisariam revelar suas fontes. A gente testa o limite às liberdades e prerrogativas da Constituição.

Seria uma aposta, parecia uma grande ideia.

— José Dirceu — sugeri.

A sala de Ricardo estava tomada. Outros jornalistas, todos envolvidos de alguma forma na apuração, chegavam para nova reunião. Chamávamos aquelas reuniões de "rapidinha": todos de pé, para não perdermos tempo.

O diretor de redação conhecia Dirceu muito bem. Ele havia militado na tendência de esquerda Libelu — Liberdade e Luta –, uma das organizações clandestinas da esquerda que em 1978 se uniram para formar o PT (Partido dos Trabalhadores). José Dirceu era um dos mais conhecidos líderes estudantis em 1968 e esteve à frente das hostilidades entre alunos da USP e do Mackenzie na Rua Maria Antônia, em São Paulo. Preso durante o tenso entrevero no centro da cidade, Dirceu estava sendo conduzido para um camburão quando um trio de militantes da Libelu tomou-se de coragem e abordou os policiais fardados com voz e pose de autoridade (e uma carteira falsa de agentes paisanos do DOPS, o temido Departamento de Ordem Política e Social que as polícias civis mantinham. O DOPS era o braço operacional dos porões da repressão). "Esse vem conosco", disseram para os militares, imitando a voz impositiva das autoridades e exibindo a carteira falsa do DOPS. Os militares entregaram o preso. Dirceu teria tomado o gesto como "obrigação militante" da Libelu. Jamais revelou gratidão e criou um ranço naquela tendência.

— Dirceu, não. É frouxo. Mário Sérgio inicialmente vetou a minha solução.

— Por que não o Suplicy? — sugeriu o diretor-adjunto, o conservador Tales. Ele não gostava do Suplicy, não o admirava. Mas sabia que podia usá-lo naquele momento.

Ouviu-se um vozerio. "Suplicy", "Suplicy é bom", "Suplicy tem coragem".

Eduardo Matarazzo Suplicy era senador pelo PT. Exercia o primeiro de três mandatos no Senado. De origem no baronato industrial paulista — as famílias mais ricas da cena paulistana até meados do século XX —, *o economista Eduardo Matarazzo Suplicy fizera uma conversão à esquerda e tinha trajetória de aderência total às teses encampadas pela oposição a Collor. Mas Suplicy sempre fora, antes de tudo, um legalista. Dirceu, ao contrário, sempre teve espírito guerrilheiro, destemido.*

— Suplicy não vai aceitar — adverti.

Conhecia o senador muito bem. O gabinete dele, montado como se fosse um *bunker jornalístico*, empregava um técnico em informática de origem árabe que era mestre em obter informações nos sistemas oficiais de orçamento e informática, cruzá-los, e nos entregar em forma de pauta. Também tinha uma chefe de gabinete de alma extremamente udenista — não era de esquerda como Suplicy. A tal da chefe de gabinete era, sim, completamente udenista: refratária a qualquer deslize com corrupção, ajudava muitos jornalistas a pescar indícios de boas pautas contra a equipe de governo. Nunca, entretanto, advogava as saídas estratégicas à esquerda sugeridas por nós, pelos colegas de gabinete ou pelo senador.

Os olhares convergiram para mim. Segui.

— Suplicy é um legalista, não fará isso. Estamos propondo uma burla à lei. Nosso objetivo é nobre, mas Suplicy não fará isso. Duvido.

— Prefiro falar com Suplicy do que com Dirceu — Mário foi peremptório.

— Também — completou Tales.

O comando da revista gostaria de negociar com o lado suave da oposição à esquerda. O senador tinha origem onde eles transitavam. Propus um jogo duplo, pois o tempo corria contra nós:

— Chamamos os dois para conversar aqui. Vocês pedem a Suplicy que ele apadrinhe a quebra de sigilo. Eu peço a Zé Dirceu. Quem topar, leva. Se os dois toparem, ou fica com ambos ou fica com Suplicy.

Aceitaram. Marcaram na mesma hora. Mário Sérgio e Tales Alvarenga explicaram a Suplicy do que se tratava. Eu e o redator-chefe da revista conversamos com Dirceu. O deputado petista não levou nem dois minutos para aceitar o patrocínio à quebra de sigilo.

— Isso vai sacramentar o pedido de CPI. Vamos para cima do governo — decretou.

Otimismo exagerado: a oposição era escassa minoria no Congresso. Dirceu ainda fez exigências — sempre foi um exímio negociador político.

— Mas eu quero aparecer da melhor forma possível na reportagem. Não é por vaidade, é por estratégia política *(era por vaidade também, mais isso do que estratégia)*. — Se apareço bem, como "dono" da informação, dando a força de meu mandato para a quebra do sigilo, não ficarei fora de uma eventual Comissão Parlamentar de Inquérito que a gente crie no Congresso. Também começo a fazer com que outras informações sigilosas convirjam para mim. Patrocino a quebra de sigilo com essa condição.

— Topamos — disse o redator-chefe que me acompanhava na conversa e tinha sobre os ombros as divisões necessárias para bancar o acordo.

Afinal, publicaríamos uma quebra de sigilo e uma mentira (a gênese daquela quebra de sigilo era uma mentira) com o objetivo maior de desmascarar um governo corrupto. Sabíamos ser o início de uma guerra contra a Presidência da República e não podíamos ir para o campo de batalha com armas contrabandeadas. Pedimos a Dirceu que esperasse na sala onde conversávamos e fomos até a sala da direção de redação. Os demais já se despediam do senador Suplicy. Cumprimentei-o. Percebi no olhar fixo dele dirigido para mim a busca pelas palavras certas para dizer o motivo de não ter aceitado fazer o que pedimos.

— O senador agradeceu a confiança, mas não vai empenhar o nome dele nessa quebra de sigilo. Teme contaminar com uma ilegalidade todo o processo — disse Tales. — Mas acha que temos um material fortíssimo nas mãos.

— Vocês estão sendo corajosos. Não vejo como não abrir uma CPI. Mas não posso comprometer meu mandato com um ato bem-intencionado, mas contra a lei.

* * *

Passados tantos anos desde aquele evento decisivo para o processo de elucidação do esquema PC Farias, não sei se a memória me trai ou se o senador pronunciou aquelas palavras dessa forma como delas me lembro tão vivamente. Em seu livro Notícias do Planalto — a imprensa e Fernando Collor, *o jornalista Mário Sergio Conti narrou o episódio com nuances diferentes, excluiu Suplicy do debate em torno da quebra de sigilo e incluiu a consulta em tese hipotética feita a Francisco Rezek. Conti, porém, teve a pretensão de fazer História com seu livro. Talvez o tenha feito. Não é o caso, agora. Como está registrado no* disclaimer *da página 27 desta obra: "Aqui nem tudo é verdade. Mas tudo pode ter sido verdade". Mário Sérgio, em seu livro, pretendeu contar a História do que imaginava ser* "O Reino e O Poder" *em Brasília. Com metas mais humildes e realistas, o objetivo deste livro é apenas contar histórias da forma como elas voltam à minha memória.*

* * *

— Senador, entendo. Obrigado por ter vindo.

Tales usou de seu proverbial pragmatismo para com o tempo e os prazos de fechamento a fim de encerrar o papo.

Todos agradeceram. O senador saiu. Assim que deixou a sala, o redator-chefe deu a notícia aos demais.

— José Dirceu topou. Nem piscou.

— Ráááá!

Com seu grito de felicidade, Mário Sérgio parou a redação. Nas baias, os jornalistas se entreolharam e miraram a sala do diretor no aquário envidraçado de onde tinha vista para todo o território sob seu comando.

— Dirceeeu, você é craque!

As diferenças entre ambos, dos tempos da Rua Maria Antônia, estavam superadas.

— Yara, chama o Zé na sala onde ele está.

A secretária resgatou nossa fonte. Ele virara simplesmente "o Zé".

Eu não contara a eles, até aquele momento, que Pedro Collor havia aceitado a publicação da entrevista, mas não gravara. Não contei por que a condição imposta era publicar, na mesma edição, a quebra de sigilo de PC confirmando o acerto das informações contidas no dossiê que ele preparara. Tudo era jogo. Tudo é jogo na relação fonte-repórter: um sempre crê estar a enganar o outro. O deputado entrou na sala do diretor de redação, tomada por outros editores e repórteres. Foi saudado. O redator-chefe expôs os termos do acordo de publicação. A editora topava. Mário mandou chamar Lourival, diretor jurídico, e Roberto Civita, o dono e *publisher* da Abril. Aproveitei a deixa para falar o que tinha em mãos.

— Pedro Collor resolveu dar a entrevista.

Fiz o anúncio e aguardei a reação de cada um dos integrantes da cúpula da revista. Silêncio de poucos segundos, interrompido por Mário:

— Porra. Como você só me fala isso agora? O imposto de renda de PC é coadjuvante. Por que não falou antes?

Media as palavras.

— Não falei antes porque não está gravada. Não topou gravar.

— Como assim? Pedro Collor é louco. Não vamos confiar num louco que pode nos chantagear, pode nos deixar na mão.

Tales fazia ponderações razoáveis com a acidez pragmática de sempre.

— Tivemos, ao todo, umas 4 horas e meia de conversa. Não gravei. Anotei tudo. Decupei as anotações. Ele leu essa versão. Depois acrescentamos coisas, melhoramos.

— O que ele conta? O que tem de explosivo? — quis saber Mário Sérgio.

— Isso é ótimo. Vocês têm de dar!

Era Zé Dirceu, entusiasmado e integrado de vez à nossa reunião de pauta improvisada. Abri um bloco com anotações encadeadas em tópicos e comecei:

— Ele diz que o presidente é sócio oculto de PC Farias, que houve sobra de campanha em 1989 e que essas sobras — pelo menos 100 milhões de dólares — ficaram em contas administradas por PC no exterior e Collor tem participação nessas contas. Que Paulo César Farias extorque os empresários brasileiros, cobra comissão de ações de governo e 70% são para o presidente e 30% ficam com PC, que é o operador. Diz que Collor usava drogas na juventude, em Brasília. E que o governo do irmão está podre, vai cair. Além disso, fala que o sangue dele — o mesmo sangue do presidente — é o melhor cartório para provar tudo.

Li minhas anotações quase em fôlego único.

— Disse tudo isso sem gravar?

Era Tales Alvarenga de novo, o ponderado adjunto, pondo em cena um argumento relevante.

O diretor jurídico entrou na sala. Atrás dele, Roberto Civita. Mário fez uma exposição de tudo o que tínhamos. Da quebra de sigilo ilegal, mas da necessidade de publicar. Dos riscos de divulgar aquilo. Da operação de lavagem do conteúdo proposta ao senador Suplicy e ao deputado José Dirceu, que estava ali. Explicou o teor da recusa de Suplicy e contou as condições impostas por Dirceu para aceitar ser a lavanderia daquela ótima história — confirmaria tudo o que publicáramos na semana anterior e que a maior parte da imprensa ou se recusou a dar, ou deu de forma envergonhada, temendo represálias do governo federal. Que represálias? Por exemplo, corte de verbas publicitárias caso o governo não caísse com aquele escândalo.

* * *

Era altamente improvável até ali que o primeiro governo eleito democraticamente depois de 21 anos de ditadura militar e da morte de Tancredo Neves, que poderia ter sido um presidente de transição, terminasse caindo em razão de tráfico de influência de um ex-tesoureiro. Ninguém pronunciara a palavra impeachment *em todo o processo. Não existia nenhuma avidez por derrubar o governo, não era isso o que estava em nossos horizontes — nem na imprensa, nem na oposição. Jamais um* impeachment *de presidente da República havia se consumado em qualquer outra nação do mundo.*

* * *

Doutor Roberto, como nós, jornalistas, chamávamos o patrão, contornou a sala e se posicionou ao lado do deputado. Dirceu também estava de pé, igual aos demais. Mário era o único sentado. Civita fazia questão daquelas reuniões, com aquela configuração e coreografia. Era a forma simbólica de mostrar que a notícia governava a revista, e se a notícia governava a revista quem mandava era o diretor de redação. A hierarquia só se invertia nos fins de tarde das quartas e quintas-feiras, quando Mário Sérgio descia à ampla sala do dono da editora, sozinho, e explicava uma a uma as reportagens mais tortuosas e o porquê de querer publicá-las. Em geral, vencia as discussões. Vez ou outra, era obrigado a capitular. Antes que o diretor de redação começasse a falar da entrevista não gravada, Roberto Civita interrompeu:

— Vamos dar. Vamos dar o imposto de renda de PC. É uma capa sensacional. É um grande furo. Se o deputado José Dirceu se dispõe a nos ajudar, excelente.

O dono da editora disse isso e deu um abraço em Dirceu.

— Obrigado. A *Veja*, o jornalismo, agradecem a você, deputado.

— Vocês vão nos ajudar a repor a verdade que ficou oculta na campanha de 1989, doutor Roberto. Insistimos nisso, tentávamos mostrar que o Collor era uma farsa, mas infelizmente ninguém ouviu.

O petista dava seu recado em linha direta para o empresário que fora personagem central na alavancagem midiática do presidente Fernando Collor de Mello. Pronunciava acentuadamente cada "erre" com o peculiar sotaque de Passa Quatro, interior de Minas.

— Uma CPI poderá ser o caminho de repor a História no lugar.

Mário levantou a mão e freou o oba-oba e as cobranças bilaterais.

— Calma, tem mais. Roberto, escute.

Olhou para a sala, fez um gesto semicircular sutil com a cabeça, fixou-se por um átimo em cada um que estava ali. Éramos oito, além do diretor jurídico, do dono da editora e do deputado. Pondo ênfase no timbre da voz, alertou:

— Nada do que falamos aqui dentro sairá desta sala. Ninguém além de nós, mesmo na revista, poderá saber que o Zé Dirceu emprestou a imunidade do mandato para lavar essa história. Ouviram? Entenderam? Dirão que estamos cometendo um crime. Por uma boa razão, mas um crime. Vamos publicar uma quebra de sigilo fiscal. A causa é boa, mas é um crime. *Right*?

Fizemos gestos de confirmação com a cabeça. Mário Sérgio dirigiu-se ao patrão:

— Roberto, temos também uma entrevista com o Pedro Collor, pingue-pongue. Diz aí, ô Lula! O que ele fala?

Repeti, novamente em um só fôlego, o que virara ladainha:

— Ele diz que o presidente é sócio oculto de PC Farias, que houve sobra de campanha, em 1989 e essas sobras — pelo menos 100 milhões de dólares — ficaram em contas administradas por PC no exterior. Que Collor tem participação nessas contas. Paulo César Farias extorque empresários, cobra comissão de ações de governo e 70% são para o presidente e 30% para PC. Afirma que Collor usava drogas na juventude, em Brasília. Diz que o governo do irmão está podre e vai cair. E que o sangue dele é o melhor cartório para provar tudo.

Enquanto falava percebia que o dono da editora e o diretor jurídico franziam a testa. Mexiam os olhos. Senti a dúvida instalar-se no semblante deles.

— Acho que podemos publicar. Podemos, Lourival? Mário perguntou.

Civita, ao mesmo tempo, deu um *nihil obstat* e consultou o diretor jurídico.

— Não sei — disse o advogado em falsete, abaixando a cabeça, movimentando-a negativamente. — Não sei. A ducha fria antecipou o silêncio que se fez na sala.

— Lula, desove esta merda. Desove. Escreva com detalhes. Tudo. A entrevista. Quero ler toda. Quantas páginas você acha que tem?

Era Mário Sérgio, já entrando naquilo que apelidáramos de "modo fechamento". Naqueles tempos, nas revistas semanais, fechar uma edição significava virar duas ou três noites paginando, escrevendo e reescrevendo textos, dando títulos, fazendo chamadas interessantes e sumários picantes.

— Vou escrever. E o texto do imposto de renda?

O diretor de redação bateu palmas como quem deseja afastar intrusos de si e fez gestos para que saíssemos da sala. Gritou enfático, encarando-me:

— Escreve a entrevista. A entrevista! O texto do imposto de renda vou pedir para Oinegue. Ele faz em Brasília e me manda. Ponho alguém aqui para ajudar. Depois de terminar a entrevista, você lê a do imposto de renda e põe o que achar que faltou.

* * *

Escrevi por toda a madrugada. Em Brasília, Eduardo também varou a noite escrevendo. Constantemente consultava Kaíke Nanne, hospedado num hotel em Maceió e com a missão de pilotar Pedro a distância, e Fábio Altman, que organizava as apurações em Paris. O editor de Economia, que me ajudou compartilhando as fontes capitais para determinar a lógica e o ilógico no dossiê de Pedro Collor uma semana antes, convocou outra fonte (um advogado tributarista) que nos auxiliou a compreender a declaração de renda de Paulo César Cavalcante Farias.

Enquanto eu escrevia, no silêncio da madrugada, Mário Sérgio trocou um longo telefonema com Elio Gaspari, o correspondente da revista em Nova York que o precedera no cargo. Mais experiente que todos nós, tendo se convertido no mais perspicaz jornalista brasileiro na cobertura do regime fechado dos generais durante a ditadura militar, o ex-diretor-adjunto de redação certamente daria caminhos ao sucessor que o ajudassem na edição do material que pretendíamos explosivo.

Soube depois que Mário narrou para Elio, em detalhes, cada uma das duas apurações que tínhamos, nossos trunfos e nossos flancos. Depois de escutar tudo, já por volta das cinco horas da manhã no Brasil, duas da madrugada em Nova York, o correspondente e ex-diretor aconselhou o sucessor a tirar o pé do acelerador e não publicar uma entrevista com o irmão do presidente fazendo denúncias pesadas sem que houvesse uma gravação das declarações. A experiência recomendava tamanha prudência.

* * *

Anos mais tarde, quando decidi pedir demissão de Veja *para virar repórter especial de* O Globo, *fui jantar com Elio no restaurante Mássimo, em São Paulo. Em meio a uma celebração pantagruélica de minha saída da Editora Abril, onde Gaspari já não trabalhava mais, escutei dele algumas revelações amargas sobre momentos capitais dos seus tempos na revista. Havia deixado a Editora Abril sob protestos nossos e com um rol de mágoas por curar. As revelações abraçavam as negociações para a publicação da entrevista de Pedro Collor em* Veja.

— Aquela história do imposto de renda de PC era espetacular — disse-me Elio, de acordo com as lembranças que ainda tenho. — Era fabuloso perceber que em momentos democráticos, ao contrário do que tivemos com a ditadura, documentos tão relevantes, tão importantes, vazassem por meio das pessoas mais inesperadas e improváveis.

Gaspari explicou seu raciocínio revelando a enorme e proverbial capacidade de análise a quente que o diferencia da média e de quem se situa acima dela:

*— Na ditadura, com os generais, bastava a gente ter duas ou três boas fontes, fontes boas de verdade, daí tínhamos a cobertura do país nas mãos. Em dado momento eu falava com o Golbery (*general Golbery do Couto e Silva, "o bruxo", um dos articuladores do golpe de 1964 antes mesmo de chegar ao generalato, ministro-chefe da Casa Civil dos generais-presidente Ernesto Geisel e João Figueiredo. Desse último, por pouco tempo*) e com o Geisel, mesmo o Geisel fora da Presidência, e sabia de tudo e checava tudo. Tudo passava por eles, para o bem ou para o mal. Era impossível haver algo realmente relevante em outro Poder, fosse no Congresso, fosse no Judiciário, que eles não soubessem. Agora, não. Notícias vazam por todo canto, pelos buracos mais insondáveis. Um promotor de Justiça em Alagoas, que não tinha trinta anos, conseguia a declaração de renda do ex-tesoureiro do presidente da República e a entregava a um repórter que mal passara passara dos vinte. E esse repórter conseguia se deslocar para estar no lugar certo, na hora certa.*

* * *

Do que lembro daquele diálogo, na madrugada em que ele ocorreu, anotei na memória a imagem fechada de Mário Sérgio segurando a testa com a mão direita e o fone do aparelho telefônico com a esquerda. Escutava o interlocutor em silêncio respeitoso, pigarreando às vezes para dar sinais vitais a quem o esperava do outro lado da linha.

* * *

— Aquelas declarações de renda chegaram à redação com uma solução para publicar, para mascarar a quebra de sigilo, oferecida por meio de outro repórter também mal saído da universidade (falava de Eduardo Oinegue ou de mim, já não sei)... — *O risco de dar o imposto de renda, naquele momento, valia correr. Foi bonito.*

Elio era ousado, matemático, preciso em suas decisões editoriais.

* * *

Mário Sérgio Conti só me contou a conversa anos depois, quando nem ele mesmo estava mais em *Veja* e já coletava dados para publicar o livro *Notícias do Planalto*.

* * *

— *Eu também não teria dado a entrevista naquele momento em que não tinha gravação. Podia ser espetacular, podia ser fenomenal como era, mas não daria. Teria sido uma desmoralização total e absoluta da revista, da editora e sua,* disse-me Elio Gaspari depois de termos destrinchado meia dúzia de galetos — três para cada um. "Dom João VI ensinou o Mássimo a fazer esses franguinhos" — brincava e seguia com o raciocínio: — *Pedro Collor não era confiável. Antes de ser fonte da revista, era irmão do presidente e empresário. Sabia ganhar dinheiro. Sabia vender informações. Sabia indicar o caminho das pedras para qualquer empresário que quisesse ganhar dinheiro com o governo.*

* * *

Talvez tenha sido aquele o momento, no contexto original de 1992, que vi Mário Sérgio bufar e revelar descontentamento com alguma opinião do interlocutor no telefonema. Mas, do outro lado da linha, o ex-diretor da revista parecia seguir com sua peroração consequente.

* * *

— *O governo não havia caído ainda. Não havia indício lógico que nos levasse a crer que cairia. A CPI não tinha nem assinaturas. Era ainda uma pretensão de CPI. Não existe governo fraco, Lula. Aprenda isso.*

Aquele jantar de despedida de *Veja*, eu e o experiente ex-editor da revista convertido em colunista de jornais, ainda jovial embora preocupado com o diabetes tipo dois que fora diagnosticado semanas antes, tornara-se uma aula de política também.

— *Você tem sobrepeso há muito tempo. Vai ter diabetes no futuro, como eu. Espere dobrar os cinquenta. Não tem erro — prognosticava.*

Hoje luto contra as taxas de glicose e tento mantê-las longe do diagnóstico definitivo do diabetes.

Elio sabia que o governo João Figueiredo, o último da ditadura, fora um não-governo. Justamente porque jamais fora forte. Continuou sua argumentação.

— *Ou o governo é forte, ou não existe. O contrário de governo forte é bagunça total. Queda. Não era o caso.* Veja *daria a entrevista e a revista começaria a circular no sábado. Ela não estava gravada. Não tinha foto do Pedro falando com você. As anotações tinham sido feitas com a sua letra, a letra do jornalista. No domingo o Pedro Collor, acertado com o governo, iria à TV e desmentiria tudo. Diria que o repórter inventou aquilo e a revista caiu na lorota. Você e a* Veja *estariam desmoralizados. Roberto, quebrado.*

Gaspari era ácido. Mas jogava com a lógica pragmática dos cartesianos em cada ponderação. Ainda tinha o que falar em nosso jantar.

— *No lugar de uma grande história, você teria o maior problema da sua vida. Na segunda-feira o prédio da Abril na Marginal Tietê amanheceria cercado pelo Exército e com militantes pró-Collor querendo arrancar os portões e invadir a gráfica. Collor não cairia naquele momento, um acordo político seria costurado, vocês perderiam a moral e Pedro sairia bem de todo o enrosco: PC recuaria, não montaria nem o jornal nem a TV em Alagoas e delimitaria quem ganharia o quê e onde entre os negócios do governo Collor. Fui contra a entrevista.*

Elio me revelou, na mesa do Mássimo, que não teve reservas para sugerir a Mário Sérgio a necessidade de esperar por mais uma semana. Para ele, era preciso deixar a dinâmica dos fatos governarem o momento. Com mais uma semana, o Pedro Collor poderia gravar, acreditava.

Os argumentos de Elio Gaspari, as metáforas, que usou comigo, revelar-se-iam precisas. Certamente haviam sido os mesmos argumentos matemáticos empregados na conversa com o sucessor e inocularam medo no diretor da revista.

* * *

Lembro de Mário Sérgio ter desligado o telefone naquela madrugada, saindo de sua sala e encontrando comigo no elevador. O sol nascia e uma névoa suave e suja cobria o Tietê. A Marginal fedia como fede sempre. O trânsito começava a ficar pesado na avenida. O diretor da revista não me disse nada da conversa com Elio Gaspari. Desceu os sete andares quase em silêncio. No saguão da editora um carro me esperava. Ele foi embora no dele.

— Descanse. Mais tarde falamos. Chego umas duas da tarde — disse-me.

— Ok. Vou dormir um pouco, sim.

— Vá. Precisaremos conversar.

* * *

Pedi ao motorista para passar na banca de jornais da Praça Vilaboim, em Higienópolis, mesmo bairro do hotel em que estava hospedado. A banca era um dos primeiros pontos de distribuição dos jornais, todos os dias. Muitos jornalistas moravam nas redondezas. Comprei um exemplar da *Folha de S. Paulo*, outro do *Estado de S. Paulo* e da *Gazeta Mercantil*. *O Globo* e *Jornal do Brasil* não tinham chegado. Entrei no hotel, na verdade um *hub* de negócios com auditório de palestras, e fui tomar café da manhã antes de dormir. Comecei a olhar os jornais por *O Estado de S. Paulo*. Uma semana depois de ter publicado a reportagem "*Os Tentáculos de PC Farias*", a repercussão era quase inexistente. Os diários adotavam, basicamente, uma linha chapa-branca de cobertura. Não concediam espaço algum para as articulações da oposição. Claramente, esperavam os próximos passos. Tinham medo da mão pesada do governo. No quarto, antes de dormir, li a *Folha de S. Paulo*. O tom mudava um pouco. Havia reportagens próprias que exploravam a crise política. Mas eram ainda tentativas esparsas: não tinham as fontes — ao menos as fontes que tínhamos na revista. Se tivéssemos de seguir no *front* belicoso, seguiriam conosco.

Às duas e meia da tarde estava de volta na redação. Mário não havia retornado ainda. Eu contabilizava meia dúzia de recados em papéis coloridos sobre o teclado do computador que estava usando numa das baias da editoria "Brasil". Naqueles tempos pré-windows, pré-Microsoft, pré-internet, trabalhávamos com computadores denominados IBM-PC 286 de sofrível memória e péssimo *design*. As telas eram de tubo, meio curvas, pretas. As letras do sistema utilizado por nós em *Veja* eram cor de laranja. Gostava de olhar o preto e laranja na tela. Não havia nenhum sistema de mensagens instantâneas. Tínhamos à disposição *bips* e *pagers*. Desde a semana anterior, quando a apuração contra Collor recrudesceu, Julinho, secretário de redação da revista, orientara-nos a não trocar recados pelos *pagers* (pós-bips, pré-bbm e sms). "O governo é dono do sistema de telefonia (*a Telebrás não fora privatizada ainda*). Então tudo passa por alguém do governo. O governo saberá de nossos recados antes do colega da mesa ao lado. Numa guerra, informação é tudo", dissera Julinho ao passar a determinação ao grupo avançado de apuração do "Caso PC-Collor", como tratávamos o tema.

Eram cinco recados triviais e um especial. "Ligar para Dr. Pedro Collor com urgência. Na Gazeta. Ass: Zenita". Pedro queria falar. Isso podia ser bom, podia ser "em nome da notícia", como dizíamos. Mas também podia ser ruim. Podia querer derrubar tudo. Zenita era a secretária dele, uma mulher que já entrara na casa dos cinquenta e poucos anos e se afeiçoara a mim desde a primeira hora. No segundo café da manhã que marquei com Pedro, quando ainda morava no Recife, levei bolo de rolo para ela. O bolo de rolo é uma iguaria da doçaria pernambucana. Não há quem o dispense.

Quando fiz onze anos de idade um tio me perguntou o que desejava ganhar de presente de aniversário. "Bolo de rolo", respondi sem titubear. Ganhei um bolo de um metro linear. Guardei-o em meu quarto de dormir. Consumi-o com avidez na solidão vigilante dos gulosos. Disquei rápido, um pouco tenso.

— Zenita, boa tarde. É o Lula. O Pedro quer falar comigo?

— Quer sim. Boa tarde! E já aprendeu a colocar o artigo na frente do nome foi? Foste morar aí um dia desses. Já pegasse esse sotaque daí, foi?

— De jeito nenhum. Sempre usei o artigo antes. Nem sei o motivo... talvez porque no Recife a gente fale um pouquinho diferente daí... Afinal, Recife era a capital de Alagoas antes de Pernambuco receber o castigo...

— Ah, lá vem você com essa história de que Alagoas não podia existir, porque era um pedaço de Pernambuco que foi tirado em mil oitocentos e não sei o quê. Vou passar para o Dr. Pedro.

— Ok, obrigado.

...

— Lula? Tudo bem? E aí? Vão publicar o imposto de renda de Paulo César? Posso ficar tranquilo?

— Pedro, não sei ainda. Sinceramente, não sei.

Eu precisava jogar um pouco duro. Não estava claro se ele queria aquela informação para se cacifar nas negociações com o Planalto e com PC, ou se as queria de forma legítima por interesse de fonte (*ou de co-fonte*).

— Como assim?

Resolvi despistar de vez, reduzir um pouco o valor de face da informação que tínhamos em mãos.

— Um deputado, que não posso dizer o nome, teve acesso à mesma quebra de sigilo que nós recebemos. Daí eu fiquei na dúvida, e o Mário Sérgio também: quem nos passou isso, e passou para esse deputado de oposição, quer ver as coisas publicadas ou está nos usando para desmoralizar tudo? Desmoralizar a revista, desmoralizar os jornalistas, desmoralizar você a e oposição que já quer CPI?

— Você está maluco. Não acontece isso.

— Malucos são os fatos, Pedro. Maluco é tudo o que está acontecendo. Vamos definir nas próximas horas se daremos o imposto de renda. Mas daremos a entrevista. A sua entrevista. Estou bancando.

— Opa! Aí, não! Só tem entrevista se tiver imposto de renda vazado. Uma coisa traz a outra.

— Eu sei, Pedro. Eu sei. Foi o que combinamos.

Ele então foi ao tema central daquilo que queria falar comigo.

— Deixa eu pedir uma coisa: liga para a Thereza. Lá em casa, hoje à noite. Diz a ela que eu estive no Rio com você, no domingo.

— O que houve, Pedro?

— Fui ao Rio ter aquela conversa com a Dona Leda. Era Dia das Mães. Thereza achou que eu tinha passado todo o domingo lá no apartamento do Parque Guinle. Hoje ela falou com mamãe e soube que não fiquei nem meia hora lá. Saí de lá e fui comer com um amigo, sair com umas amigas dele... Sabe como é, né? Preciso de um álibi. Você é meu melhor álibi.

— Ok, Pedro. Serei seu álibi. Thereza vai acreditar em mim?

— Vai. Ela acredita na imprensa...

Depois de um átimo no vácuo, gargalhamos. Desligamos.

Enquanto a direção da revista leria e avaliaria a entrevista não gravada de Pedro Collor, subindo três oitavas o tom do confronto com o Palácio do Planalto, dediquei-me ao texto da quebra de sigilo de PC Farias. Estava redondo. Conseguíamos mostrar, com dados, extraindo números do acerto de contas dele com a Receita Federal, que era impossível o empresário alagoano ter a fortuna cujas evidências reuníramos na edição anterior. Ampliei uma ou outra narrativa, acrescentei detalhes descritivos, considerei o texto apropriado e mandei para a frente. No caso, para o editor-executivo que passaria para o redator-chefe e dali para o diretor de redação. *Veja* adotava o sistema de fechamento em funil. A hierarquia era implacável. Fui ajudar em outros fechamentos, na paginação das alternativas de capa. Se fôssemos dar a entrevista, poderia ser um modelo. Se só fôssemos publicar o imposto de renda, era outro. Esperei às 18 horas para ligar para Thereza. Cumpri meu compromisso com Pedro Collor e fiz-me de álibi para a pulada de cerca dele no Rio.

— Thereza, tudo bem? Aqui é o Lula, da *Veja*.

— Oi, Costa Pinto. Tudo bem? Por onde anda?

* * *

Thereza era uma mulher linda. Parecia quase uma menina, ainda. Eu tinha 23 anos. Ela, 29. Morena, baixa, cabelos curtos, sofisticada, educadíssima, a beleza de seu rosto não denunciava sequer essa pequena diferença de idade. A família Pereira de Lyra tinha origens pernambucanas. Os canaviais de Alagoas, porém, eram mais produtivos que os de Pernambuco. Muitos usineiros pernambucanos se instalaram em definitivo no estado vizinho. Era o caso da família dela. Eu mesmo tinha primos que largaram engenhos em Pernambuco e se fixaram em Alagoas. Essa coincidência biográfica nos ligou desde a primeira conversa.

* * *

— Como vão os Maranhão, meus amigos aqui da terra, seus primos? Gosto muito de José Carlos e de Severino Carlos. E Luís Ernesto, então?

Eram três dos meus primos usineiros em Alagoas.

— Vão bem, muito bem. Estou em falta com eles e preciso visitá-los. Mas liguei por uma coisa bem objetiva e prosaica.

— Diga.

— Sei que você e Pedro, mais uma vez...

— ... brigamos. Brigamos porque Pedro não toma jeito. Para você ver como ele é, a Ana Luíza, minha cunhada, tanto me deu razão dessa vez, que ficou aqui morando comigo e com os meninos (*tinham dois filhos*).

— Thereza, o Pedro estava comigo no Rio. Ele foi à casa da mãe no intervalo de duas longas conversas que tivemos. Conversamos longamente lá e depois aí, na noite de segunda. Ele nos deu uma entrevista.

— Entrevista? Ele gravou uma entrevista com vocês?

Ela pareceu alarmada e aquilo soava mais relevante do que a separação. Por alguns instantes, eu mesmo fiquei temeroso. E se Thereza estivesse fechada com o Planalto, e não com Pedro?

— Não gravou, Thereza. Foi uma conversa. Na verdade, longas conversas que eu redigi, mostrei a ele, está em forma de entrevista, mas acho que nem vamos dar...

Precisava fazer um *hedge*, um seguro, para a eventualidade de a mulher de Pedro Collor estar atraiçoando-o.

— Vocês vão publicar? Aí é que o Pedro enlouquece mesmo. A vida dele está um inferno, Lula. Pressão por todo o lado, Leopoldo e José Barbosa saíram daqui faz pouco tempo. Sei que Pedro tem suas razões...

— Estamos decidindo se vamos publicar ou não. Não faremos nada que deixe o Pedro desconfortável. Mas acredite em mim: estávamos juntos no Rio.

Eu me espantei com a naturalidade como menti. Segui, bancando o cupido:

— Thereza, chama o Pedro para jantar. Janta com ele em casa. É a melhor forma de deixá-lo menos acelerado. Eu prometo que ligo para a sua casa, mais tarde, e digo se a entrevista sai ou não sai.

O combinado ficara daquela forma.

* * *

Em seu livro Mil Dias de Solidão — Collor bateu e levou, *Cláudio Humberto Rosa e Silva escreveu que "numa entrevista concedida por Pedro Collor a Luís Costa Pinto, logo depois de exigir oportunidades de negócios com o governo que lhe rendessem US$ 50 milhões" o irmão do presidente da República confirmava assim as ameaças que vinha fazendo internamente ao governo e a PC Farias. Segundo Cláudio Humberto, Pedro "exigia isso ou abriria a boca". Ele conta ainda que o então senador Guilherme Palmeira, o empresário Paulo Octávio Pereira e o amigo da família Collor, José Barbosa, tinham sido os intermediários das ameaças.*

Em suas memórias, no livro Passando a Limpo — a trajetória de um farsante, *Pedro Collor narra que, àquela altura dos acontecimentos, já havia revelado a Thereza a existência de duas fitas em VHS gravadas por ele mesmo, sozinho, e depositadas no cofre de um banco em Miami. A esposa quis saber o conteúdo das fitas. Depois de instruí-la a divulgá-las se acontecesse algum atentado à sua vida, Pedro explicou o que gravara: "Relatei a forma como os dois extorquiam e partilhavam o produto do crime à proporção de 70% para Fernando e 30% para PC. Falei sobre os gastos de Rosane* (Rosane Malta Collor de Mello, segunda mulher de Fernando e então primeira-dama do país), *mantidos por PC. Registrei que Marcos Coimbra e Ledinha usufruíam do mesmo privilégio. Denunciei meu outro irmão, Leopoldo, como beneficiário do escândalo do café. Contei em detalhes a proposta de suborno que recebera dias antes. No fim, dizia que se eu fosse assassinado os mandantes teriam sido Fernando Collor e Paulo César. E mais: afirmei categoricamente que Paulo César jamais mandaria me matar sem o beneplácito de Fernando". Pedro escreveu isso em sua biografia.*

* * *

Mário me chamou à sala dele. Fechou a porta.

— Não vamos dar a entrevista. Só o imposto de renda.

— O quê? Por quê?

— Raciocina, porra: não temos nada gravado. Tudo bem, nossa fonte é o irmão do presidente da República. Mas amanhã essa fonte pode inverter, mudar de lado, e passar a agir contra a gente.

Abusando da ascendência italiana, Mário Sérgio falava e gesticulava com as mãos. O tom da voz oscilava. Alto, baixo, irritado, risonho.

— Confio plenamente em você e na nossa apuração, mas não posso dar essa entrevista me fiando apenas no Pedro.

O diretor de redação de *Veja* repetia a conversa e os argumentos que certamente ouvira de Elio, como descobri anos depois. Chegara a minha vez de ponderar.

— Ele não dará marcha à ré. Vai manter o que fala.

— Ou gravado, ou nada — determinou. O presidente da República se elegeu com 35 milhões de votos em novembro de 1989. Estamos em maio de 1992. Essa editora tem um nome a zelar, tem mais de dois mil funcionários, editamos a terceira ou quarta maior revista semanal de informações do mundo. Não vou pôr tudo isso numa cesta e jogar no rio Tietê esperando que Pedro Collor, que também é um lobista, que também tem seus negócios, faça a cesta chegar na outra margem.

O tom de voz era de quem estava irritado, mas argumentava com racionalidade:

— Se eu der essa entrevista e ele desmentir, os outros veículos, que estão com má vontade conosco, que nos deixam sozinhos nessa cobertura, darão o desmentido dele no domingo com muito mais ênfase do que têm dado a notícia em si. Ele se acerta com o governo, com PC, e nos deixa vendidos. Segunda-feira os portões da Editora Abril amanhecem arrancados e a gráfica, invadida.

Ficamos em silêncio por alguns segundos. Baixei a cabeça. Ele me encarou. Avançou na argumentação, ainda irritado:

— Não dá. Ou gravado, ou nada. Temos o imposto de renda. Baita furo do Kaíke. Não é o perfeito, não é o ideal, mas é muito bom. Prefiro publicar o muito bom do que quebrar a cara na esquina.

— Ok. Posso tentar gravar por telefone?

— Pode. Mas não garanto que vamos usar.

— Ok.

* * *

Saí da sala do diretor e fui procurar uma "chupeta". Era o nome popular dado à traquitana que conectávamos aos bocais dos aparelhos telefônicos — do lado do microfone — por meio de duas pinças. Na outra extremidade tinha uma saída para microfone. Conectávamos aquilo a um gravador. Os gravadores eram daqueles modelos de fitas K7, de mesa. Nem tão grandes, nem tão pequenos como os *walkmans* que começavam a fazer sucesso. Arrumei uma chupeta e um gravador. Passava das 20h. Liguei para a casa de Thereza novamente. Precisava encontrar Pedro lá.

— Alô, boa noite. Por favor, o Pedro está?

Alguém, cuja voz eu não identificara, atendera.

— Está sim. Estão jantando. Quem deseja falar?

— É o Lula. Ele sabe quem é. Não interrompa o jantar, por favor. Diga só que eu liguei. Ligarei dentro de quarenta minutos, ou uma hora.

Desci para jantar com colegas. A excitação entre todos nós era patente. Eu estava preocupado. Tinha um pouco mais de informação do que eles. Estava mais ou menos no centro das ações. Conversamos, rimos, especulamos sobre os desdobramentos do caso. Voltei para a redação e liguei para Pedro. Passava das nove da noite. Ele dava sinais evidentes de que bebera um pouco além do recomendável na reconciliação com Thereza. Estava empenhado em abreviar a conversa e voltar à reconciliação.

— Pedro, cumpri o prometido: disse a Thereza que passamos o domingo juntos no Rio.

— Sei disso. Claro! Estou aqui. Obrigado, Lu-la!

A forma como silabava meu apelido era a prova: estava meio bêbado.

— Daremos o imposto de renda de PC. Vamos para cima de Paulo César Farias. Provaremos que ele não poderia ter feito aquela movimentação no exterior. Mas não daremos a entrevista.

— Não darão a entrevista? Por quê?

— Porque não está gravada. Por mais que tenhamos toda a segurança em você, por mais que saibamos que você será leal àquilo que nos falou, temos medo da artilharia do governo. Governo é governo. Eles virão para cima de você, para desmoralizá-lo, e de nós também. Sem gravação a nossa posição enfraquece.

— Tem como gravar agora?

— Tenho.

— Eu gravo.

— Mas você está em condições? Não bebeu um pouco demais?

— Bebi, mas gravo.

— Não quer tomar um banho, namorar um pouco, e eu te ligo lá pelas onze e meia, meia-noite? Eu espero.

— Espera?

— Espero.

— Melhor. Então, me deixe namorar.

Fui dar uns telefonemas, beber café, bater papo com quem também estava no fechamento, fazer hora. Deu meia-noite de sexta-feira e liguei para Pedro. Ele continuava acelerado do outro lado da linha. A voz me parecia ainda mais veloz.

— Fa-la Lu-la!

— Vamos gravar.

— Gravo o que você quiser.

— Pedro, vou fazer as perguntas na ordem que te mostrei. Por favor, tenta responder do mesmo jeito.

Má ideia. A pretensão revelou-se um desastre. Ele estava desconcentrado. Imaginei que estivesse deitado na cama, com Thereza ao lado. Já não enfatizava as denúncias contra o irmão presidente. Perdia-se em tentativas de explicar como PC ganhava a vida. Ainda assim, conversamos por mais de uma hora. Tudo gravado. Desliguei, mas tinha dúvida sobre a utilidade daquela tentativa. Fui escutar a gravação. Um horror: muito mais frágil do que a entrevista não gravada. Não dava para escrever uma coisa e fiar-me na outra. Ainda assim fui recorrer à ousadia editorial de Mário Sérgio Conti. Ele estava com Tales na sala.

— Gravei a entrevista.

Os dois se entreolharam. Mário:

— Gravou? E aí?

— Mais ou menos... eu publicaria, e temos diversos momentos na gravação em que ele chancela a entrevista não gravada.

— É boa ou é ruim? — quis saber Tales. Direto como um *jab* de esquerda.

— Mais ou menos.

— A gente não publica mais ou menos, porra. Isto aqui é a *Veja*. Não é a *Istoé*, não é a... sei lá... *Manchete*, vai. Tales estava me dando uma bronca.

— Bota pra rodar, quero ouvir.

Mário Sérgio deu a ordem, apertei o *play*. Antes de a fita rodar doze minutos o diretor de redação apertou o *stop*.

— Uma bosta. Não dá para publicar a entrevista que você escreveu e segurar esta gravação para a eventualidade de ele nos foder.

— Não está mais ou menos. Está péssima, Lula. Dê a noção certa para o comando da revista.

Era Tales. Duramente ponderado, como sempre. E prosseguiu, dando-me uma lição antológica de como me portar editando apurações no jornalismo político:

— É assim: a gente põe os repórteres para apurar como um bando de petistas. Isso, petistas: com raiva, cachorro louco, apura tudo, pegando tudo de todo o mundo, com raiva. Depois esse material chega à redação e tem de passar por um filtro de responsabilidade. Todo o mundo se conecta com alguém. Toda informação vai produzir uma reação em algum lugar. E quem é que na política tem essas conexões todas? Quem está no poder desde que Pedro Álvares Cabral chegou à Bahia? Quem? O PFL! A pefelândia tem a responsabilidade da amizade com todo o mundo. Então, a gente apura como petista, como se não houvesse amanhã. E na hora de publicar a gente vira pefelista.

Rimos juntos. Mário decretou:

— Sem entrevista. Só gravada.

Eram 4h da manhã. Eu voaria de volta a Brasília às 9h30.

— Vou passar no hotel, tomar um banho, tomar café e sigo para o aeroporto.

* * *

No sábado 16 de maio, com data de capa de 20 de maio (*a data de capa era sempre a quarta-feira seguinte ao fechamento. Quarta-feira era o dia em que a revista estaria entregue a todos os assinantes nas 27 unidades da federação — uma operação de guerra, pré-apps, pré-internet, em que se usava a distribuição por motos, carros, caminhões, ônibus, aviões e barcos*), a *Veja* circulava com uma foto de PC Farias em close e a manchete "O imposto de renda de PC Farias de 1987 a 1991 — o choque entre a riqueza aparente e os ganhos declarados".

Era uma bomba. Quase um quinto das páginas da revista era dedicado à cobertura.

A crise política subira de tom em Brasília. Os telejornais do sábado e o programa *Fantástico* do domingo, porém, não entraram no caso. Os jornais dominicais citavam a *Veja* e os desmentidos de PC Farias e de porta-vozes informais do governo. O Palácio do Planalto não se manifestava — a estratégia clara era isolar a nossa publicação mais uma vez e deixar patente que não se tratava de uma crise de governo, mas de uma crise privada. No domingo à tarde liguei para o deputado José Dirceu.

— A CPI sai?

— Não sei. Eles têm maioria segura. O Fiúza está trabalhando duro para evitar que deputados e senadores assinem o pedido de investigação.

— E a Polícia Federal? Vai entrar na história?

— Lulinha, a Polícia Federal é deles, é governo. É o Tuma quem está lá. Você acha que haverá alguma investigação isenta pela PF?

Romeu Tuma, delegado da Polícia Civil de São Paulo, ganhou fama ao liderar o grupo de policiais que prendeu o mafioso italiano Tomaso Buschetta. Extraditado para a Itália, Buschetta feriu a omertá, pacto por meio do qual um integrante da Máfia se sente impedido de falar dos crimes do grupo com medo das retaliações que cairão sobre a família e as gerações futuras. Em razão da fama adquirida ali, Tuma virou um ícone da "eficácia" policial brasileira. Collor o nomeou Secretário da Receita Federal e Diretor-Geral da Polícia Federal, acumulando os dois cargos nos primeiros anos de mandato do presidente eleito em 1989.

— Você acha que não vai dar em nada, Zé?

— Eu posso enfrentar um processo cabeludo de quebra de sigilo fiscal. Por que vocês não deram a entrevista do Pedro Collor?

— Porque ele não gravou direito. Na verdade, gravou bêbado e reduziu a intensidade das acusações. Mário Sérgio não quis arriscar.

— Estou com medo, mas vamos continuar tentando. De qualquer forma, ninguém nunca bateu tanto no governo. Parabéns.

* * *

Em suas memórias, Pedro Collor disse que naquele mesmo dia recebeu um telefonema do irmão Leopoldo. "Pedro, pelo amor de Deus, para com isso", teria pedido o primogênito dos Collor de Mello. "Avisei a vocês que ia detonar essa merda", contou Pedro no livro. "Se não acreditaram não é problema meu." Àquela advertência Leopoldo teria insistido: "Você não tem como provar, você vai se foder, vamos sentar e conversar. Vamos falar com Fernando no Planalto, acertar tudo, todos juntos. Tenho certeza, a situação será normalizada". Em seu livro Passando a Limpo, *Pedro Collor escreve que "Leopoldo não estava muito pouco preocupado com a unidade familiar. Temia, isto sim, que a explosão acabasse por revelar suas próprias falcatruas." Segundo ele a conversa foi encerrada com mais uma ameaça ao irmão presidente: "não tenho mais nada a conversar com ninguém, Leopoldo. Irei ao Planalto no dia em que ele colocar PC na cadeia, e isso ele não fará, porque se fizer vai junto".*

* * *

Policarpo Júnior chamou-me para comer uma pizza com uma dupla de fontes dele. Policarpo, ou JR, como eu sempre o chamei, era um colega de redação na revista que começou a vida em programas policiais de rádio e fora repórter do radialista Mário Eugênio, um locutor de resenhas sangrentas narradas como novelas da vida real nas rádios de Brasília. Foi assassinado no começo dos anos 1980 por denunciar filhos de militares e de políticos envolvidos no sequestro, estupro e assassinato de uma garota de doze anos na capital (*o Caso Ana Lídia, do qual Collor e amigos chegaram a ser suspeitos de mando e execução*). As fontes de Júnior eram egressas do submundo da comunidade de informações. Detestava aquele pessoal com a mesma força com que sempre detestei delegados federais que se esforçavam para virar fontes de jornalistas.

Marcaram às sete da noite na Kazebre 13, uma pizzaria famosa na cidade, uma das primeiras de Brasília, frequentada por todo o mundo. Ministros, deputados e senadores; até burocratas do quarto escalão federal e jornalistas: todos iam à Kazebre. A pizzaria ficava numa entrada lateral da Avenida W3 Sul. Chegamos na hora. As fontes de Policarpo estavam lá.

— Esse é o nosso homem — disse ele, apresentando-me aos seus amigos.

Meu colega falava como se fosse um deles. Usava um jargão policialesco, um sorriso ora nervoso, ora destinado a demarcar meu espaço na conversa: eu não era, definitivamente, um deles. Sempre admirei JR por ter paciência com aquela gente. Eram simples, quase toscos. Mas estavam longe de ser humildes. Tinham o biotipo militar. Morenos claros, altos, magros, boa forma física. Estavam armados — pude verificar isso pelos volumes salientes em suas cinturas. Um deles viu que eu percebera o revólver.

— Calma, chefia. Isso aqui é instrumento de trabalho.

Os outros dois sorriram. A fonte do submundo da comunidade de informações seguiu:

— Bom trabalho o seu. Tem mais? Vem mais coisa?

— Não sei — respondi.

Era verdade. Não sabia.

— Esse PC é bandido. Vai acabar derrubando o presidente.

Meu colega de redação, sem sutilezas, quebrava o gelo ao falar.

— Se mexer demais, se vocês descobrirem o pilar estrutural desse muro, vocês o derrubam.

Um dos informantes queria demonstrar saber mais do que falava.

— Você tem algo mais? — perguntei.

— Não. Mas siga tentando a entrevista.

Não escondi minha perplexidade. Eles, que não tinham sofisticação alguma, pareciam taifeiros de quinto escalão, sabiam que eu tinha uma entrevista e não a publicara. Certo, havia quem soubesse daquilo — em Maceió, São Paulo e Brasília. Mas não era muita gente: apenas o pessoal envolvido com a apuração, só as fontes e a redação de *Veja*.

— Pouca gente sabe dessa entrevista — retruquei.

— Mais de três pessoas?

— Mais de três.

— Então, gente demais. Falem pouco. O pessoal ouve tudo.

— Igual à época da ditadura? Ao SNI? — quis saber.

Olharam-me com ar de incrédulos, pareciam surpresos com o atrevimento. Entreolharam-se, os três. Dessa vez, inclusive, o meu colega de redação que navegava na superfície daquele mundo e em alguns momentos se viu obrigado a mergulhar no submundo deles. Esteve perto de se afogar, mas escapou com vida.

— Você acha mesmo, de verdade, que o Collor acabou com o SNI? Só porque disse que ia acabar com o Serviço de Informações dos militares?

O mais calado da dupla de fontes da "comunidade de informações" que meu amigo levara até a Kazebre dirigia-se a mim.

Contestei:

— A estrutura do SNI foi quebrada. Não existe mais no Palácio do Planalto de hoje o sistema de coleta e análise de informações que existia durante o regime militar, ou mesmo que existiu com o presidente Sarney.

— Não existe mais a serviço do presidente, meu caro.

O informante mudou o tom. Passou a falar de forma mais grave e segura. Quase professoral. Era como se estivesse com raiva, com ódio. Não necessariamente de mim, mas da situação toda que se criara para eles. Prosseguiu:

— Políticos acham que é possível quebrar a corrente, a hierarquia e o sistema todo montado numa comunidade de informações do dia para a noite só porque resolveram pôr no Palácio uma Secretaria de Assuntos Estratégicos. Informação é a melhor estratégia que se pode ter quando se quer chegar ao poder ou quando se está lá.

Ele sabia o que falava. Ficamos em silêncio. A voz do submundo continuou:

— Já há uma ficha sobre você — apontou para mim.

— Sobre você, claro — desde os tempos de rádio, quando você era repórter policia — falou apontando para Policarpo Júnior.

Continuou:

— Há uma estrutura de informações funcionando, coletando dados, tratando-os, analisando desdobramentos de assuntos que surgem para a gente. A diferença do passado, da época dos generais no Palácio, é só uma: agora essa estrutura não serve ao presidente que está sentado na cadeira. Pode até vir a servir, se ele souber como se comportar com a gente e com o país. Mas também pode servir contra quem estiver sentado ali. Essa é a diferença. Babaquice vocês, civis, acharem que ganharam a guerra e levaram os despojos para casa. Estamos em guerra. A guerra é todo dia.

Era uma pós-graduação em vida real. Eu e Policarpo sabíamos que aquilo era um jorro de recados saído do mundo particular daqueles arrogantes e repulsivos investigadores egressos do velho SNI. Ficamos calados. Tínhamos vontade de falar, mas nos conservamos calados. Cerrei os punhos. JR começou a brincar com a boca, torcendo os lábios. O policial paisano prosseguiu.

— Vocês venceram uma batalha, fizeram eleições, podem vencer outros enfrentamentos daqui para a frente. Mas lá adiante a gente se encontra, a gente dá a volta por cima. A gente seguirá tendo informações, de tudo e de todos. As estruturas das comunidades de informações, aqui dentro e lá fora, conectam-se independentemente de quem está sentado nas cadeiras de presidente, de primeiro-ministro, de rei, de imperador, de papa.

Era a Realpolitik contra a política. O recado estava dado. O presidente Fernando Collor não tinha controle sobre os militares de seu palácio. Dependendo de qual fosse a alternativa, a comunidade de informações trabalharia até a favor da derrubada dele. Se o porvir fosse pior para eles do que o cambaleante governo Collor, os militares poderiam entrar na operação de calar a imprensa e cessar o processo. Eles respiravam, pensavam, agiam e sobreviviam no Palácio do Planalto e nos seus subsolos.

— Ok, entendi. Tudo. A pizza está ótima, o papo está perfeito, mas tenho de ir. Marquei um cinema, hoje é domingo. Júnior, você vem comigo? — perguntei ao meu colega.

— Não, fico. Tenho outros temas para tratar com eles.

Levantei e deixei a Kazebre 13.

* * *

Nossa reunião de pauta na sucursal da revista em Brasília começava às dez horas da manhã. Era uma sala fechada, sem janelas, um mesão em torno do qual ficavam os 18 jornalistas e fotógrafos da revista na capital. Na cabeceira, Eduardo Oinegue. Um ramal telefônico à altura de suas mãos caso precisasse falar com as redações em São Paulo e no Rio de Janeiro. Oinegue abriu com uma análise da reportagem de capa, que ele mesmo dera o texto final, sobre o imposto de renda de PC Farias.

— Golaço nosso, belo trabalho do Kaíke Nanne, que conseguiu o material das mãos do deputado José Dirceu.

Era mentira, evidentemente. O chefe da sucursal do Recife, que de fato obtivera as declarações de rendimentos de Paulo César Farias entre 1987 e 1991, nem sequer conhecia o deputado do PT. Mas Eduardo levava a termo, e muito bem, a combinação de sacramentar a versão publicada. Ou fazíamos aquilo, ou estaríamos expostos a processos judiciais pesados. Prosseguiu como um técnico de futebol fazendo preleção.

— Mas seguimos sós nesta cobertura. Os jornais de domingo até registraram nosso furo, já o *Fantástico* ontem não deu nada. Os jornais de hoje registram as movimentações da oposição para criar uma Comissão Parlamentar de Inquérito, mas o governo tem maioria sólida.

— Vou almoçar com o Ibsen, presidente da Câmara — atalhei.

Ibsen Pinheiro, deputado pelo Rio Grande do Sul, estava sendo cultivado por mim como fonte.

— Ótimo — disse Oinegue. — Sente o clima, me dá retorno. — Leonel, você segue no Planalto como uma espécie de plantonista até segunda ordem. Silvânia, você tem de marcar uma nova rodada com o Hélio, o cabeleireiro, e com a manicure da primeira-dama. A gente precisa saber com eles como está o humor de Rosane, se há fofocas da Casa da Dinda, como está o clima lá.

* * *

Silvânia Dal Bosco era uma irrequieta repórter gaúcha. Soube rapidamente fazer amigos e influenciar pessoas no circuito social brasiliense. Tornara-se cliente de Hélio Nakanishi, um cabeleireiro nissei cujo salão oferecia música ambiente, taças de espumante e outros agrados às clientes do emergente high society *da capital e se tornara responsável por pentear e maquiar Rosane Malta Collor de Mello. A manicure do salão de Hélio, por sua vez, era alagoana como a primeira-dama, da mesma idade dela, saída do sertão do estado (mesma região da Canapi de Rosane). A manicure também ganhou confiança na Casa da Dinda — era assim que a residência particular do presidente Collor era chamada. Havia até uma placa na porta com esse nome entalhado em madeira, num portal. Ao contrário de todos os outros presidentes que o antecederam, generais ou civis, Fernando Collor preferira reformar a velha residência de sua avó e de seu pai, que tinham morado em Brasília, no Setor de Mansões do Lago Norte, a se mudar para o Palácio da Alvorada. Pagaria um preço alto pela opção.*

* * *

— Vou voltar a falar com Pedro, claro — anunciei meu caminho.

Eduardo prosseguiu:

— Leonel, você, que é petista de carteirinha filiado, procura a turma do PT, vê a quantas anda essa coleta de assinaturas. Todo o mundo, todo o resto, ouvidos ligados. Ouvir muito, falar pouco. Precisamos trazer histórias novas. Se Pedro Collor não resolver gravar entrevista o que teremos é uma, duas, três semanas de boas histórias e mais nada. O governo fica e a gente se fode. Perderemos todas as fontes.

* * *

Se era filiado ou não ao PT, ou se fora em algum momento, não sei nem importa — até porque eu mesmo fora filiado ao PSDB em 1988, quando o partido foi criado. O fato é que Leonel Rocha sempre foi um dos melhores repórteres na coleta de bastidores de operações do Partido dos Trabalhadores e em ações sindicais.

* * *

Eduardo estava certo em seu diagnóstico. Ainda jogou na divisão do grupo:

— Não é, Expedito? Você, que tem fonte na pefelândia, estará ferrado.

Provocou a fala de meu desafeto profissional.

— Duvido que a gente derrube esse governo.

Expedito Filho disse aquilo porque já escutara de Elio Gaspari a tese da inexistência de governos fracos — "ou são fortes, ou caem". Virou-se em minha direção. Sorri e levantei. A reunião havia acabado.

* * *

Ibsen Pinheiro tinha marcado nosso almoço no gabinete da presidência da Câmara. Era incomum que o fizesse ali, pois o entra e sai de deputados não o deixaria se expressar com tranquilidade. Mas às segundas-feiras era escassa a presença de parlamentares em Brasília. A presidência tinha uma sala de despachos enorme. Centralizada, uma belíssima mesa de reuniões desenhada pelo próprio Oscar Niemeyer. O tampo de pau-ferro tornou-se uma raridade no mobiliário local. As cadeiras que a circundavam também haviam sido desenhadas pelo arquiteto que traçara a cidade com Lúcio Costa. Aquela sala de reuniões é uma das mais bonitas na espartana geografia do poder brasiliense. Por trás da escrivaninha de despachos do dia a dia do presidente da Câmara havia uma saleta reservada, mesa oval de mármore, quatro cadeiras, alguns livros numa prateleira e um lavabo. Era o confessionário presidencial da Câmara. O espaço dedicava-se às conversas *tête-à-tête*. Almoçamos no reservado. Frugal: bife, batatas assadas e salada. Água. Chá gelado de capim-santo depois. Antes, só tinha tomado chá quente de capim-santo. Excelente. Adotei-o a partir daquele dia.

— Presidente, teremos CPI? — quis saber.

— Acho muito difícil. Apesar de tudo, coisas muito graves, mortais para qualquer outro, acho difícil. A oposição é minoria aqui dentro. Esse movimento de levar o PFL para o governo, colocar cinco ministros, convidar o PSDB para integrar a equipe e, mesmo com a recusa, rachar o PSDB, foi inteligente.

— O Collor fez isso antes de Pedro começar a falar o que falou em nossa primeira reportagem, há duas semanas. Você acha que ele sabia que vinha algo?

— Não sei se sabia, mas os boatos eram grandes em Brasília. Muita gente falando das movimentações desse ex-tesoureiro dele. Governo tem informações... ele levou o Jorge Bornhausen para o Palácio. Isso agregou o Marco Maciel, no Senado. Maciel joga em dobradinha com Guilherme Palmeira. Aqui na Câmara o presidente passa a ter o Fiúza oficialmente trabalhando com ele, 100%, e Fiúza traz o Luís Eduardo. O Luís, filho do Antônio Carlos Magalhães, põe o ACM junto do governo. A soma desses gestos não é desprezível.

— Então o governo independente defendido nos palanques acabou? O "governo sem as velhas práticas da política" chegou ao fim?

— Você acreditou nisso? Um presidente da República é político. Se disputou uma eleição, é político. Faz política. Alguém faz política sem ser político?

— Não.

— Então, só os trouxas caíram nessa.

— O senhor disse que governos têm informações. Antigamente, até o governo do Sarney, as informações eram coletadas e usadas estrategicamente pelo SNI. O Collor acabou com o SNI. A turma palaciana é toda nova. Esse governo tem informações?

— As informações estão no governo. Os informantes seguem trabalhando para a comunidade de informações. Ela não saiu do governo. Agora, se as informações são trabalhadas contra ou a favor do presidente atual, não sei.

Sorri. Ele não entendeu. Calado, mirei-o:

— O senhor acabou de falar igualzinho a uma figura desse mundo, ou desse submundo, "comunidade de informações", que encontrei ontem.

Foi a vez dele de sorrir e aproveitar para fazer um chiste passando as mãos nos cabelos grisalhos penteados com gel, que formava um topete estudadamente mais alto logo onde terminava a testa:

— O diabo não é diabo porque é ruim, mas porque é velho.

Sorrimos juntos. Ao pôr os talheres cruzados no prato, indicando que acabara, questionei:

— A falta de número para uma Comissão Parlamentar de Inquérito que investigue a relação de PC Farias com o presidente Fernando Collor é líquida e certa?

— Líquida, no momento, é. Números são objetivos e eles não têm a quantidade de assinaturas para pedir a abertura de uma CPI. Certo, não. Magalhães Pinto (*senador e banqueiro mineiro da antiga União Democrática Nacional [UDN], depois da Arena, chanceler de governos militares*) dizia que a política é como as nuvens: você olha agora, está de um jeito. Olha daqui a meia hora, está de outro jeito.

Virou-se para a vidraça às suas costas, mirando a Praça dos Três Poderes a partir do reservado de seu gabinete presidencial do Parlamento. Dali se vê o Supremo Tribunal Federal e o Palácio do Planalto. É o coração do poder brasiliense. Arriscou uma previsão.

— Hoje eles não têm as assinaturas. Amanhã podem ter. CPI é instrumento das minorias. É a forma como as minorias podem investigar um governo. Governos, por definição, têm de saber ser majoritários. O Parlamento tem de preservar os espaços de ação das minorias porque o que há de mais sagrado nas democracias é o princípio da alternância de poder. Quem é maioria hoje, pode virar minoria amanhã. Se for tudo de acordo com as normas, da lei, seguindo a Constituição que acabamos de subscrever, ótimo.

* * *

Fora um excelente almoço. Voltei para a redação e liguei para Pedro Collor no escritório da Organização Arnon de Mello. Zenita atendeu.

— Querido, o doutor Pedro não está em Alagoas. Ficou em São Paulo. Volta amanhã.

— Está com quem? Foi encontrar quem?

— Ele pediu para não passar o endereço para ninguém.

— Zenita, não quero o endereço. Quem foi encontrar com ele?

— Ele esperava o senador Guilherme Palmeira e o doutor José Barbosa. O doutor Leopoldo também ia no hotel. Ah, e a Dona Ledinha... Acho que iam jantar.

— Zenita, onde ele está hospedado?

— Não posso dizer, ele me pediu para não dizer. Sobretudo se você ligasse e pedisse. Não posso, juro.

— Zenita, por favor. Por nossa amizade, pelos bolos de rolo, por tudo...

— Lula, não fala assim, por favor.

— Pedro volta quando?

— Amanhã. Vai de São Paulo para Recife, de lá vem para cá num jatinho do doutor João Lyra, pai da Thereza.

— Por que Recife?

— Voo direto de São Paulo para cá só à noite, e ele quer vir mais cedo.

— Ele não deixou você me dizer o hotel, mas me diga o voo.

— É um voo da Vasp que sai de Guarulhos para o Recife às 11h30. Direto.

— Ótimo. Você é quem marca a passagem dele, né? Já marcou a poltrona?

— Marquei: 10-C.

— Zenita, você é perfeita. Dez! Não diga a ninguém que me contou isso. Sobretudo, não passe isso para ninguém. Beijos!

— Beijo, meu filho. Voe direitinho.

Desligou rindo.

Não havia mais voos com lugares vagos naquela noite de Brasília para São Paulo. Tinha um voo às 6h30 da manhã de Brasília para Guarulhos. Pousava às 8h. Era tempo suficiente para pegar na sequência o outro voo São Paulo-Recife. O ideal seria conseguir lugar na poltrona 10-B, ou na pior das hipóteses na 10-D.

— Néia! — gritei para a secretária que cobria as férias da Vera na sucursal de Brasília. — Marinéia Rigamonte Alves (*ao dizer o nome completo dela, ela saberia que era sério o que eu iria pedir*): preciso voar amanhã às seis e meia da manhã para Guarulhos, nesse voo da Vasp, e de lá para Recife no avião das onze e meia. E preciso que você marque para mim a poltrona 10-B. Néia: pre-ci-so que seja do jeito que eu falei.

Duas horas depois eu estava com os bilhetes em mãos. Fui para casa dormir um pouco, teria de acordar às quatro e meia da madrugada.

* * *

No capítulo "1707 — Suíte Presidencial" de suas memórias, Pedro Collor narra as derradeiras tentativas da mãe, dos irmãos mais velhos, dos amigos da família e de seus advogados para que evitasse dar a entrevista à Veja. *Ele conta que os advogados o aconselharam a circunscrever os ataques a Paulo César Farias, deixando o irmão presidente de fora. "Dona Leda estava sozinha na suíte presidencial do Caesar Park, a 1707, conforme o combinado", escreveu. "No apartamento em frente, o 1708, o QG dos aflitos reunia Marcos Coimbra, Ledinha, Leopoldo e José Barbosa. Começaria ali a ser traçado o destino final do presidente da República". No relato dessas tratativas feito por Pedro no seu livro* Passando a Limpo — a trajetória de um farsante, *a velocidade é de* thriller *policial. "Mamãe e eu conversamos por mais de duas horas. Ela insistia para que eu não acusasse Fernando de algo que ela sabia perfeitamente ser a mais pura expressão da verdade. Pela enésima vez, relembrei fatos do passado. Rebati ponto a ponto suas tentativas de defendê-lo", escreveu.*

Ao rememorar aquele momento decisivo Pedro Collor disse que o embaixador Marcos Coimbra irrompeu na suíte de Dona Leda carrancudo e, percebendo que a sogra não obtivera sucesso, repreendeu-o em tom grave: "Pedro, você não está percebendo que está sendo usado, manipulado pelo PT? Os inimigos de Fernando estão usando você como arma contra seu irmão. A comunidade de informações, os integrantes do extinto SNI, eles estão se vingando de Fernando através de você". O irmão do presidente diz ter refutado: "Você está louco? Nunca estive com ninguém do PT, muito menos com gente do SNI. Você está redondamente enganado". Ao que Coimbra retrucara: "Temos no Palácio do Planalto informações de que você recebeu documentos sobre as empresas do Paulo César das mãos de ex-agentes do SNI". Nesse ponto Pedro teria devolvido com ironia: "Antes tivesse recebido ajuda deles, teria tido menos trabalho e teria perdido menos tempo". Segundo ele, foi esse o exato momento em que o embaixador deixou emergir o medo que dominava a todos no Planalto. "Então, como você conseguiu os documentos?", quis saber

Coimbra. Para o irmão do presidente, "Ao me imaginar um imbecil, Marcos acabara de se trair. Se as provas que reuni eram falsas, perdiam tempo em querer saber a origem". No relato de Pedro a conversa terminou quando Marcos Coimbra deu-se por vencido ao anunciar: "Tenho certeza de que seu alvo não é o Fernando. Se você quiser atingir o PC está bem, eu até ajudo, mas não ataque o Fernando". Tudo ocorrera na noite de 18 de maio de 1992.

* * *

A terça-feira 19 de maio amanheceu enevoada em Brasília. Não era a névoa seca dos meses de agosto, que começam a prenunciar o fim do período de estiagem. Em maio ainda chovia muito na cidade. O trajeto entre meu apartamento na Área Octogonal e o aeroporto Juscelino Kubitschek margeava o zoológico. A Octogonal é uma espécie de condomínio vertical com oito quadras na ponta da Asa Sul da cidade. O pequeno lago do zoo desaparecera com a neblina densa e baixa. Estava frio. Eram cinco horas da manhã, e mesmo com os faróis acesos fazia-se necessário enorme esforço para enxergar o que vinha à frente do carro. O aeroporto de Brasília estava fechado para pousos e decolagens. A neblina obrigara a torre de controle a impor o fechamento, pois o JK ainda não tinha tecnologia para voo por instrumentos. Eu tinha margem de tempo, mas a ansiedade começou a me fazer sentir pulsões de frio na barriga. Avisei no balcão de *check-in* que tinha conexão para Recife. Dei o número do voo e o horário da conexão.

— Dá tempo — disseram-me.

Fui para a sala de embarque. O atraso se estendeu. A tensão cresceu. O intervalo de voo entre Brasília e Guarulhos é de uma hora e meia. Às 8h35 explodi. Chutei uma porta, xinguei um funcionário da Vasp, pedi para que me colocassem no primeiro avião de qualquer empresa que partisse naquele momento para Guarulhos.

— O aeroporto reabriu há dez minutos, senhor. Nosso voo foi confirmado para as nove e quinze. Decolaremos na hora. Dará tempo — disse-me uma funcionária.

— Como dará tempo? Qualquer atraso eu perco o voo das onze e meia em Guarulhos e preciso estar nele.

— Não perderá. O outro voo também é nosso. Está tudo sob controle.

Embarquei e resignei-me. Deu certo. Às 11h32 eu entrava no avião da Vasp em Guarulhos com direção a Recife. A aeronave estava relativamente vazia. Todos os passageiros que voariam tendo São Paulo como origem já tinham embarcado. Esperavam apenas os passageiros das conexões embarcarem. A última conexão a pousar fora a de Brasília. Eu era o único passageiro a fazer o trajeto. Quando apontei no corredor, sentado na poltrona 10-C, Pedro me reconheceu. Acenou surpreso.

— Você aqui? Que coincidência!

— Nossa, Pedro, coincidência mesmo. E estou na 10-B. A seu lado.

— Coincidência mesmo?

Ele levantou, dando-me passagem. Fui me sentando e respondendo, mentindo para preservar a secretária dele, que me fora tão especialmente camarada:

— Sim, vim para uma reunião na revista e ia a Maceió para te procurar. Como o voo daqui para lá era só à noite, resolvi fazer a conexão no Recife.

— Vou de lá para Maceió no avião do meu sogro. Voe comigo.

— Claro, até porque a minha ideia era mesmo falar com você. Você é a minha pauta única. Minha, da torcida do Flamengo, do Santa Cruz, do CSA e do CRB.

Rimos. Ele fez cara de quem entendera que não havia coincidência alguma. Passou a aeromoça, uma loura alta, esguia, bonita. Batom rosa, perfume doce, sem economizar no charme, uniforme colado no corpo, meia-calça brilhando como os letreiros dos inferninhos da Rua Augusta em São Paulo. Sorriu para ele. Ele sorriu de volta e estendeu a mão para tocar a dela. Ela respondeu dando-lhe as mãos. Ele a pegou, beijou, alisou e soltou-a dando uma piscadela e um sorriso. Eu não sabia se estava perplexo ou com inveja.

— Já comi — disse-me Pedro cortando o barato da inveja e deixando-me só com a perplexidade. — Maravilhosa, né?

— Pedro? E Thereza?

— Foi uma coisa passageira, ela sempre faz esse voo, um dia desci e era sexta-feira. Chamei-a para almoçar, do almoço emendamos de carro até Maceió. Ficamos no Jatiúca e foi uma delícia.

— Pedro, uma mulher como Thereza não se trata assim.

Parei por ali. Talvez tivesse passado um pouco do limite prudencial da relação fonte-repórter.

Enquanto o avião taxiava e até a estabilização do voo em altitude de cruzeiro fomos falando abobrinhas sobre o desenrolar da reportagem de capa daquela semana, a do imposto de renda de PC Farias. Cada um de nós dois levava uma sacola com quatro ou cinco jornais do dia. Paramos um pouco de conversar e lemos alguns textos. O voo até Recife seria razoavelmente longo, duas horas e cinquenta. Quando começou a ser servido o almoço recolhemos os jornais, pedimos uma dose de uísque para cada um e voltei ao assunto central.

— Vamos gravar, Pedro. Sei que você tem sido procurado para recuar, mas vão vencê-lo e calá-lo.

— Você não sabe de nada. Sofri enorme pressão este fim de semana. Fernando mandou o Barbosa, o Guilherme Palmeira, o Leopoldo, a Ledinha e mamãe me procurarem. Conversei com todos, e ontem jantei com meus advogados novamente. Não recuei: ou PC fora de Alagoas e de negócios com o governo, ou nada.

— Qual a resposta que te deram?

— Ledinha falou pelo Fernando. Mamãe também. Depois de nossa conversa do domingo ela foi à Casa da Dinda. Fernando está irredutível e mandou dizer que eu estou louco. E que vai me apresentar como louco para todo o país.

Fiquei em silêncio, observando-o. Ele prosseguiu entre uma garfada e outra na refeição com gosto de isopor que era servida nos voos nacionais.

— Se ele pensa em me desmoralizar, dobro a aposta. Fernando tem muito mais a perder. É o presidente da República, está com o governo afundado na corrupção.

Falávamos a meio volume. O avião estava vazio. Não mais do que 40 pessoas, a maioria fumantes — em razão disso, a concentração de passageiros era maior na metade de trás da aeronave, onde se permitia fumar. Estávamos nas fileiras da frente, lado a lado, com uma cadeira vazia entre nós. Eu me deslocara para a 10-A, na janela, a fim de termos maior conforto para dialogar. Pedro seguia, sem me dar tempo para perguntas.

— Só não darei o próximo passo. Estiquei a corda, estou vencendo esse cabo de guerra e sinceramente não quero o fim do governo. Quero o fim do Paulo César. Se Fernando não cortar o cordão umbilical com PC, tudo vai por água abaixo.

Eu precisava pensar rápido. Jogava com o silêncio, mas precisava de uma cartada.

— Pedro, você ainda o deixou com muitas saídas. Isso é um jogo, um labirinto.

Apelava:

— Construa quatro paredes ao redor dele e deixe apenas uma janela, uma única janela, para que possa negociar.

A imagem do quarto fechado, com apenas uma janela por onde o trânsito de informações era controlado e negociado, havia-me sido sugerida pelo deputado Miro Teixeira em meio a uma conversa sobre a lógica dos interrogatórios criminais.

Prossegui:

— Essa janela só se abrirá quando você mostrar, numa entrevista, as armas que tem.

— Vão me cobrar provas, não tenho muito mais além daquilo que te passei.

— Você mesmo tem dito que a prova cartorial é a sua proximidade, seu parentesco, seu sangue. O que você já disse, e não gravamos, e eu respeitei o *off*, jamais foi dito por um irmão de presidente da República contra qualquer outro. E ok, não derruba governo, não é essa a nossa intenção. Mas corrige um erro capital do presidente: ter levado o tesoureiro de campanhas para o centro do poder.

— PC deu as cartas na indicação de vários cargos.

Aquilo era novidade no que Pedro vinha falando. Um irmão de Paulo César Farias, o médico Luiz Romero, era secretário-executivo do Ministério da Saúde. Naquele cargo, comandava a compra de medicamentos e vacinas de todo o governo federal, além de administrar os pagamentos de Autorizações de Internações Hospitalares pelo Sistema Único de Saúde (SUS). No comando dessas ações, havia margem para *lobbies* bilionários.

— Além do irmão, Luiz Romero, quem mais ele indicou? — quis saber.

— Muita gente. Gente no segundo escalão no Ministério da Economia, na Petrobras, no Banco do Brasil. Os *lobbies* do PC estão por toda a parte. A gente está voando num deles: a Vasp foi privatizada e o dono é PC. Ele quer montar uma grande rede de comunicação e está se juntando com o José Carlos Martinez, do Paraná. A Organização Martinez tem o dedo de PC. Paulo César fabrica testas de ferro.

Acusações como aquela eram feitas a meia-voz, dentro de um avião. Procurava, com gestos de vigília, girando a cabeça quase 180º, sentindo-me uma coruja velando a cria na toca, descobrir se algum outro passageiro demonstrava interesse no que dizíamos. Eu tinha um medo genuíno de estar sendo monitorado pela carcaça do velho e ainda ativo Serviço Nacional de Informações.

— Pedro, vamos gravar.

— Não e não. Porra, Lula. Se me pedir mais uma vez eu cancelo a oferta de carona no Recife para ir comigo até Maceió.

— Ok.

Encaçapei a bronca e calei-me. Voltei à leitura dos jornais. Trocamos ideias sobre um ponto ou outro até pousarmos no Recife. Ele seguiu flertando com a aeromoça. Numa de suas idas ao banheiro, fechou a cortina que separava a copa do avião do restante da aeronave. Não tenho dúvidas de que se pegaram ali.

* * *

Em 1993 essa aeromoça posou para a revista Playboy. *Foi capa. Ela era também amante de PC Farias. Aproximou-se de Pedro a pedido — remunerado — de PC. A chamada de capa da* Playboy *era "o que há de comum entre Pedro Collor e PC". Era ela.*

* * *

Demoramos o mínimo possível na capital pernambucana. Um funcionário da Infraero, a empresa estatal federal que administrava o terminal, esperava o irmão do presidente da República na soleira da escada de desembarque. Identificou-se para ele e disse que o jatinho de João Lyra, sogro de Pedro, já o aguardava no hangar ao lado. Havia uma Kombi ali mesmo designada para levá-lo. Pedro apontou para mim e disse que iríamos juntos na Kombi. O funcionário da Infraero quis saber se eu tinha bagagem, porque isso atrasaria a operação de transbordo. "Não, não tenho. Só isso", anunciei, mostrando uma mochila com uma muda de roupa que levava em mãos. Entramos na Kombi e nos dirigimos até a área de hangares. Subimos no jatinho. Seria um voo curto, não mais do que vinte e dois minutos, sobrevoando os canaviais do sul de Pernambuco e do norte de Alagoas — boa parte deles pertencentes à família Lyra, do pai e do tio de Thereza.

Ainda não havia anoitecido quando aterrissamos em Maceió. No Nordeste o sol se põe, em geral, às 17h50. O céu já ganhava tons de laranja quando deixamos o jatinho. Um repórter da Agência Estado (de *O Estado de S. Paulo*), alagoano de nascimento, mas radicado em Brasília havia muitos anos, correu ao nosso encontro com um papel nas mãos. Vannildo Mendes fora destacado pelo jornal paulista para colar no irmão do presidente e coletar dele a entrevista explosiva que Pedro parecia estar prestes a dar e que ninguém fora capaz de arrancar ainda. *O Estadão* ainda enviara outro jornalista com a mesma missão, Ricardo Amaral, um dos mais experientes e boas-praças integrantes do restrito clube da imprensa política brasiliense. Também queriam forçar Pedro Collor a abrir a boca. Era a guerra do furo.

Vannildo mal nos deixou descer do aviãozinho. Pedro foi na frente. Eu caminhava alguns passos atrás e ele talvez não tivesse me visto. Exibindo o papel que trazia, um telex tirado da máquina do hotel em que se hospedava, foi direto ao assunto.

— Pedro, o Palácio do Planalto acabou de publicar uma nota dizendo que sua mãe, Dona Leda, destituiu você do cargo de administrador das Organizações Arnon de Mello. Ela diz, na nota, que você está com problemas emocionais, ou mentais.

Foi um baque. Pedro carregava uma valise e deixou-a cair na pista ao escutar o relato do jornalista da Agência Estado. A reação dele, abrindo a boca, franzindo a testa e depois solfejando um "quê?", era de surpresa total. O irmão do presidente nem sequer supunha que a mãe dele tomaria partido de forma tão aguda e definitiva naquela crise familiar que se transformara em crise política. Pedro duvidou.

— Vannildo, querido, impossível.

Ele e o repórter da Agência Estado tinham certa intimidade. Na juventude, em Maceió, Vannildo trabalhara no jornal da família Collor de Mello, a *Gazeta de Alagoas*, e Pedro já havia começado a galgar os postos de comando no grupo.

— Leia você mesmo. Também não acreditei.

O repórter da Agência Estado entregou o telex ao irmão do presidente e só então percebeu minha presença. Cumprimentou-me efusivamente e depois questionou se voáramos juntos. "Sim", disse, olhando por sobre o ombro de Pedro para ler também o comunicado da matriarca dos Collor de Mello.

Era um telex de poucas linhas:

"*Vencendo mandamentos pessoais de recato e discrição, venho declarar que meu filho Pedro — em quem eu sempre depositei plena confiança, a ponto de lhe haver entregue, há anos, incondicional direção de nossa empresa familiar — meu querido filho Pedro, repito, atravessa, neste momento, uma séria crise emocional que o impede de avaliar a situação de expectativa ansiosa em que suas declarações apaixonadas vêm colocando nosso público leitor*", registrava o texto assinado por Dona Leda Collor de Mello. "*É por isso que decido comunicar sua destituição da direção de nosso Grupo Arnon de Mello*", era a conclusão.

— Não é possível — sussurrou Pedro. — Se querem guerra, vão ter guerra.

Disse a frase para si. Desejava ouvir-se. Amassou o telex, segurando-o com força na mão direita. Quase como se estivesse a marchar, em compasso marcial, punhos cerrados, entrou no pequeno escritório do hangar e pediu para um segurança impedir a entrada de qualquer outra pessoa. Pelo vidro, vi que recebeu uma página de *fax* de um rapaz. Soube depois que era a cópia fac-símile, transmitida por *fax* por Zenita, do comunicado manuscrito em que sua mãe o destituía do comando das empresas da família. Passou a teclar nervosamente num aparelho telefônico. Não obteve sucesso na primeira vez e jogou o fone sobre o aparelho, quase a ponto de quebrá-lo. Deixou um recado. O telefone tocou pouco depois. Ele atendeu aos gritos, eximiu-se de apresentações e partiu para cima do interlocutor.

— Conheço o estilo. Pare, não diga nada. Conheço o estilo. Este texto é do Cláudio Humberto.

Do outro lado da linha, eu tinha poucas dúvidas: era Dona Leda Collor.

Pedro não deixava o interlocutor (ou interlocutora) falar. Gesticulava, abriu o colarinho da camisa, apertava o telefone com força tamanha que mesmo a distância era possível divisar os músculos de sua mão direita.

— Assinou isso? Assinou? Fernando mandou, né? Querem guerra? Pois a guerra começa agora. Eu não estou louco... não, não estou louco. Acabou tudo! Vamos começar a briga. Vamos começar a brigar. Acabou... acabou. Adeus, esqueça!

* * *

Em suas memórias, Pedro narrou assim o diálogo mantido com a mãe depois de ela ter apertado o botão detonador da bomba que explodiria na revista e implodiria o governo de Fernando Collor:

"A redação inconfundível, o tom formal, era mesmo de Dona Leda. Eu estava ainda perplexo quando mamãe ligou:

— Pedro, tu tens de tomar um avião que já está te esperando no aeroporto para vires imediatamente a Brasília. Preciso falar contigo com urgência.

— Não vou, mamãe. A imprensa acaba de me passar um fax, *distribuído pelo Planalto, de uma carta onde você me destitui das empresas e ainda me chama de louco.*

— *Mas como? Isso não pode ser.*

— *Como não, mamãe? Você não escreveu essa carta? A assinatura que vejo aqui é falsa?*

— Não, não é isso...

— *Então por que a estranheza? Você me disse em São Paulo que ia me desautorizar publicamente, e agora vejo que está fazendo exatamente isso.*

— Não é bem assim. Como é que tu sabes que a carta foi divulgada pelo Planalto?

— *Porque está escrito no registro do* fax, *não há sombra de dúvida, mamãe.*

— *Meu Deus do céu! Não foi nada disso que eu combinei com ele...*

— *Com ele quem?*

— *Com o Fernando. Hoje à tarde entreguei ao Marcos a carta, em confiança, somente para ser usada com os parlamentares, de modo a fazê-los desistir da CPI.*

— *Pois é, mamãe. Você foi enganada."*

Segundo Pedro, a mãe contara-lhe que na noite anterior havia conversado com o filho presidente da República durante duas horas e meia na casa de Marcos Coimbra. "Na Casa da Dinda ela não punha os pés desde a posse de Fernando, por causa de Rosane", escreveu o filho caçula de Dona Leda. E segue em sua biografia, que teve o texto final da jornalista Dora Kramer como *ghost-writer*, falando de Fernando: "Ele firmara com mamãe o compromisso de não lançar a *Tribuna de Alagoas* e, em troca, exigira a carta que seria usada por Bornhausen para negociar com os líderes partidários a não instalação da CPI". Para Pedro Collor a lógica era cristalina: os deputados e senadores que assinassem o requerimento de criação da Comissão de Investigação "ficariam desmoralizados se acreditassem num sujeito cuja própria mãe acusa de louco".

* * *

Pedro largou o telefone e quase atravessou a porta de vidro guardada pelo segurança. Agradeceu a Vannildo Mendes por ter-lhe levado o comunicado distribuído pelo Palácio do Planalto e deu uma breve resposta, formal, para a Agência Estado: "Não acredito nesse comunicado. Foi o Palácio quem o montou". Depois liberou o repórter dizendo que não tinha cabeça para mais detalhes. Quando Vannildo deu as costas e se encaminhou para a área de táxis do aeroporto, o irmão do presidente me puxou pelo braço.

— Você vai ficar em que hotel?

— Maceió Mar.

— Vá para lá e espere minha ligação. Não saia do quarto. Vou te ligar.

— Ok.

Saí da estação de hangares do aeroporto Campo dos Palmares. Antes de acenar para um táxi, vi na calçada o fotógrafo da revista no Recife. Chamava-se Sérgio Dutti. Fui ao encontro dele. Éramos amigos. Eu contratara Dutti para *Veja* durante a minha passagem pelo escritório do Recife.

— Camarada, o que você faz aqui? — perguntei ao abraçá-lo.

— Recebi ordens para ficar com você. Fazer o que você mandar.

Alugamos um Gol e rumamos para o hotel. Recolhi-me em meu quarto, tomei banho rápido e esperei o telefone chamar. Das seis da tarde às oito da noite não saí do lado do aparelho. Logo depois que a vinheta do *Jornal Nacional* da TV Globo começou a rodar na tela o telefone tocou. Era Zenita.

— Querido, doutor Pedro.

— Ok.

— Lula, vá para a minha casa jantar comigo, com Thereza e com Ana Luíza.

— Pedro...

— Vou gravar. Vou dar a entrevista. Vou estourar o Fernando e o PC.

— Vamos gravar, então?

— Em áudio e em vídeo. Vou mandar um cinegrafista da *TV Gazeta* ir para lá também. No jantar combinamos os limites da gravação.

— Fechado. Vou levar um fotógrafo, ok? O Sérgio Dutti. Você já o conhece.

— Ok, meu querido. Corra. Estou indo para casa.

Era difícil conter a ansiedade represada que a partir daquele momento extravasava pelos poros. Esmurrei a parede, chutei a cama, liguei para o apartamento de Dutti.

— Meu caro, pega o material. Vamos jantar no Pedro.

— Caralho, velho.

— Dutti, eu te encontro no saguão do hotel.

Liguei para Eduardo, em Brasília, e para Mário Sérgio, em São Paulo. "A gravação vai ser feita", disse aos dois.

Em menos de trinta minutos havíamos cruzado Maceió e entrávamos na casa do irmão do presidente. Ana Luíza, a única irmã que estava a seu lado naquele embate familiar que havia se tornado uma guerra política, recebeu-nos na porta. Disse que Pedro logo viria. Em seguida chegou Thereza. Usava um vestido azul-celeste muito curto e justo, estilo tomara que caia. O tecido era uma espécie de cetim, meio vaporoso, marcava as formas sinuosas do corpo dela. Não tinha maquiagem. Estava perfumada, o cabelo penteado tipo Chanel, olhos vivos e um sorriso extremamente simpático.

— Costa Pinto, quanto tempo! — saudou-me.

Trocamos um cumprimento protocolar. Ela emendou:

— Que confusão em que o Pedro se meteu, né? E te meteu também...

— Thereza, estou adorando.

Sorri. Ela também:

— Você adorar é uma coisa. Pedro fazer, é outra. Mas Dona Leda não podia ter feito o que fez.

Disse isso e balançou a cabeça, negativamente, fechando o semblante.

— Foi o Fernando quem envenenou — atalhou Ana Luíza, a irmã dos dois.

— Foi o Fernando, minha cunhada. Thereza concordou com Ana Luíza. — Mas quem assinou foi a mãe deles. De vocês. E ela tomou partido, escolheu um lado. Pedro passou a ter meu apoio incondicional.

Aquele pequeno núcleo familiar parecia de fato reconciliado, coeso e determinado. Pedro entrou na sala e, de imediato, nos conduziu à mesa anunciando a cadeira que cada um iria ocupar.

O jantar foi leve. Frango grelhado, uma salada, arroz. Sem vinho, sem uísque, sem álcool. Um suco de pitanga no lugar de bebidas quentes. Falávamos enquanto comíamos.

— Lula, vou gravar em áudio e vídeo.

— Você segura isso até domingo, não é?

— Só vou gravar com você.

— Ótimo.

— Vai contar tudo?

— Tudo.

— A parte da droga?

Ana Luíza se mexeu na cadeira, pigarreou, olhou para o irmão caçula. Ficara evidente que era um tema tabu entre eles.

— A parte da droga também. Claro. Ele se elegeu com um discurso falso, puritano, de ode à família e aos bons costumes. Tirou do fundo do poço a história da primeira filha do Lula e inventou a mentira do aborto. Tudo chantagem política.

— Pedro... Thereza tentava intervir.

Ele encarou a esposa, inspirou longamente, abriu os olhos e pareceu congelar a expressão. Os dois globos pronunciaram-se como a querer saltar da fronte. As pupilas estavam dilatadas, cerrou a boca. Os lábios vincaram para dentro. A esposa desistiu de falar. Ao longo do convívio com ele eu aprendera a identificar aquela explosão do olhar, que congelava fitando friamente o interlocutor, como o ponto de inflexão para o início de uma explosão. Obviamente a mulher dele conhecia melhor ainda os prenúncios de tempestade.

— Só não vou falar coisas que eventualmente me prejudiquem. Não vou fabricar provas contra mim.

O irmão do presidente delimitava a entrevista.

A sobremesa foi posta ao nosso alcance: passas de caju e queijo coalho. Comemos, tomamos café. Tudo fazia parecer um encontro social. Na verdade, era o marco de um desarranjo republicano. Ou antirrepublicano. Perto das dez horas da noite levantamos da mesa e fomos a uma sala de estar contígua onde havia um belo sofá de quatro lugares e um quadro multicolorido estrategicamente colocado no centro da parede. Cenário ideal para a gravação. O tripé da câmera da TV Gazeta já estava montado.

— Esse é o Manoel Emereciano, meu melhor operador.

Pedro me apresentava o encarregado da gravação induzindo-me a adquirir confiança instantânea nele.

— Só fará o que eu mandar e não falará disso aqui para ninguém, não é Mané?

O funcionário da emissora familiar de TV fez que sim com um gesto de cabeça.

Sentamo-nos no sofá, eu e Pedro. Ana Luíza se retirou da sala. Dutti ficou em pé à nossa frente, movimentando-se lateralmente em busca dos melhores ângulos. Pus o microfone da câmera de TV entre nós dois e, por segurança, acionei meu gravador pessoal com fita K7. Thereza sentou-se à nossa frente num banco pequeno e baixo. Poderia ter reclamado, não o fiz. Em geral, não gostava de testemunhas para minhas entrevistas — exceto, claro, os fotógrafos. Estar ali, contudo, a contemplar a beleza daquela que logo se tornaria "a cunhadinha do Brasil", era um privilégio. Assim se deu, depois que o país deglutiu mais uma tragédia nacional. O peso das revelações do marido dela impediu distrações vãs, enquanto se desenrolava mais um capítulo da macunaímica História brasileira.

Thereza nos olhava atentamente. Variava a posição movimentando os joelhos à mostra. Mexia-os sempre juntos, ora para a direita, ora para a esquerda. Levantou-se algumas vezes, foi buscar água. Fixava o olhar ora em mim, ora em Pedro. Olhava-nos diretamente nos olhos. Acompanhava a evolução da entrevista como se fosse a única espectadora num cercadinho *vip* a testemunhar um momento histórico. Sorria. Não denotava preocupação alguma com o porvir a partir do que ali estava acontecendo.

A gravação durou mais de cinco horas. Fizemos pausas para descansar e rever temas, combinamos um ou outro posicionamento. Telefonei algumas vezes para Mário Sérgio, que seguia em vigília na redação da revista com Tales Alvarenga. Descrevia passo a passo o que estava sendo gravado. Varamos a madrugada. Em síntese, Pedro havia me dito o seguinte:

- *"Em janeiro de 1991, levei ao Fernando, no Palácio do Planalto, o plano de se montar um novo jornal em Alagoas. Seria um jornal vespertino. Ele me disse: não, não leve a ideia do jornal adiante porque eu vou montar uma rede de comunicação paralela em Alagoas com o Paulo César, e essa rede terá um jornal. O Fernando me disse que o jornal iria se chamar Tribuna de Alagoas. O PC seria o testa de ferro, que teria o jornal e uma rede de 12 a 14 emissoras de rádio".*
- *"Eu não acho, eu afirmo categoricamente que o PC é o testa de ferro do Fernando. É a pessoa que faz os negócios de acordo com ele. Não sei a finalidade, mas deve ser para sustentar campanhas ou para manter o* status quo*".*
- *"O apartamento de Paris, onde funciona a S.C.I Financière de Guy des Longchamps, é do Fernando. Não tenho a menor dúvida".*
- *"Em patrimônio pessoal, o presidente Fernando Collor sairá mais rico do governo".*
- *"O Paulo César diz para todo o mundo que 70% do dinheiro é do Fernando e 30% é dele. Eu não sei se a porcentagem é essa".*
- *"Tenho certeza que existe uma simbiose aí. Eu não estendo as acusações ao Fernando diretamente. Uma coisa é você concordar. Outra coisa é você operacionalizar, no sentido do dolo, no sentido do ilícito, isso é muito do temperamento do PC. Ele tem prazer nisso. O Fernando é incapaz de sentar a uma mesa e dizer assim: o negócio é o seguinte — preciso de uma grana para minha campanha, me ajuda. Ele pode estar nu e sem sapatos e não pede ajuda. Já o PC, toma. Toma e deixa você nu, se for possível".*
- *"No segundo turno da eleição de 1989, arrecadou-se perto de 100 milhões de dólares. No primeiro turno, um pouco menos. PC arrecadava o dinheiro, mas solicitava a outros empresários que pagassem as contas. Contabilizava como se gastasse esse dinheiro. Isso é pouco diante do volume que ele está arrecadando agora como traficante de influência".*

- *"Eu tive envolvimento com drogas quando era jovem, induzido pelo Fernando. Ele era um consumidor contumaz de cocaína e me induziu a cheirar, a aspirar cocaína. Aprendi ali, com aquele pessoal que ele me apresentou, aquela coisa toda. Houve também LSD, mas pouco. Mas, enfim, numa época específica da vida isso aconteceu. Isso foi em 1970, por aí. Era uma coisa* 'in' *dos jovens".*

* * *

Bem depois das três horas da manhã decretamos encerrada a gravação, depois de muitas idas e vindas. Eu tinha passado a maior parte do tempo desviando o olhar entre meu entrevistado, um roteiro de perguntas que pusera em meu colo e os movimentos suaves de Thereza. Observava os ombros de Thereza, o sorriso dela. Claro que não havia reciprocidade alguma da parte dela nem desrespeito da minha. Estava apenas dando vezo ao meu embevecimento — era um repórter mal entrado na maturidade e me sentia meio embriagado por tudo o que pulsava ao redor de mim naqueles dias vibrantemente inesquecíveis. Não restava dúvidas que a esposa de Pedro seria peça-chave em todo o escândalo: quando o Brasil escutasse o que escutaria, visse a mulher do denunciante do presidente da República, associasse tudo aquilo à possibilidade de um flerte proibido entre Fernando Collor e sua cunhada, muito mais provocante e preparada para o figurino de primeira-dama do que a insossa e antipática Rosane Malta, o enredo ganharia a necessária liga junto aos leitores.

Chequei o gravador K7 — não tinha gravado nada. Em meio ao andar da conversa eu esquecera de apertar o botão vermelho da função gravar. Não era incomum isso acontecer, naqueles tempos e com máquinas analógicas. Gelei.

— Manoel... gravou de verdade, não é?

— Sossega. Tudo gravado.

Sosseguei. Em pânico, mas sosseguei.

Havia sanduíches frios na sala, refrigerantes, café. Enquanto o cinegrafista e o fotógrafo guardavam suas tralhas comíamos e conversávamos. Depois os dois profissionais se juntaram a nós.

— Chefe, usei Betamax, viu?

Manoel Emereciano dava-nos, ali, uma informação importante. O sistema Betamax só era usado nas emissoras de TV, em equipamentos profissionais de edição. Se eu saísse com aquela fita para a redação teria dificuldade de assisti-la e decupá-la.

— Pedro, preciso converter. Não consigo usar isso.

Ele parou um pouco, telefonou àquela hora para Zenita, mais de quatro horas da manhã, e pediu que localizasse uma editora específica da TV e a mandasse ao estúdio para me encontrar. Pouco depois Zenita retornou e disse que a editora estava a caminho da ilha de edição e que a portaria estava avisada de minha chegada naquela madrugada à sede das Organizações Arnon de Mello.

Passava das cinco horas quando eu e Dutti deixamos a casa de Pedro Collor com a fita Betamax nas mãos e a entrevista gravada. Quando Pedro e Thereza fecharam o portão de casa e enquanto entrávamos em nosso Gol alugado, o fotógrafo largou os equipamentos no banco de trás e me abraçou, sorrindo:

— Puta entrevista, irmão. Do caralho! Vai arrebentar tudo.

Devolvi o abraço, mas olhei para ele franzindo a testa e sendo realmente sincero. Meio derretido, meio meloso, cínico e calhorda (*ainda era possível ser calhorda naquele tempo, principalmente quando estava brincando com um colega de trabalho*):

— Dutti, que mulher. Que mulher! Estou apaixonado!

Extravasava, de forma pueril, o que sentia de verdade. Sem que ela tivesse dado qualquer motivo para isso, sentia-me seduzido pela beleza esfuziante de Thereza Collor desfilada em meio à entrevista — e entendia um pouco a rixa dos irmãos (*mesmo 30 anos depois eu e Dutti, quando sentamos para beber e trocar reminiscências profissionais, vez ou outra lembramos o olhar imbecilizado com que fiz aquela confissão a ele*).

— Vai se foder, porra. Olhar para a mulher do cara que te deu essa entrevista.

— Dutti, você viu aquelas pernas? O olhar? A voz? A doçura?

Ele me jogou no carro, assumiu o volante e tocou para a *TV Gazeta*. Entramos. Estava tudo conforme o combinado: acesso liberado, editora na ilha. Não dissemos o que tínhamos, só o que queríamos. Ela converteu o conteúdo em Betamax para VHS e nos entregou um cassete tomando o cuidado de quebrar a pequena lingueta que impediria uma gravação em cima da outra.

— Cadê o original? — pedi.

Ela então me entregou a fita em Beta e eu comecei a puxar com força a faixa de celuloide para destruí-la. Não queria que ficasse cópia daquilo com ninguém, para não tomar furo. A minha ideia era puxar a fita e tocar fogo — o celuloide queimaria com imensa facilidade. Desenrolei todo o cassete, pus a fita num canto da sala protegido por um cinzeiro grande de cerâmica e acendi um fósforo. Em menos de um minuto, a fita foi inteiramente consumida. Só então Dutti lembrou:

— Caralho, meu velho: você confirmou se a fita em VHS está realmente gravada? Porque às vezes, na hora de fazer a conversão, não grava.

Gelei pela segunda vez naquela madrugada. Uma agonia brutal tomou conta de mim, quase me paralisou, os olhos esbugalharam: não havia conferido a gravação. Podia ter queimado, ali, a história que dera trabalho hercúleo para ser gravada. Sem responder a ele enfiei a fita VHS num videocassete da ilha e acionei os botões. Primeiro, o cartão com o arco-íris de cores. A paleta eletrônica. Depois, uma claquete com os códigos da gravação "Casa Dr. Pedro". Imagem chiada. Suspense de menos de um minuto, mas desesperador. Quando estava prestes a chorar de pânico e raiva surgiu no vídeo a imagem de Pedro sentado no sofá de sua sala, depois a minha, sons de uma conversa animada. Conferimos o áudio, avançamos aleatoriamente a imagem umas dez ou doze vezes, checamos o áudio em todas elas. A entrevista estava perfeita e não havia cópia em Betamax. Era filha única.

Rumamos para o hotel — mais uma noite sem dormir, o que eu precisava era tomar banho. Tínhamos marcado de nos reunir na casa de Pedro Collor às oito e meia da manhã para de lá voarmos até Recife no jatinho de João Lyra. Da capital pernambucana iríamos todos para São Paulo, onde almoçaríamos no prédio da Editora

Abril — Pedro, Thereza, Ana Luíza, Mário Sérgio, Tales, eu e o redator-chefe da revista. Arrumei as coisas no hotel, tomei banho, troquei a camisa e corri para o encontro combinado.

Ao chegar na casa de Pedro e Thereza havia um plantão de jornalistas à porta. Minha entrada estava franqueada. Localizei um velho amigo, correspondente da *Folha de S. Paulo* em Maceió, e perguntei-lhe:

— Ovídio, que houve?

— Vai tomar no cu, Lula. O que houve? O que houve? A história na cidade é: Pedro Collor gravou uma entrevista para você. Ponto. Isso. A gente quer uma coletiva.

Conhecia Jorge Ovídio desde o período em que trabalhara por alguns meses, antes de concluir o curso de Jornalismo, na sucursal da *Folha de S. Paulo* no Recife. Ele era correspondente do jornal em Alagoas e respondia à sucursal recifense. Surfista, negro, um cara de bem com a vida, otimista em todas as horas, sempre fazia o ritual de boas-vindas a qualquer repórter que chegasse à capital alagoana para uma cobertura jornalística — fosse ela qual fosse. Depois do trabalho, ou antes de abrir a agenda de entrevistas, praia. À noite, a melhor cerveja no melhor boteco mineiro da cidade ou acompanhando ceviches no melhor peruano do Brasil. Se Ovídio não estivesse sinceramente surpreso com a entrevista não teria me tratado daquela forma.

— Jorge, acho que não vai rolar coletiva, não. Na boa: de fato, fiz a entrevista. Mas a revista só circula sábado.

Ele me encarou ao mesmo tempo em que levantava do meio-fio em que estava sentado. Partiu para cima de mim, aos gritos:

— Então cuida, caralho, para o Ricardo Amaral não te furar. Porra. Ele está lá dentro.

Foi a minha vez de ficar surpreso e sentir a adrenalina subir dos pés à cabeça, secando minha boca e dilatando minha pupila. Ovídio prosseguiu:

— Um furo da revista, que é semanal, eu até suporto. Mas se eu levar furo do *Estadão*, nesta cobertura, estou ferrado. E mais: Pedro não gosta de mim. Não falaria comigo. Não sei se não gosta porque sou negro, porque sou surfista, ou porque sou *gay*. Mas ele nunca falou direito comigo.

Mal esperei que terminasse a frase de lamento e corri para o portão. Abri-o numa forçada com o antebraço. Nem sequer cumprimentei o segurança e entrei na sala. Ricardo Amaral, o repórter especial de *O Estado de S. Paulo*, estava ali. Fitei-o, entre o açodamento e o respeito reverencial por alguém que eu realmente admirava. Era dono de um dos melhores textos da imprensa brasiliense.

— Costa Pinto! Ele tinha a voz grave e meio rouca de quem já fumara ao menos cinco cigarros naquela manhã. — Eu sei o que vocês fizeram na noite passada... aliás, até agora há pouco.

— Porra, Ricardo! Pedro falou com você?

— Não, ainda não. Está no banho.

— Amaral, olha só: é uma exclusiva. Você não pode arrancar uma entrevista dele. Combinei isso com ele.

— Problema de vocês. Se eu conseguir, consegui. Todo o mundo já sabe em Brasília e em São Paulo que Pedro Collor te deu essa entrevista.

* * *

Jornalista conhece jornalista melhor do que qualquer não--jornalista. Melhor até do que analista junguiano de jornalistas. Jornalista namora jornalista, casa com jornalista, trai com jornalista. A informação de que Pedro Collor tinha dado uma entrevista bombástica à *Veja* espalhou-se por Maceió como pólvora em rastilho curto. A editora de imagens designada para converter a fita Betamax em VHS naquela madrugada fora localizada enquanto dormia com o fotógrafo de um jornal carioca deslocado para fazer a "campana" (vigília) à família do irmão do presidente da República. Quando voltou à sua casa e contou ao parceiro o porquê de ter sido tirada da cama pela secretária do patrão, involuntariamente detonou a bomba. O fotógrafo então localizou o repórter que o acompanhava, do *Jornal do Brasil*. O repórter, por sua vez, acordou o chefe em Brasília às 7h. No café da manhã, o jornalista do *JB* deu a notícia aos colegas de cobertura — todos se levantaram antes de comer a tapioca com coco do hotel e foram à casa de Pedro.

Enquanto o teatro de operações se embaralhava numa velocidade de espiral na capital alagoana, o chefe do *JB* na capital já havia telefonado para Pedro Luiz Rodrigues, secretário de imprensa da Presidência, para Cláudio Humberto Rosa e Silva, em Lisboa, e para um assessor do ministro da Secretaria de Governo, o pefelista Jorge Bornhausen. O objetivo era saber se era verdade e o que eles sabiam. Nem Pedro Luiz, nem Cláudio Humberto nem Bornhausen sabiam de nada ainda. Contudo, a informação básica, "Pedro Collor falou com a *Veja*", espalhara-se em Brasília. De lá, antes das 8h, estava nos ouvidos de operadores de mercado no Rio de Janeiro e em *São Paulo. Às 9h da manhã o presidente Fernando Collor de Mello reuniu-se no Planalto com o general* Agenor, seu chefe da Casa Militar, com o secretário de imprensa, com o embaixador Marcos Coimbra, o cunhado e ministro da Casa Civil, e com o ministro Jorge Bornhausen.

— Todos já sabem o que ocorreu nesta madrugada, certo?

Os presentes à reunião balançaram as cabeças afirmativamente. Olharam para o presidente, mas evitaram encará-lo. Collor continuou falando duro. Usava frases curtas, como de hábito. Isso lhe dava um ar ainda mais autoritário ao sumariar o ocorrido em Maceió.

— *Não sei o que Pedro contou à* revista *Veja*. Mas não importa. É mentira!

Ao decretar que era "mentira" o presidente alterou o tom de voz e socou a mesa de trabalho. Fechou fortemente os lábios. Fez-se uma pausa. Bufou. Olhou fixamente os presentes à reunião, um a um, com os olhos esbugalhados. Aquele olhar era indício de algum mal de família, sempre prenúncio de tempestades.

— Pedro quer acabar meu governo por mera inveja, ciúme, sei lá que loucura. Vamos conter essa crise.

Marcos Coimbra, que havia operado até ali para evitar o mal maior — aquilo que estava acontecendo –, tomou a palavra para anunciar nova má notícia:

— Nem a Ana Luíza, irmã deles (*explicou, dirigindo-se aos demais*), que acompanhou toda a entrevista, aceitou nos dizer o que

Pedro revelou. Disse apenas que ele narrou histórias de campanha, de governo, de *lobby* e "algo pessoal muito ruim". Mas ela não especificou qual era essa história ruim.

— Pedro fez lavagem cerebral nela. É um louco, celerado.

Era o presidente estourando mais uma vez.

— Presidente, que "narrativa pessoal muito ruim" poderia ser essa à qual aludiu o embaixador? — quis saber o ministro da Casa Civil, Jorge Bornhausen, tentando manter a calma e a compostura.

Bornhausen estava sem mandato naquele momento. Foi senador e governador biônico do estado indicado pelos generais durante a ditadura. Homem de origem alemã, saíra de uma família de empresários e banqueiros para mergulhar na atividade política. Tinha fama de hábil articulador político. Fazia perguntas desconcertantes porque seguia uma regra: na crise, é preciso saber tudo para defender até o indefensável.

— Não sei, Jorge. Não sei.

Collor estava fora do controle. Chegou a alterar a voz mais de uma vez. O embaixador Coimbra assumiu o timão da reunião e explicou diplomaticamente ao colega de ministério:

— Ministro, provavelmente falou de experimentos de drogas na adolescência deles. Mas isso é passado. Só que um passado bombástico. Hoje este homem é presidente da República. Pode ter falado também de um ou outro evento com amigos mais próximos que o Pedro sempre fantasiou ter ocorrido — isso não sei.

— Está bom, Marcos. Ok.

O presidente parecia querer cancelar a reunião aos gritos. Estava incomodado com a última frase do relato descritivo de Coimbra.

Todos saíram do gabinete presidencial em silêncio, cabisbaixos, desnorteados. Apenas o general Agenor, chefe da Casa Militar, ficou no gabinete presidencial.

No corredor do 3º andar do Palácio do Planalto, depois de cruzarem a antessala onde esperam as audiências agendadas, e saírem da alça de mira da secretária do presidente, a fiel Ana Acioli que Collor levara de Alagoas para Brasília, o trio formado por Bornhausen,

Rodrigues e Coimbra puxou-se pelos braços. Ana Acioli parecia aflita e seguia a todos com olhares.

— Que história é essa, Coimbra? É só droga mesmo? — quis saber um deles.

— Pode ser mais grave. O Pedro sempre achou que o irmão era "caso" da primeira-dama Iolanda Costa e Silva, mulher do general Costa e Silva quando ele foi presidente durante a ditadura. E pode ter contado isso à *Veja*.

Os outros dois se entreolharam, arregalaram os olhos, mas não pareciam crer que aquilo fosse mais grave do que denúncias de corrupção. Só que o embaixador Marcos Coimbra não concluíra a tal narrativa pessoal picante.

— Tem também o fato de o presidente ter andado, na juventude, com o pessoal que é acusado de usar drogas, de fazer festinhas dos mais diversos tipos... Houve aquela tentativa, no passado, de envolver essa turma toda com o sequestro e a morte daquela garota, a Ana Lídia.

De maneira até irresponsável estava dada a licença para as especulações mais sórdidas e esdrúxulas, mesmo no Palácio. Dessa forma criavam e seguem criando os boatos políticos. O país parecia ter elegido um homem sobre cujo passado pouco se conhecia e, de repente, vira-se obrigado a escutar os trechos mais tenebrosos de um prontuário que, em condições normais, nunca poderia passar próximo da cadeira presidencial do Planalto. Só uma eleição atípica, em que a maioria do eleitorado votara com o fígado a fim de vetar um dos lados da disputa, foi capaz de perpetrar erro político tão crasso.

— Claro que isso é mentira! — era o secretário de imprensa protestando no ato. Aquela agenda negativa fora abordada, investigada e tratada na campanha. Era um dos flancos abertos na biografia de Fernando Collor.

— É mentira, mas se vier agora na boca do irmão do presidente tem uma força capaz de centrifugar tudo — pontuou Coimbra. — Deixa a gente no olho de um furacão. Mas tem mais.

— O que mais, embaixador? O quê?

Bornhausen, sem muita paciência, entre a incredulidade pelo que ouvia e o arrependimento de ter assumido os riscos de amarrar seu projeto de reconstrução da própria imagem àquele governo havia apenas três meses, implorava por ser informado de tudo.

— Pedro nunca engoliu a amizade, a proximidade, o carinho, a afetividade do irmão com o Paulo Octávio e com o Luiz Estevão.

Paulo Octávio e Luiz Estevão eram amigos de infância e de juventude de Fernando Collor. Estudaram juntos no Centro Integrado de Ensino Médio, uma das melhores escolas de Brasília, idealizada por Darcy Ribeiro para funcionar em associação com a Universidade de Brasília (UnB) e fechada em 1972 pela ditadura militar. Fizeram, em parceria, as farras naturais e usuais da adolescência e da juventude. Em algumas delas extrapolaram o razoável prudencial. Ambos trilharam caminhos empresariais semelhantes — tornaram-se empreiteiros e incorporadores na capital da República e casaram-se com mulheres que podiam potencializar seus negócios. Paulo Octávio, com a neta de Juscelino Kubitschek. Luiz Estevão, com a filha de um rico e emergente empresário do Centro-Oeste.

— Afetividade a que ponto, embaixador?

Alertado por Cláudio Humberto, a distância, um dos interlocutores do embaixador Marcos Coimbra naquela manhã de desespero no Palácio do Planalto desejava saber tudo de uma vez.

Rosa e Silva era a melhor fonte para pautar aquele inquérito pré-defesa pública do presidente. Jornalista alagoano, ex-militante do Partido Comunista do Brasil, ex-sindicalista, dono de uma inteligência rápida e autor de frases duras contra adversários — criara a estratégia do "bateu, levou" para responder rudemente às provocações da oposição contra Fernando Collor —, o antigo porta-voz sempre ouvira rumores sobre aquilo. Mas arquivara todos na própria incredulidade. Afinal, a fama do presidente era de mulherengo. Por isso alertou seu mediador na conversa a extrair tudo de Coimbra. Estava em Portugal sentindo-se impotente ante o naufrágio do presidente que ajudara a eleger.

— Pedro sempre fantasiou que havia ocorrido "algo a mais" entre eles, em algum momento, embalados pelas drogas. Na juventude.

Eram garotos, andavam sem camisa o tempo todo, às vezes namoravam as mesmas mulheres...

A resposta ficara no ar. Todos abaixaram as cabeças e dirigiram-se às suas salas no 2º andar. O ministro da Casa Civil dobrou à direita, subiu um lance da escada privativa e regressou a seu gabinete no 3º andar. O Palácio estava zonzo naquele começo de manhã de quarta-feira, 20 de maio de 1992.

Às dez horas da manhã, o mercado financeiro abriu sob forte impacto dos boatos que já cercavam a entrevista do irmão do presidente.

* * *

A gincana jornalística dera-me, naquela manhã atravessada por mais uma noite insone, novos desafios. O primeiro deles: desviar Pedro Collor do repórter especial de *O Estado de S. Paulo*. Estávamos na sala da casa de nossa fonte. Ricardo Amaral conhecera Pedro durante a campanha e 1989. Eu não cobrira aquela campanha, estava ainda na universidade e era estagiário no *Jornal do Commercio*, do Recife. Eles tinham mais tempo de rodagem juntos. Eu precisava me valer da intimidade recente que construíra. Uma porta nos separava da ala íntima da residência. Extrapolei todas as cautelas e abri a porta. Encontrei Pedro sem camisa, de calça, calçando meias e sapatos, sentado numa poltrona em seu *closet*. Interpelei-o sem esconder certo nervosismo:

— Você me prometeu que não falaria com ninguém. Você não vai dar entrevista para o Amaral, Pedro. Não vai.

— Calma, rapaz. Calma. Não vou, mas ele vai conosco para São Paulo.

— A gente está indo almoçar na *Veja*. Não posso chegar lá com o Ricardo.

— Ele não irá ao almoço. Meu compromisso é levá-lo de carona até Recife. De Recife para lá ele não tem passagem e não tem cartão de crédito. Nem sabe se voará conosco.

— Ok. Não fale com ele a sós.

Pedro sorriu, encarou-me e brincou:

— Ganhei uma babá, foi?

Voltei para a sala.

— Amaral, camarada, precisamos sair juntos com ele daqui. Ele me disse que você voará até Recife conosco.

— Sim. Mas a porta da casa está cheia de gente.

— Vamos sair dentro dos carros, de vidros fechados, e seguir direto para os hangares.

Chamei os motoristas de Pedro Collor. Eram dois. Iríamos em carros diferentes. Pedi que posicionassem os veículos diante dos portões da residência. Instruí-os: não deveriam parar o carro nem permitir que Pedro abrisse os vidros e desse entrevistas. Adverti-os disso e fiz as divisões de lugares. No primeiro automóvel iríamos eu, Pedro e Ricardo Amaral. No segundo, Thereza e Ana Luíza. Não queria deixar meu concorrente apurando lateralmente, com a mulher e a irmã, o conteúdo da entrevista. Em menos de dez minutos deixávamos a residência da "bomba ambulante" que ameaçava implodir o país. Até ali conseguimos que ele não falasse com a imprensa. Protagonizamos uma cena de cortejo-perseguição até a área de hangares do Aeroporto Campo dos Palmares. No carro, combinei com Pedro que ao descer ele só diria abobrinhas e iria andando para que ninguém ousasse lhe fazer perguntas demais. Confirmaria que tivera "uma conversa com um repórter de *Veja*" e que estava indo a São Paulo. Foi o que ele disse. O jatinho estava pronto. Embarcamos rápido.

O aeroporto ficava no meio de canaviais da região metropolitana de Maceió. O voo até Recife era cumprido de forma rápida, em baixa altitude e por uma rota litorânea onde só se viam belas praias e canaviais, canaviais, canaviais a perder de vista. Imperava o silêncio da aeronave. Todos nós trocávamos olhares cruzados. A situação estava tensa. Percebia irritação, talvez arrependimento, no comportamento de Pedro. Olhava para Thereza, lembrava em *flashes* o flerte platônico e obviamente não correspondido que tivera com ela na noite anterior. Olhei para a mulher de Pedro, depois para a janela e para os canaviais e, a fim de quebrar o gelo, mandei um comentário meio *nonsense*:

— Thereza, você voa muito para Recife com os meninos, seus filhos, o Pedrinho e o Fernando Affonso?

— Voo sim. Vovó ainda mora lá, né? E muitas vezes a gente vai fazer compras, ou conexão lá.

— Quando você voa com eles, decola daqui, manda eles olharem lá para baixo e diz para eles: "Meninos, um dia essa cana toda será de vocês... Vocês são Pereira de Lyra Collor de Mello".

Era a soma dos sobrenomes completos das duas famílias. E lembrando o comentário de um colega do curso de Jornalismo que costumava implicar com a extensão de meu nome e sobrenomes, segui com a tentativa de piada.

— Não é um nome, Thereza. É um título nobiliárquico!

Ela riu, mais por educação do que por gostar da troça sem graça. Serviu para tornar um pouco mais ameno o clima pesado dentro do jatinho. Ricardo Amaral aproveitou para emendar:

— Pedro, você tem noção da confusão que semeou neste país?

Silêncio, a princípio. Depois o irmão do presidente respondeu.

— Tenho. Mas eles que pediram. Tiraram-me do comando das empresas?!? E disseram que sou louco!

Havia uma mágoa profunda na voz de Pedro. Ana Luíza tomou a palavra.

— Mamãe não podia ter feito isso. Não podia. Até porque ela sabe que o Fernando, no curto período em que comandou a empresa, quase quebrou a família toda.

— Sim, mamãe não entendeu que Fernando é quem tem a Presidência. Que a gente tem de seguir vivendo apesar de o filho dela ser presidente.

Novo silêncio, e o avião já fazia os movimentos para pousar no Recife.

Descemos como anônimos no aeroporto pernambucano. Os jornalistas, em Maceió, não sabiam que faríamos a conexão para pegar um voo comercial. Iríamos de Transbrasil. Os Collor de Mello foram diretamente para o balcão de *check-in*. Eu e Ricardo corremos para a loja da empresa aérea. No meu caso, para emitir o bilhete via PTA. No dele, para tentar comprar um bilhete. Estava sem comando de PTA, não tinha talão de cheques nem dinheiro em espécie suficiente para adquirir a passagem. Em resumo: não voaria conosco. Enquanto fazia a minha emissão, acompanhava o diálogo dele com a vendedora. Resolvi ajudar:

— Meu caro, tenho cartão da empresa aqui. Da *Veja*.

— Mas a *Veja* vai pagar a minha passagem?

— Paga, desde que você mantenha o compromisso: Pedro só deu entrevista para a gente. Disse aquilo com uma certa rispidez arrogante.

— Camarada, se ele quisesse falar comigo já teria falado. Sou chato, mas não sou burro. Você tem sua história. O que vou escrever hoje é sobre esse bastidor todo.

Dirigi-me à vendedora:

— Pode emitir a dele. Paga aqui... depois o *Estadão* reembolsa a Editora Abril.

Ricardo Amaral então sorriu, sem deixar de acentuar e explicitar o sarcasmo:

— Estará pago desde sempre pela publicidade da edição de sábado de vocês que nós vamos fazer.

* * *

Pousamos por volta das 13h30 da quarta-feira no aeroporto de Guarulhos, em São Paulo. A aeronave parou no meio da pista antes que o avião se conectasse à passarela para que os demais passageiros descessem. Pela janela, vi uma escada ser colocada na porta. Subiram por ela um oficial da Aeronáutica, uma pessoa com camisa da Infraero e Júlio César de Barros, chefe de reportagem da *Veja*. A porta dianteira do avião se abriu. O comissário de bordo chamou pelos nomes:

— Atenção senhores Pedro Collor de Mello e Luís Costa Pinto; senhoras Thereza Collor de Mello e Ana Luíza Collor de Melo. Por favor, dirijam-se para a frente da aeronave. O desembarque de vocês será antecipado por razões operacionais.

Àquela altura Julinho já acenava para mim. Estava em frente à porta do toalete dianteiro do avião. Nós nos encaminhamos para lá. Enquanto descia, observava uma caminhonete de cabine dupla estacionada na pista, colada às escadas.

— Julinho, o que é isso?

— Doutor Roberto achou melhor tirar vocês de dentro do avião antes do desembarque geral. Daí a gente sai da pista direto para a revista. O aeroporto está tomado pelos jornalistas. Todo o mundo querendo falar com o seu entrevistado.

— Então o dono da nossa revista está com medo dos jornalistas?

— Não. Está com medo da concorrência.

Rimos juntos. Julinho dirigia e dava detalhes daquela operação resgate.

— Ele falou com Omar Fontana (*o dono da Transbrasil, empresa* aérea *criada como subsidiária da Sadia — marca de comercialização de produtos de natureza animal*) e com o brigadeiro responsável pelo comando aéreo de São Paulo. Pediu que o avião fosse parado antes de colocarem a passarela e vocês pudessem descer.

* * *

Na sede da revista, na Marginal Tietê, Mário Sérgio, Tales Alvarenga, Roberto Civita e o redator-chefe nos esperavam na portaria. Descemos da caminhonete e o escalão avançado nos cumprimentou com alguma frieza. Mário e Tales olhavam para mim para saber se havia ocorrido algo novo desde nosso último telefonema — ligara para eles do Recife. Acenei positivamente com a cabeça dizendo que estava tudo bem. Entramos no elevador e Mário Sérgio desbloqueou o acesso ao último andar, a cobertura, onde havia um restaurante exclusivo para os principais executivos da editora.

— Vamos almoçar aqui. Melhor. Bem..., a família Civita garante a qualidade da massa e do molho, não é, Roberto?

Mário amenizara o clima. Rimos todos. Sentamo-nos.

O redator-chefe deu um plano geral do dia. Relatou as tensões no mercado e a boataria em Brasília. Disse que os demais veículos já sabiam que Pedro Collor dera uma entrevista à revista.

— Pedro, antes de mais nada: é exclusiva, certo? Você não vai falar mais para ninguém... Isto aqui nos deu um trabalho do cão!

O diretor de redação tratou de sacramentar, com uma dose de piada, o compromisso que tínhamos entabulado.

— Claro que é exclusivo.

— Pedro, sou o Tales Alvarenga. Prazer.

— Lula me falou de você, de vocês todos. Ele me fez um quem-é-quem na estrutura da revista. Afinal, preciso saber com as peças que estou lidando, jogando.

Tales prosseguiu, direto e pragmático como não poderia deixar de ser.

— Pois bem, Pedro. Aqui vamos perguntar tudo de novo. Vai parecer chato, vai parecer repetitivo, mas nossa missão é extrair de você a certeza do que está falando, denunciando.

— Com prazer, pode perguntar.

Thereza e Ana Luíza bebiam suco e reagiam a tudo com silenciosas trocas de olhares entre si. Tales prosseguiu:

— Serei duro, mas quero abrir assim, de forma objetiva.

Falava aquilo olhando Pedro no olho, meio de baixo para cima, pronunciando as palavras de forma rápida e ríspida até:

— Você está louco? Tem alguma patologia nessa briga entre você e o presidente?

Nem Mário Sérgio, nem eu, muito menos Pedro e sua mulher, esperávamos a pergunta. Fiquei desesperado, imaginei que o entrevistado levantaria dali e desceria o elevador quebrando tudo.

Pedro surpreendeu pela fleuma.

— Tales, querido, não estou louco, não sou louco, não tenho patologia alguma. Mas estou defendendo meu negócio e os negócios de minha família.

— Seu irmão é corrupto? — era o redator-chefe querendo saber.

— É. Ele deixou o PC corromper o governo dele. E não estou louco... Vim no avião pensando: como posso provar isso? Decidi que vou me submeter a um laudo médico. Pedi isso ao Mário Sérgio, por telefone, antes de deixar Maceió. Já providenciaram?

— Por favor, só o divulgue depois da publicação da revista, pediu Mário. — Vou dar a você as coordenadas dos médicos com os quais marcamos.

— Claro. Bem, não estou louco. Depois dessa, qual a pergunta mais difícil?

O almoço-entrevista seguiu até quase cinco da tarde. Gravamos nova rodada de perguntas e respostas com ele. Descemos da cobertura. Tanto Pedro quanto Thereza submeteram-se a uma sessão de fotos no estúdio da revista. Às 19h30 ele pediu a Mário Sérgio:

— Querido, estou exausto. Alguém nos deixa no hotel?

— Claro. Mando agora. Aonde vocês vão se hospedar?

— Maksoud. Só estou ficando lá agora.

— Sou amigo do dono, se quiser peço algo especial lá.

O diretor de redação queria agradar a fonte mais bombástica que passara por ele até ali.

— Tranquilo. Eu também sou amigo. Ele me deixa na suíte presidencial e põe no andar reservado. Só sobe quem eu quero que suba.

Eu asseverei:

— Pedro, por favor: não fale com a imprensa.

— Não falarei.

* * *

Tão logo Pedro Collor deixou a sede da Editora Abril com a mulher e a irmã, começaram a jorrar informações e novos trabalhos por todos os lados. Subimos para a redação e já havia uma fila de despachos a serem feitos pela cúpula da revista que estivera empatada no longo almoço. O diretor de redação, seu adjunto e o redator-chefe estavam no comando da operação. Naquele momento dois terços dos repórteres e editores de Análise trabalhavam em função das pautas geradas pela crise — a entrevista, os furos, as novidades, as investigações geradas a partir das primeiras reportagens. Não havia ação nem da Polícia Federal nem do Ministério Público. Aquelas instituições, que ganharam autonomia operacional com a Constituição de 1988, não tinham ainda adquirido musculatura nem formado pessoal para desafios como os que se apresentavam. A imprensa era a linha de frente das ações de investigação, e não republicadora de ações iniciadas por policiais ou procuradores. Não era uma diferença sutil com o que ocorreria no país um quarto de século depois.

Mário Sérgio e Tales trataram de dar missões e definir funções para a equipe: quem faria o quê. Eram maestro e *spalla* numa orquestra. Eu anotava tudo: quem ficava com que texto, quem fechava o quê, quais informações precisariam ser rechecadas.

Veio a determinação, enfim.

— Lula: senta e tira as entrevistas. As duas. Com todos os detalhes, com todas as precisões possíveis. Degrava tudo.

— Preciso de ajuda.

— O pessoal da *Vejinha São Paulo* está subindo para te ajudar. Mas olhe tudo. E depois eu vou ler com lupa cada palavra escrita. Não podemos errar.

Tales Alvarenga e suas preocupações redundantes, mas necessárias.

Mário completou:

— Meus caros, o que este governo mais quer agora é que a gente cometa um erro. Um errinho só. Daí vão nos engolir.

A redação se preparou para virar uma noite em ritmo acelerado. Eu, mais uma noite. Viramos, embalados a pizzas e café. Ritmo frenético. Pelo menos naquele fim de dia Pedro Collor nos deu sossego e submergiu.

Não consegui deixar a redação de *Veja* antes das onze horas da manhã de quinta-feira, quando aqueles que puderam passar em casa começavam a retornar para lá. Mário voltaria às 13h. Se eu fosse para o hotel não regressaria a tempo. Pedi acesso à cobertura, onde almoçara no dia anterior. Lá, fui ao lavabo, molhei o rosto, estiquei-me no sofá dos diretores e cochilei por uma hora e meia. Às 13h estava de volta à redação. Mário Sérgio e Tales já tinham chegado.

— Lula, o ministro Bornhausen vem aqui às duas da tarde. Já-já, portanto.

— Fazer o quê?

— Vai tentar me convencer a não dar a entrevista.

— Vamos dar, né?

— Óbvio. Mas vamos falar com ele a sós. Eu e Tales.

— Ok.

Voltei à minha posição de fechamento, havia muito a fazer.

Na hora marcada a comitiva ministerial chegou ao prédio da Marginal Tietê. A redação de *Veja* era um amplo salão que ocupava o sétimo andar inteiro, todo vazado. Os repórteres ficavam em baias separadas por divisórias baixas, à altura da cintura. Cada uma delas tinha um birô, uma cadeira, gavetas, um computador. No fundo, do lado direito de quem entrava na redação, ficavam pequenos aquários dos editores. Na extrema-direita da redação, o departamento de fotografia. Na extrema-esquerda, o de arte. Após o complexo de baias, um pequeno corredor e à esquerda de quem entrava na redação estavam os aquários da cúpula da revista — diretor de redação e adjunto, redator-chefe, editores-executivos, colunistas.

O ministro da Casa Civil entrou no corredor que separa a cúpula da redação. Estava acompanhado por um chefe de gabinete e pelo assessor de imprensa, conhecido meu, mais próximo de Expedito Filho, de quem era fonte e amigo. Só Bornhausen entrou na sala de Mário Sérgio, onde Tales já estava. Fui até o assessor dele, fazer a social. Sentamo-nos numa pequena recepção, à saída dos elevadores. Foi uma conversa vazia a nossa. Na sala do diretor de redação, o clima esquentara.

— Então vocês têm uma bomba nas mãos e vão detoná-la neste fim de semana? — o ministro quis saber.

— Vamos. Sábado. Começo da madrugada você poderá ler os primeiros exemplares, ministro.

Mário respondeu com alguma picardia.

— Não quero influenciar vocês. Não vou fazer ameaças, não vou pedir que não publiquem.

— Até porque não ouviríamos isso, ministro.

Era Tales, conservando o pragmatismo. Era muito bom nisso. Sabia mandar a real. Aliás, nascera para mandar.

— Mas sabemos que tem um pedaço de histórias pessoais na entrevista...

Jorge Bornhausen falava devagar e baixo. Pausava cada palavra e mirava os interlocutores. Tinha noção exata de que aquela não era uma missão política. Era, na verdade, uma tarefa para sapadores — os militares especializados em desarmar minas e bombas.

— Tem sim.

Mário Sérgio respondeu de forma econômica.

— O que são histórias pessoais? — perguntou o ministro sem querer ele mesmo entrar em assuntos espinhosos.

— São assuntos familiares.

Tales não foi preciso, obrigando Bornhausen a sair de sua posição de recuo.

— Ok... Tem droga?

— Tem, tem história de uso de drogas.

O ministro ouviu, parou um pouco, pensou no que perguntaria a seguir.

— Tem envolvimento com amigos que possam ter cometido crimes?

— Crimes de corrupção, sim — Mário Sérgio respondeu. — Outros crimes, não.

O ministro pareceu aliviar-se um pouco. Olhou para o diretor de redação diretamente, no mesmo plano, e fez a pergunta mais difícil:

— Mário, tem rabo?

...

A pergunta surpreendeu a todos. Ninguém esperava aquilo, muito menos sendo o questionamento feito pelo elegante Bornhausen.

...

— Como assim, ministro? Rabo?

— Sim, o Pedro pôs rabo no meio da entrevista? Homossexualismo. Tem alguma história de rabo?

Os três sabiam que aquele momento era absolutamente inusitado, quase cômico. Mário Sérgio não perdeu a serenidade e respondeu no mesmo tom:

— Não, ministro, não tem rabo no meio.

Só então riram. Mário e Tales, os dois jornalistas, de alívio. Jorge Bornhausen, de nervoso. O ministro levantou e esticou a mão para cumprimentar os dois interlocutores que também se levantavam. Havia ao mesmo tempo tensão e cordialidade ali.

— Bom fechamento. Espero que saibam o que estão fazendo — disse Bornhausen.

— Sabemos, ministro. E temos ainda duas longas noites para vencer.

Mário Sérgio encerrou a conversa naquele momento. Bornhausen encontrou os assessores na pequena recepção onde eu lhes fazia sala e foi embora.

* * *

Em suas memórias, Pedro Collor descreveu assim aquela conversa, narrada a ele por terceiros (não fui eu quem lhe contou a visita de Bornhausen à redação):

"Antes do fechamento da edição, contudo, o Planalto procuraria não ser pego de surpresa. Justiça seja feita, o ministro Bornhausen, em sua missão secreta — na qual cometeria um pequeno, mas significativo deslize — em momento algum insinuou um pedido de autocensura aos editores. Inicialmente sutil, Bornhausen apenas relacionou os assuntos que, acreditava, estariam contidos na entrevista. Um a um, pedia confirmação:

— Vocês têm corrupção?

— Temos.

— Vocês têm drogas?

— Temos.

— Vocês têm sedução?

— Temos.

— Vocês têm rabo?

— Como, ministro?

— É, rabo... homossexualismo.

— Não, não temos."

* * *

Os dois diretores me chamaram junto com o redator-chefe, pediram ao Roberto Civita que subisse do sexto andar, onde ficava sua ampla sala, até a redação e relataram a conversa.

— Mário, parabéns. Vamos explodir!

Era o dono da Editora Abril quem comemorava, vibrando. Estava excitado. O *imprimatur* fora dado.

O fechamento da revista seguiu o padrão normal até mais ou menos nove horas da noite, quando o redator-chefe me chamou à sala dele. Mário estava lá, de pé:

— Lula, o Pedro Collor foi a um restaurante japonês na Liberdade.

— Caralho!

— É, porra, foi... Está cheio de jornalistas lá. O dono do restaurante não deixou a imprensa entrar, mas eles estão lá fora. É foda.

Mário Sérgio parecia cobrar de mim um controle total sobre Pedro Collor enquanto eu trabalhava no fechamento da edição. Não dormia havia três dias, não tomava banho havia dois.

— O que eu posso fazer?

— Vai lá. Vai lá e fica na porta. Quando Pedro sair entra no carro com ele. Se ele olhar para você não falará com ninguém. Algum pudor esse filho de uma puta ainda deve ter.

Deixei a redação e fui para o restaurante na Liberdade. Assim que desci do carro de reportagem da Abril, em não mais que cinco minutos, a porta do restaurante se abriu e Pedro saiu com Thereza e Ana Luíza. Posicionei-me à frente de todos os repórteres e acenei.

— Você por aqui? — surpreendeu-se Pedro.

— Vou para o hotel com vocês.

Antes que ele pudesse discordar ou ponderar, Thereza tomou a frente e me pegou pelas mãos.

— Vem Costa Pinto, vem com a gente.

O carro deles parara e já abria as portas. Pedro entrou no banco dianteiro. Espremi-me com Thereza e Ana Luíza no banco de trás de um sedã. O motorista tocou para o Maksoud, não muito longe dali. Falamos amenidades no trajeto. Disse a eles a dimensão das reportagens e do assunto na revista que circularia naquele sábado. Contei a Pedro que a imagem dele seria a capa. Reafirmei nosso compromisso.

— Ele bebeu quatro saquês e uma cerveja — tranquilizou-me Ana Luíza. — Fique sossegado, seu amigo vai dormir.

Ao chegarmos ao Maksoud a família Collor desceu e me despedi deles. Pedro apertou meu rosto:

— Querido, vai descansar.

Voltei para a redação. Passava de meia-noite. Ainda havia o que fazer, o que fechar. Tales implicou com algumas frases que eu cortara na entrevista, com outras que eu modificara para dar fluidez ao diálogo transcrito.

— Meu caro, eu disse que não podemos errar. Que não pode inventar. Teremos de ser literais. Vão nos cobrar literalidade.

Aceitei. Estava exausto. Refiz títulos, retrabalhei em algumas coisas até duas e meia da manhã. Mário Sérgio chamou-me à sua sala:

— Esteja no Maksoud amanhã cedo.

— Cedo a que horas?

— Sete e meia, oito horas.

— Por quê?

— Porque uma fonte minha, que é bem informada, disse-me que o governo vai tentar embargar a publicação de *Veja* nas bancas. Vai tentar recolher a revista. Irão tentar impedir nossa impressão.

— Pode?

— Poder, pode. Os militares faziam isso direto.

— Nosso jurídico estará a postos, claro.

— Sim, mas tem mais: Pedro pode dar uma declaração oficial dizendo que desautoriza a publicação. Pode fazer isso negociado com o governo. Por dinheiro.

— Você acha isso?

— Acho que temos de achar tudo. Por isso quero você lá. Monitore Pedro. A toda hora.

— Mário, preciso dormir ao menos três horas e tomar um banho. Estou com a mesma roupa há quase três dias.

— Vá para o hotel agora, durma as três horas que você precisa, tome banho. No máximo às oito horas da manhã esteja no Maksoud.

Às oito horas em ponto eu chegava ao Maksoud Plaza. Certifiquei-me que Pedro e Thereza ainda dormiam — uma recepcionista já tinha se convertido em minha fonte e me dissera que eles não tinham pedido ainda o café da manhã — e fui comer algo no bar magnífico do hotel. Logo vi Ana Luíza se dirigindo para os elevadores panorâmicos. Corri ao encontro dela.

— Você não dorme, não? Ou é mais de um?

Sorri e inclinei o corpo para a frente, indicando que desejava subir com ela. O elevador só dava acesso ao andar em que Pedro e Thereza estavam se fosse desbloqueado por meio de uma chave específica. A irmã do presidente entendeu o que eu queria.

— Sobe comigo, vai. Mas acho que eles ainda estão dormindo.

— Sem problemas, espero no corredor.

— Não precisa. Tem uma sala de espera montada nesse andar.

Fui para a sala de espera. Havia um aparelho telefônico. Recebi uma mensagem em meu *pager*: "Ligar urgente Mário. Casa dele". Liguei para a casa do diretor de redação. A notícia que ele me daria era surpreendente:

— Lula, os advogados de Pedro Collor entraram com uma ação cautelar contra a gente.

— Como? Como assim?

— Seguinte: o Pedro entrou com uma ação na Justiça dizendo que não quer a publicação da entrevista que gravou com você na quarta-feira. Ele argumenta que não estava acompanhado de advogados e poderia ter sido induzido a erro, ou crime, ou a produção de provas contra ele. Ele pede apreensão das revistas impressas na gráfica.

— Porra, o cara é doido. Filho da puta.

— Eu disse isso desde o começo. Mas espere, tem mais: uns vinte minutos depois ele entrou, por meio dos mesmos advogados, com pedido de desistência da ação. Isso tudo aconteceu no plantão judicial, entre seis e sete horas da manhã de hoje.

— E aí? Ele pode mudar de ideia de novo.

— Pode. E pode nos ferrar. Até as cinco horas da tarde ele entra na Justiça e um juiz escolhido por sorteio pode dar ou não uma cautelar. Depois disso só plantonista, e os advogados dele e do Palácio podem dirigir e direcionar para um plantonista amigo.

— O que faço? — quis saber.

— Redija um texto para que Pedro assine, com uma testemunha, que pode ser a Thereza, de preferência. Esse texto tem de ser explícito: o Pedro Collor tem de assumir que estava em pleno gozo de suas faculdades mentais quando deu a entrevista a você.

— Ok. Vou fazer isso.

— Isso tem de estar assinado antes das cinco horas da tarde. Pelos prazos judiciais.

Eram quase nove horas da manhã. Terminei o telefonema que trocara com Mário Sérgio e fui atrás de uma máquina de escrever e papel sem timbre. Não podia sair daquele andar, sob risco de não voltar a ele. Descobri uma pequena sala da administração, que serviria como suporte aos hóspedes mais exclusivos. Não havia ninguém sentado à mesa. Tinha uma máquina Olivetti, elétrica, numa mesa de apoio auxiliar. Chafurdei os papéis e encontrei folhas timbradas do hotel. Mas o verso era branco. Resolvi usá-las. A máquina estava sem a esfera necessária a seu funcionamento. Era um expediente usado por todo o mundo que trabalhava em escritório e não desejava que outros usassem suas máquinas — sobretudo as elétricas. Encontrei a esfera escondida na terceira gaveta, em uma caixa. Coloquei-a no lugar, pus o papel e redigi rapidamente uma declaração que deveria ser assinada por Pedro Collor tendo Thereza por testemunha:

> *"Eu, Pedro Affonso Collor de Mello, confirmo por meio desta que concedi ao repórter Luís Costa Pinto, de* Veja, *uma entrevista gravada em videocassete na madrugada do dia 20 de maio. Na noite deste mesmo dia voltei a ser entrevistado pela revista, desta vez pelos srs. Mário Sérgio Conti, Tales Alvarenga, Paulo Moreira Leite* e Luís Costa Pinto. Desta vez estava em companhia *da minha esposa Thereza Lyra Collor de Mello e de minha irmã Ana Luíza Collor de Mello. As entrevistas são verídicas, originais, e expressam fielmente o meu pensamento. Autorizo sua publicação na forma como a revista* Veja *achar conveniente, no âmbito restrito da revista. Ou seja, a* Veja *deverá usar o material em suas páginas editoriais sem, contudo, cedê-lo a outras publicações. Caso algo aconteça contra a minha integridade física ou moral, ou à minha família, autorizo à*

Veja *enviar cópias desta fita a quem lhe convier — à Justiça ou mesmo a outros veículos de comunicação.*

São Paulo, 22 de maio de 1992

____

Pedro Affonso Collor de Mello

Testemunha: ________________________

Thereza Lyra Collor de Mello"

Era cópia única. Reutilizei uma pasta do próprio hotel que pegara dando sopa sobre a mesa do pequeno escritório e voltei para a sala de espera. Deixei a porta aberta para monitorar o movimento do corredor. Por volta das 11 horas, vi que um mensageiro fora à suíte presidencial. Saíra rápido. Antes do meio-dia uma entrega de café da manhã dirigia-se para lá. Acompanhei o carrinho. Thereza abriu a porta para recebê-los. Havia terminado de sair do banho, deduzi. Estava com os cabelos molhados. Usava um vestido curtíssimo, todo florido, colado ao corpo. Espantou-se ao me ver.

— Costa Pinto?

— Thereza, preciso falar com Pedro.

— Está no banho.

— Preciso que vocês assinem isso, preciso falar com ele.

Ela pegou a declaração de minha mão e a leu.

— Certo, vou ver com ele.

Fez menção de voltar ao quarto com o papel. Segurei-a pelo braço:

— Não, Thereza. Desculpe: quero que vocês assinem na minha frente. E quero explicar o porquê desta declaração.

— Pedro já voltou atrás com os advogados.

— Certo, mas pode dar um passo à frente de novo.

— Vou tomar café da manhã. Desça e almoce. Depois falamos.

— Não vou descer. Estarei aqui, naquela sala, o tempo todo.

Ela não falou mais nada. Entrou e trancou a porta. Esperei 45 minutos e interfonei para lá. Thereza atendeu.

— Thereza, preciso falar com Pedro.

— Ele vai assinar, mas calma.

— A que horas?

— Às três horas da tarde ele te encontra aí.

— Thereza...

— Boa tarde, Costa Pinto.

Desligou. Meu *pager* mandou mensagem. Era Mário Sérgio: "Caro, novidades? Lourival precisa da declaração". Liguei para ele. Disse que não tinha nada.

Às três da tarde Thereza foi a meu encontro. Sentou-se no pequeno sofá da sala de espera.

— Pedro não quer assinar.

— Thereza, estamos perdendo a confiança nos propósitos dele.

— Eu entendo, eu realmente entendo. O jogo está muito pesado. O Guilherme Palmeira e o José Barbosa estão lá embaixo. Pedro não os autorizou subir.

— Você pode assinar primeiro. Isso convenceria Pedro. Assina?

— Assino. Eu assino.

Estendi-lhe a declaração. Ela assinou. Havia um *fax* na pequena sala de apoio operacional ao andar exclusivo. Chamei Thereza para irmos até lá. Tirei uma cópia no *fax* e dei a ela.

— Thereza, por favor, volta no quarto e mostra ao Pedro esta declaração. Mostra que você já assinou. Eu aguardo aqui a volta dele, e a assinatura.

Ela foi. Meu *pager* anunciou nova mensagem: "Há um motorista lá embaixo. E um motoqueiro. Roupa da Editora Abril. Assim que assinar declaração, mande por eles". O *deadline* das cinco da tarde se aproximava. Pedro não saía do quarto. Saiu às 16h40. Era o que marcava meu relógio — um desses relógios digitais vendidos em camelô.

— Vem cá — chamou-me.

Sentou-se na antessala da suíte.

— Cadê a declaração?

Mostrei a ele, mas segurando-a próxima a mim. Temi que a rasgasse. Ele leu. Eram 16h45.

— Você sabe por que entrei com essa cautelar? Vão me foder. O Fernando vai me processar até a quinta geração.

— Pedro, já é um caminho sem volta.

Eram 16h49.

— Assina, por favor.

Ele olhou o papel. O *pager* indicou nova mensagem: "Sem prazo. Assinou, passe *fax* para mim — 324554. Usarei hora *fax* e data para convencer juiz". Era Lourival, o diretor jurídico da Abril.

Olhei o relógio: 16h52.

* * *

Em Passando a Limpo — a trajetória de um farsante, *Pedro Collor rememorou: "Enquanto Luís Roberto de Arruda Sampaio* (um dos advogados constituídos por ele) *providenciava as medidas junto ao Foro do bairro de Santana, pedi a Luís Costa Pinto que telefonasse para Paulo José da Costa Júnior* (o outro advogado, mais sênior). *Os dois discutiram durante alguns minutos a questão da publicação da entrevista, mas, exaltados, não chegaram à conclusão alguma.*

A decisão viria a partir de uma conversa minha ao telefone com Mário Sérgio Conti. Ele disse que, se eu desautorizasse a transcrição das fitas, a revista não teria outra opção a não ser publicar uma reportagem dizendo que eu realmente era louco, pois concedera uma entrevista e depois desautorizara a publicação alegando perturbações emocionais.

Isso acabaria comigo. Percebi que se seguisse o conselho do advogado, estaria fazendo o jogo do Fernando, além de ficar desmoralizado. Resolvi, nessa hora, correr o risco de ser preso em nome da preservação de minha integridade moral. Afinal, dissera tudo aquilo à revista e não poderia desmentir".

* * *

16h52min, alguns segundos.

— Assino, me dá.

Pedro pegou a declaração, releu rapidamente, assinou-a e me devolveu. Levantei-me prontamente, apertei a mão dele, recolhi o papel, pedi que esperasse e saí correndo até o escritório de apoio do andar em que ficava a suíte presidencial do Maksoud. Havia uma pessoa lá, funcionário do hotel. Pedi para usar o *fax*. Concedeu. Disquei o número do aparelho do Lourival e meti a declaração na máquina. Ao mesmo tempo, telefonei para ele de outro aparelho que havia sobre a mesa.

— Lourival?

— Está chegando aqui, Lula!

— Dá tempo?

— Claro. O *fax* registra a hora — antes das cinco horas da tarde e a data. Vou dar entrada numa cautelar prévia, para evitar surpresas, realçando esse detalhe da data e da hora. Chegou. Parabéns!

Saí correndo e voltei à suíte presidencial. Toquei a campainha. O próprio Pedro atendeu, Thereza veio atrás dele.

— Enviei. Pedro, Thereza, obrigado. A revista já-já vai para a gráfica. Obrigado. Estou voltando à editora.

— Qual a chamada de capa? — quis saber Pedro.

— Não sei. Foi decidida no fim da manhã, mas eu estava aqui esperando você assinar uma declaração, confirmando que me dera a entrevista que efetivamente havia me dado.

Ele riu e acenou com a mão.

Cheguei à Abril, na Marginal Tietê, às 19 horas. Ainda havia rebarbas de trabalho a executar. A excitação de todos estava a mil por hora.

Às seis horas da manhã de sábado 23 de maio de 1992, Roberto Civita irrompeu na redação da *Veja*. Tinha em mãos os primeiros exemplares da revista: "Pedro Collor Conta Tudo — O vídeo e a entrevista com os ataques do irmão do presidente". Essa era a chamada, tendo um enorme *close* do rosto de Pedro ao lado e o carimbo "Exclusivo". Doutor Roberto me entregou um exemplar, ainda cheirando a tinta que manchava as mãos com o frescor da gráfica e saudou-me:

— Cubra-se de glórias!

Sorri. Apertei a mão dele:

— Nós todos estaremos cobertos por ela. Obrigado.

Deixei o prédio da *Veja*, passei no hotel, tomei banho, recolhi as poucas tralhas (*havia saído de Brasília para apenas mais uma ida a Maceió, e não para ficar a semana inteira fora de casa*) e corri para o aeroporto de Congonhas. Embarcaria às nove e meia da manhã. Cheguei cedo ao terminal aéreo a fim de testemunhar os primeiros exemplares da revista sendo entregues na livraria do térreo. Vendeu como chocolate na Páscoa. Esgotou em poucos minutos. A bomba estava detonada. No domingo à noite, não era possível encontrar mais nenhum exemplar de *Veja* disponível para venda no Brasil inteiro. Pela primeira vez na história a revista fizera uma reimpressão. Cópias xerográficas da reportagem eram vendidas nas bancas por duas vezes o preço de capa da edição original. Os telejornais de sábado deram tudo. Os jornais de domingo fizeram manchetes com a entrevista. O *Fantástico* usou metade da edição para o tema. Eu estava exausto. Só saí de casa na segunda-feira de manhã. Às dez horas, na reunião de pauta da revista em Brasília, recebemos a notícia de um assessor parlamentar da Presidência da República: a oposição já conseguira, àquela hora, as assinaturas para a criação da CPI do PC. O governo Collor seria investigado, enfim. O ex-tesoureiro da campanha presidencial, Paulo César Farias, era oficialmente monitorado pela Polícia Federal.

O país entrava em outra fase.

Parte 2

O PARLAMENTO

Cheguei a meu apartamento na Área Octogonal 8, em Brasília, pouco antes do almoço daquele sábado 23 de maio. Estava moído. Em uma semana inteira contabilizava menos de 30 horas de sono. Coei um café, tostei as duas únicas fatias de pão sem bolor que encontrei na despensa, joguei-me na cama. Àquela altura ainda morava só. Minha mulher trabalhava na conclusão de uma tese de mestrado, no Recife. Só quando a apresentasse nos reuniríamos de novo. Eu, ela, nosso filho.

Acordei no meio da tarde com o telefone a tocar insistentemente. Corri até a sala, onde normalmente ficava o aparelho, e atendi enquanto levava-o até a cama de meu quarto. Puxei pelo fio helicoidal preto de quinze metros que havia comprado. Não tinha adquirido ainda um aparelho sem fio. Eram caros. Com a extensão, o único telefone da casa podia ser usado em todos os cômodos.

Do outro lado da linha, a produtora de uma emissora de TV. Queria bastidores da reportagem, mais informações sobre as confissões do irmão do presidente. Contei alguns poucos detalhes. Ela me pediu uma entrevista. Não confirmei de imediato. Precisava consultar Mário Sérgio. Desliguei. Tentei dormir. Outra chamada. Agora, uma emissora de rádio. Idem. Queria bastidores e uma entrevista. Não dei. Precisava saber como proceder, pois tinha um chefe. Desliguei. Nova ligação: o produtor de uma emissora pública queria minha participação como entrevistado num programa de baixa audiência e razoável relevância entre formadores de opinião. O telefone tocou mais uma vez. Era um tio, meu padrinho de batismo. Morava em Olinda, ao lado dos meus pais.

— Não li ainda, mas soube, viu? Parabéns.

— Deu trabalho, Ruy. Muito trabalho.

— Imagino. Mas você escolheu esse caminho. Ouvi aqui, pela Rádio Clube. A Rádio Jornal do Commercio também deu. Tenha cuidado.

— Terei. Obrigado. Estou morto.

— Descanse. Só liguei para isso.

Precisava encontrar Mário. Liguei para a casa dele. Seria improvável encontrá-lo num sábado à tarde. Chamou até o fim. Deixei recado na secretária eletrônica. A gravação era lacônica. Nenhuma novidade. A voz dele na gravação era monocórdia como a experiência de receber as determinações ao vivo do diretor de *Veja* nos dias em que estava de mau humor. Antes de escurecer recebi retorno. Permanecia deitado. Ansiava pelos telejornais da noite.

— Oi Lula, você me ligou?

— Sim. Tudo bem?

— Ótimo. Baita barulho, hein?

Disse aquilo e deu sua proverbial gargalhada, encerrando-a com os arrancos guturais de fumante que busca os últimos mililitros de oxigênio nos escaninhos ainda desentupidos dos alvéolos.

— Por enquanto sim, sem desmentidos — respondi. — Mário, tenho sido procurado por emissoras de TV, por rádios, por alguns jornais para falar.

Disse aquilo como quem pedia, não como quem informava algo. Exagerei o contexto.

— O que você acha? Falo? Devo conceder essas entrevistas?

Mal me continha. Não fui capaz de dissimular a ânsia de virar protagonista central no episódio. O diretor de redação da revista, meu superior direto, interceptou-me com precisão. Foi pragmático e sagaz.

— Em minha opinião, não. Não deve.

Calei-me. Fez-se um intervalo incomum na linha. Ele não tomava a iniciativa de seguir. Pulei à frente e quebrei o silêncio.

— Por quê?

— Porque você é apenas o meio pelo qual a notícia dos bastidores veio à superfície. Quem deseja ficar falando sobre como você obteve o furo é porque está sem notícia. Jornalista não é notícia, não deve ser centro de nada. A notícia é o Pedro Collor falando tudo o que falou do irmão presidente. Não acha?

— Acho. Mas não seria bom para a *Veja*...

— ... para a *Veja* pouco importa o que os outros falem ou deixem de falar dela. Para a *Veja* o que importa é a qualidade do que sai publicado. Ninguém vai falar desse assunto sem citar a revista. Mas é claro que deve bater uma vaidade louca em você para falar. Recebeu esses convites e vai receber muitos outros mais.

— Sim, e o que digo?

— Não vou te impedir de nada, mas como um jornalista mais velho eu te aconselho: não dê entrevistas. Não pense que você pode ser mais importante do que a notícia que deu. Você tem só 23 anos, tem a vida inteira pela frente. Se achar que nessa idade fez a coisa mais importante de todos os tempos, como vai encarar os próximos trinta, quarenta, cinquenta anos? E você vai viver até lá. Você vai ser refém da primeira grande história que publicou? Quem faz isso termina enlouquecendo. A vida logo fica vazia.

— Está certo. É verdade.

Era difícil esconder a decepção comigo mesmo. Percebia de forma cristalina a lógica e a maturidade do que ele me dizia, e sentia vergonha de não ter contido a ânsia de ter-lhe pedido a opinião. Tinha a esperança vã de ouvir um "vá em frente".

— Vamos seguir o trabalho em equipe, em grupo, para a revista. Você vai receber um prêmio de dois mil dólares pelos furos. É o reconhecimento da revista. Vale para a entrevista e para a reportagem "Os Tentáculos de PC". O Kaíke vai receber mil dólares por ter trazido as declarações de renda de PC. E você vai receber um aumento de 30% no salário. Porque merece. Já está decidido, ia te falar isso na segunda-feira. O Roberto vai te mandar um bilhetinho de cumprimentos, pelo malote. Agradeça a ele, ligue para ele, mas não dê entrevistas. Na hora certa eu mesmo marco algumas para você. Agora, não. É hora de trabalho em equipe.

Não esperava o prêmio nem o aumento. Por merecimento, era o segundo aumento que recebia em menos de dois anos em Veja. *O primeiro deles fora concedido na semana seguinte à reportagem em que Cleto Falcão, então líder do governo Collor na Câmara dos Deputados, admitira que sua vida nababesca era consequência de doações financeiras de amigos empresários. As amizades milionárias de Cleto* (aliás, esse era o título da reportagem) *financiavam as viagens, os carros de luxo, as roupas, o* jet ski, *os jantares e até os almoços de sábado nos quais ele reunia o presidente da República, ministros, jornalistas e lobistas em sua casa no Lago Norte.*

— Obrigado, Mário. De verdade. Não esperava o prêmio. Foi trabalho de todos...

— Se quiser, revogo.

— Não! — gritei.

Rimos juntos e desligamos. Não falei com ninguém. Driblei todos os outros pedidos de entrevista que chegaram até mim.

* * *

No domingo 24 de maio o presidente Fernando Collor iniciou uma sucessão de erros políticos, todos cometidos sob o embasamento de péssimas avaliações de conjuntura feitas por ele e por seus conselheiros. A escalada culminaria com sua derrubada. Dando curso à sensação pessoal e excessivamente autocentrada de que o caso era contornável no Congresso e o momento exigiria redobrada exposição de autoridade presidencial — e não de diálogo com parlamentares e com formadores de opinião dos meios empresariais e da sociedade civil —, Collor blefou como um jogador de pôquer: oficiou de próprio punho o ministro da Justiça, Célio Borja.

Jurista de formação extremamente conservadora, ex-ministro e ex-presidente do Supremo Tribunal Federal, ex-deputado pela Arena (*sigla criada para dar sustentação ao regime dos generais*), ex-presidente da Câmara, Borja não era nem amigo nem aliado de Collor. Era uma espécie de troféu agregado à equipe ministerial depois das primeiras crises de governabilidade. O presidente pediu-lhe a abertura de uma ação penal contra Pedro, a quem acusava de calúnia. Tomava por base a Lei de Imprensa da ditadura.

Célio Borja entrara no Ministério da Justiça na vaga aberta com a demissão de Jarbas Passarinho, um coronel reformado que ocupou pastas nos governos ditatoriais dos generais Costa e Silva e João Figueiredo. Como ministro durante a ditadura, Passarinho subscreveu o famigerado Ato Institucional nº 5 (AI-5). Esvaziado no papel de negociador político, sem trânsito com a turma palaciana de Collor, Passarinho caíra na reforma ministerial ocorrida meses antes. Borja foi convocado justamente para conferir credibilidade e senioridade à equipe da Esplanada. Também não era amigo de Collor. Não tinham intimidade alguma, muito menos cumplicidade em quaisquer temas. Criterioso, comedido nos gestos, desprovido de ambições materiais, em que pese a vaidade pessoal inversamente proporcional à sua baixa estatura, Célio Borja era o que se podia chamar de Homem de Estado. Jamais se deixaria transformar em jagunço ao desfrute de um governante de plantão.

"Senhor Ministro,

a edição 1.236 da revista Veja, *hoje em circulação, destaca trechos, atribuídos a Pedro Collor, ofensivos à minha honra funcional e pessoal.*

Destaco os seguintes:

1. "O Fernando falou que o jornal iria se chamar Tribuna de Alagoas. Disse também que a Tribuna seria impressa na imprensa oficial do Estado. Então perguntei por que ela não imprimia esse novo jornal na Gráfica do nosso grupo. O Fernando respondeu: Não (p. 19, em anexo).

2. O Fernando não entra no varejo da coisa. Ele apenas orienta o negócio (p. 20 — falando sobre comissão recebida no negócio envolvendo a empresa IBF e o Governo e a implantação da raspadinha federal).

3. O Paulo César diz para todo mundo que 70% é do Fernando e 30% é dele (p. 20 — falando sobre quem recebe o dinheiro, e quanto).

4. Eu não sei se a porcentagem exata é essa (p. 20 — quando indagado se acreditava na parceria).

5. Sim (p. 22 — ao ser indagado se "seu irmão Fernando também consumia cocaína").

6. Eu tive envolvimento com drogas quando era jovem, induzido por Fernando. Ele era um consumidor contumaz de cocaína e me induzia a cheirar, a aspirar cocaína. Aprendi ali, com aquele pessoal que ele me apresentou, aquela coisa toda (p. 25).

Tais afirmações caracterizam o crime de calúnia, como definido no art. 20 da Lei 5.250/67.

Determino, pois, a V. Exa. a requisição de que trata a alínea 'a' do inc. I do art. 40 da Lei de Imprensa, ante o Exmo. Sr. Procurador-Geral da República, a que se instaure a ação penal pública contra Pedro Collor.

Brasília, 24 de maio de 1992.

Fernando Collor de Mello"

Célio Borja foi lacônico e cirurgicamente direto, assertivo e preciso, em seu curto despacho ao procurador-geral Aristides Junqueira Alvarenga.

"Senhor Procurador-Geral,

Formalizo ante a manifestação em anexo do Exmo. Sr. Presidente da República, acompanhada da publicação jornalística, a requisição a V. Exa. Para que possa desencadear contra Pedro Collor a persecução criminal por delito de calúnia.

Atenciosamente,

Célio Borja,

Ministro da Justiça"

* * *

A solicitação do presidente da República, chancelada pelo ministro Borja, encontrou uma Procuradoria-Geral da República (PGR) diferente de tudo o que havia existido em seu lugar na geografia institucional brasileira até a promulgação da Constituição de 1988. Durante os debates da Assembleia Nacional Constituinte, e sob forte influência da estrutura independente do Ministério Público nos Estados Unidos e na Itália, criou-se no Brasil o embrião daquilo que anos depois viria a se tornar efetivamente o "Quarto Poder" republicano. Procuradores independentes não deviam mais respeito ou satisfação ao Poder Executivo, tampouco tinham vínculos funcionais formais com o Poder Judiciário. Aquela conjunção única revelar-se-ia especial, e por vezes perversa, no desenrolar da História nacional.

Ao planejarem Brasília, em 1955, os arquitetos Lúcio Costa e Oscar Niemeyer não tinham previsto a presença de um edifício para o Ministério Público na derradeira aresta vazia da Praça dos Três Poderes. Desde a independência dos Estados Unidos as repúblicas se assentaram na harmonia do tripé de poderes — Executivo, Legislativo e Judiciário. Por isso ali, no lado livre da Praça, está o Panteão da Pátria e não os cilindros de concreto e vidro fumê que sediam a temida Procuradoria-Geral instalada desde o apagar de luzes do século XX num prédio perpendicular ao Supremo Tribunal Federal, às margens da Avenida L-4. Com o passar dos anos o arrivismo de alguns procuradores, a politização de inquéritos e o conluio entre determinados juízes, grupos da PGR e parte da mídia desequilibraram o sistema de freios e contrapesos e desestabilizaram a República brasileira.

* * *

Se os ofícios de Collor e Borja terminaram por estimular núcleos em espaços em que o presidente acreditava ter bombeiros e não incendiários institucionais, no Rio de Janeiro o governador Leonel Brizola, do PDT, tornou-se um aliado improvável do Palácio do Planalto. Exercendo seu segundo mandato como governador daquele estado, eleições vencidas depois do exílio imposto pelos militares durante a ditadura, eram sinceros os temores de Brizola. Ele antevia a possibilidade de nova interrupção na lenta e tortuosa restauração democrática brasileira. Depois de superar a morte de Tancredo Neves, o fiador da transição, mesmo com o conturbado mandato do vice

José Sarney, o país não podia correr o risco de assistir a soluços de retrocesso caso fracassasse o primeiro presidente eleito diretamente desde 1960. Se aquilo acontecesse, acreditava, seria uma derrota da Democracia. Era assim que pensava o engenheiro gaúcho convertido num dos mais populares líderes da esquerda nacional.

Brizola, terceiro colocado no pleito de 1989, também seguia acalentando o sonho de se eleger presidente em 1994 caso fosse bem-sucedido no surpreendente papel de construtor de pontes políticas. Procurou estar presente em todas as frestas por onde transitassem o diálogo e os consensos mínimos destinados a manter avanços constantes em clima de razoável governabilidade. Até então, inclusive e sobretudo durante a crise de 1964 que terminou com a deposição de seu cunhado João Goulart, notabilizara-se por dinamitar essas mesmas pontes e queimar caravelas. "Se fosse por mim, os movimentos sociais e populares tinham dialogado mais e evitado o golpe", disse-me certa vez Miguel Arraes, no Recife, durante entrevista gravada e nunca publicada em *Veja*. "Mas Brizola não queria isso. Queria o conflito. Apostava no avanço em meio ao caos." A divergência na tática separou por anos os dois líderes populares, até mesmo no exílio.

Enfrentando resistência em seu partido, particularmente vinda dos deputados Neiva Moreira, do Maranhão, brizolista histórico; do gaúcho Amaury Müller e do carioca Miro Teixeira; o governador fluminense despachou para Brasília num domingo, dia incomum para articulações de bastidor, o líder de seu partido, Vivaldo Barbosa.

A missão de Barbosa era negociar com o PT, o PCdoB, o PSDB e o PMDB um prazo elástico para que o Ministério Público e a Polícia Federal obtivessem resultado das investigações advindas com o inquérito pedido pela Presidência. A oposição a Collor desconfiava serem meras encenações protelatórias. O risco real, temiam os oposicionistas, era o aparato de Estado trabalhar a fim de desmoralizar o denunciante. Afinal, tratava-se do irmão do presidente da República.

O líder pedetista foi bem-sucedido. Obteve de peemedebistas e de sociais-democratas a trégua solicitada. A oposição estava desunida. A entrevista de Pedro ainda não se mostrava forte o suficiente como argumento capaz de acender o rastilho de pólvora que levaria à explosão de movimentos populares a pedir nas ruas a queda do governo. Cautelosos, homens públicos da envergadura e com a experiência de Ulysses Guimarães, Franco Montoro, Thales Ramalho, José Richa, Mário Covas, Miguel Arraes e o próprio Brizola; além de Luiz Inácio Lula da Silva, liderança mais expressiva do PT, e de Fernando Henrique Cardoso, o "Príncipe da Sociologia" que cumpria mandato como senador por São Paulo; evitavam admitir ser possível a queda de um chefe do Poder Executivo eleito pelas urnas. O trauma de 1964 fez que os nomes mais expressivos da cena política no início dos anos 1990 lessem as acusações de Pedro num conflito acirrado: esgrimindo a Constituição nas mãos e buscando saídas para evitar o uso e a banalização do Artigo 85 da Carta de 1988, promulgada havia pouco tempo. É o tópico do texto constitucional que prevê o *impeachment*.

* * *

O presidente da Câmara dos Deputados, Ibsen Pinheiro, convocou os líderes partidários para uma conversa em sua residência oficial no fim da tarde da segunda-feira, 25 de maio. O senador Mauro Benevides, presidente do Congresso Nacional, sugeriu que os líderes do Senado também fossem.

O requerimento de José Dirceu, do PT, para criação de uma Comissão Parlamentar de Inquérito (CPI) fora agregado a outro, do senador Eduardo Suplicy. A oposição propunha, então, uma CPI mista — abrigada no Congresso, integrada por deputados e senadores. A estratégia era sugestão da assessoria petista. Havia limite de cinco CPIs em funcionamento simultâneo em cada uma das casas legislativas do Parlamento brasileiro. E em ambas esse número fora atingido. Mas o Regimento Comum do Congresso não estabelece quota para comissões mistas funcionarem simultaneamente. Logo, uma CPI comum às duas casas poderia ser instalada de imediato.

Vivaldo Barbosa, porta-voz da ação de Brizola que inocularia o vírus da dúvida entre as lideranças da oposição, argumentava que o irmão do presidente era um mero empresário de expressão regional e poderia recuar nas acusações dependendo do pacote de vantagens que lhe fosse oferecido para tal. Argumentava também, com razão, ser evidente a ausência absoluta de provas no rol de acusações de Pedro.

Economista formado em Harvard, calvo como as caricaturas dos freis de ordens religiosas, dono de um bigode vasto e de um ar meio aparvalhado, não parecia apto para a missão. Barbosa surpreendeu a muitos com o sucesso de sua estratégia protelatória. Era desastrado até ao se mover, sendo capaz de tropeçar nos próprios calcanhares. Informado por Brizola do estado da arte nas negociações em torno da instalação da CPI o deputado Amaury Müller, gaúcho que perfilara na linha de frente do combate aos militares desde os tempos do bipartidarismo, não titubeou. Exercitou o sarcasmo contra seu chefe partidário.

— É um erro esse adiamento, Brizola. Aliás, a existência de Vivaldo é a prova de que Harvard também erra!

Riram juntos. Mas a Comissão Parlamentar de Inquérito, mista ou não, estava adiada.

* * *

Em que pese o sucesso da manobra diversionista da dupla Brizola-Vivaldo, o governo federal se fragilizava no transcorrer das horas. Não era mais necessário o interstício de semanas ou de dias para contabilizar desgastes. Na esteira do noticiário em torno das acusações de Pedro ao irmão e presidente Fernando Collor e do avançado estágio de instalação do núcleo de investigações parlamentares, o ministro-chefe da Secretaria de Governo Jorge Bornhausen apôs uma nódoa na biografia que construíra como político de análise fria e tarimbado ao negociar com seus pares.

"Essa CPI não vai dar em nada", disse Bornhausen, ao ser entrevistado numa coletiva, respondendo a um repórter que afirmava haver maioria para aprovar o requerimento da Comissão Parlamentar de Inquérito. Ainda completou: "Em geral, CPIs não dão em nada". Precursor daquilo que anos depois se tornou anedoticamente conhecido como "marketing reverso", Bornhausen cuidou de incendiar a reunião de deputados e senadores que se prenunciava morna.

A residência oficial da Câmara é uma casa espartana e impessoal, como em geral são as edificações não-monumentais projetadas por Niemeyer. A ampla sala retangular tem visão total para o Lago Paranoá na QL 12 do Lago Sul. Naqueles tempos, em fins do século passado, usar ar-condicionado ainda era opção minoritária numa Brasília onde a temperatura se situava entre o agradável e o frio. Os janelões da casa ocupada por Ibsen Pinheiro ficaram abertos no transcurso do tenso encontro entre líderes partidários da Câmara e do Senado. A trégua brizolista foi posta à mesa e acolhida com reservas, quando devia haver entusiasmo, pelo experiente senador Marco Maciel do PFL pernambucano. "Não vamos nos precipitar aos fatos. E se esse rapaz, Pedro Collor, recuar no que disse? Como ficamos todos nós? Desmoralizados?", ponderou ele cartesianamente como de hábito. "Sabemos que as consequências vêm sempre depois." Maciel era aliado do bom senso antes de ser um fiel escudeiro de Collor.

Ao menos para mim era possível escutar a reunião. Um dos ajudantes de ordens da presidência da Câmara se tornara meu amigo e não impôs reservas para me ajudar. Ao me identificar em meio aos repórteres destacados para o plantão na porta da residência oficial da Câmara, sacou-me do pelotão e levou-me para beber água no pequeno escritório contíguo ao salão onde ocorria a reunião dos parlamentares. A entrada era lateral, pelo jardim para o qual abriam as generosas janelas. A acústica peculiar da região do Lago Paranoá, que permite um sussurro dito numa margem ser escutado na outra, canalizou a conversa até meus ouvidos.

— Posso ficar aqui? Melhor do que lá. Pelo menos tem água fresca e café quente — pedi. Aprendi nas esparsas aulas de um curso jurídico incompleto que o direito de pleitear qualquer coisa, mesmo as mais absurdas, é universal.

— Café, água e informação, né? Pode, claro. Trouxe você por isso.

Era o começo de uma corrente solidária que me ajudaria muito a partir dali. Solidariedade pelo furo dado. Conhecia-a naquele episódio, beneficiei-me dela e sofri com sua antípoda perversa: a inveja, a detração, as minas estrategicamente distribuídas em diversos caminhos que trilhei. Minas destinadas a me fazer explodir.

Maciel deixou a reunião antes dos demais. Reservado, não era dado a prolongar encontros profissionais além do necessário. Ouvi-o começar as despedidas e contornei o jardim para voltar à porta principal da residência oficial da presidência da Câmara. Ao me ver, o senador saudou-me com a cordialidade de sempre.

— Ora, puxa, Costa Pinto. Saudações tricolores!

Assim como eu, ele torcia pelo Santa Cruz. O estádio do Arruda, que pertence ao nosso time, tem o nome do pai dele — José do Rego Maciel, ex-prefeito do Recife. Marco Maciel havia sido aluno de meu avô no colégio jesuíta da capital pernambucana, o Nóbrega. Poucos anos antes ele fora o único não-membro de nossa família a falar na missa de 7º dia da morte do "professor Mariano", como o chamavam as gerações de ex-alunos que reconheciam em meu avô um mestre que ia além da Matemática. Esse fato prosaico cimentara entre nós uma relação que extrapolava o convívio de uma fonte leal com um repórter aplicado. Descontada a idade, era quase uma amizade.

Ele fez sinal para que eu entrasse no seu carro. No banco de trás conversaríamos à vontade até o motorista deixá-lo na Biblioteca do Senado. Maciel era o único parlamentar que frequentava com assiduidade o bom acervo do Poder Legislativo. Improvisara ali até um gabinete de despachos. Depois de cruzarmos o mar de jornalistas no portão da casa de Ibsen, para os quais acenou de vidro aberto e deu declarações vazias — não por acaso ele tinha o anedótico apelido de "líder do Movimento dos Sem *Lead*" (lead, *nos textos jornalísticos, é o primeiro parágrafo onde a boa técnica recomenda que estejam condensadas as informações centrais daquilo que se deseja reportar*) — voltou-se para mim:

— O presidente vai soltar uma carta agora. Não sei se apenas divulgará pelo Palácio, ou se fará um pronunciamento.

— Dizendo o quê?

— Vai atacar o irmão e dizer que são denúncias vazias e sem provas.

— Mas ele tem provas contra a ausência de provas, senador?

— Não. Costa Pinto, acho que vamos viver dias muito difíceis. Quando a gente olha no olho do presidente, não consegue enxergar sinceridade. É uma presidência sem princípios. Não se pode exercer o poder sem princípios. Mas vamos esperar.

Saltamos no subsolo do Senado. Ele subiu para a Biblioteca. Eu tomei o meu rumo. Cheguei ao Comitê de Imprensa junto com a informação do pronunciamento presidencial, naquela noite, em cadeia de rádio e TV. Collor, em que pese não estar em condições emocionais para gravar uma fala, ainda assim o fez. Tão logo a gravou, liberou um texto manuscrito em papel timbrado do gabinete presidencial com sua caligrafia. Intitulou-o "Carta aberta à Nação brasileira". Ele gostava de dar solenidade tonitruante aos seus dramas. No vídeo de poucos minutos, deixou-se filmar do tórax para cima. Camisa branca e gravata listrada em azul. Bandeira do Brasil atrás do ombro direito. O rosto não escondia os vincos, apesar do esforço de maquiagem.

"*Venho, pois, pedir desculpas à Nação brasileira pelo desassossego que denúncias falsas e mentirosas de meu irmão* têm causado desde o último fim de semana", disse o presidente. "*Espero que todas as denúncias sejam exemplarmente apuradas.*" Em seguida, anunciou a abertura da ação penal por meio do ministro da Justiça. Queria, assim, aplacar o ânimo investigativo dos congressistas. Entretanto, sem atacar PC Farias, sem demonstrar disposição de entregar seu amigo e ex-tesoureiro de campanha, o presidente da República perdeu a credibilidade até de quem resistia a dar as mãos à oposição mais à esquerda.

Na manhã da terça-feira 26 de maio de 1992, formou-se um consenso parlamentar em torno da necessidade de ampliar as investigações. A CPI mista, com 22 integrantes, onze deputados e onze senadores, teria o requerimento lido no plenário do Congresso Nacional no dia 28 de maio. Marcou-se a sessão inaugural dos trabalhos para 1º de junho. O intervalo era prazo mais do que suficiente para se trabalhar recuos, apelar ao "senso de responsabilidade republicana" dos protagonistas (*forma elegante de impor:*

diga seu preço e submeta-se, sumindo da cena) e vislumbrar saídas menos imprevisíveis do que abrir os escaninhos e os arquivos pessoais da família do presidente da República e uma Comissão Parlamentar de Inquérito.

* * *

De volta à suíte presidencial do Hotel Maksoud, em São Paulo, onde no dia seguinte daria uma entrevista coletiva a fim de revelar os resultados dos exames de sanidade mental aos quais se submetera, Pedro Collor encontrou uma carta manuscrita. Era a letra de Dona Leda. O envelope com o monograma "LCM" estava ao lado de um vaso de rosas vermelhas, entremeadas por cravos brancos. Ao me contar a forma como encontrou a carta, ele encheu os olhos d'água.

> *"Pedro, meu filho querido,*
>
> *Estou te enviando esta para que tomes conhecimento com rapidez do abundante, pernicioso e malicioso noticiário a que nos expõe a gravíssima crise em que estamos imersos: tu, eu, Fernando, a família, nossas empresas e as instituições brasileiras.*
>
> *Nesta hora em que está se iniciando a realização de uma conferência que vai reunir no RioCentro mais de 100 chefes de Estado que vão ver de perto e transmitir a seus países este cenário lamentável de acusações tão graves quanto imprecisas, a solução a que a razão e o bom senso indicam é que o exame médico a que estás te submetendo confirme o que está todo o mundo vendo claramente hoje: que teu estado de profundo estresse indica teu afastamento imediato do cenário deste incêndio em que a fumaça não te deixa ver claro as tuas responsabilidades.*
>
> *Com as credenciais de quem nunca te faltou em todas as contingências e com a solidez inabalável do meu amor de mãe que também nunca esmoreceu em qualquer circunstância de maior amenidade entre nós, suplico hoje que te ausentes o quanto antes deste cenário atordoante e que, com uma viagem ao exterior, procures descansar e cuidar de tua saúde abalada por tantos e tão duros embates.*

Quero afirmar que obviamente poderás recorrer sempre aos recursos que te forem necessários. Recursos gerados, proclamo com orgulho, pela tua excelente e proba administração. Ao terminar, peço-te que restaures em mim, o quanto antes, a total confiança que sempre tive em tua conduta. Confiança que é um dos mais sólidos esteios de minha estabilidade física e emocional.

Tua sofridíssima,

Mãe."

Enquanto Pedro lia emocionado e impassível o bilhete quase desesperado de Dona Leda, Thereza atendia à ligação de um dos médicos da junta que examinara o marido. Ele pedia a presença obrigatória dela no anúncio público do diagnóstico, no dia seguinte. Fora montada quase a estrutura de um espetáculo *pop* no auditório do Hotel Maksoud. Imprensa e convidados estariam lá. Rádios fariam transmissão ao vivo. Os principais telejornais montaram *links* para *flashes* no meio da programação vespertina. A mulher do homem que virara atração nacional teve presságios dramáticos em consequência daquela convocação. "Pronto, vão dizer que Pedro é louco e me pediram para estar presente porque devo dar ajuda a ele nesta hora difícil", pensou Thereza. Esses temores só foram confessados por ela dias depois.

Desde a gravação da entrevista para a *Veja* e até a segunda-feira seguinte ao dia que a revista começara a circular, Pedro Collor se submetera a exames de ressonância magnética do cérebro, a eletroencefalografia computadorizada, a eletroencefalografia quantitativa e mapeamento eletroencefalográfico computadorizado, a teste de Rorschach para avaliação de personalidade (consiste na apresentação ao paciente de ao menos 10 cartões com manchas monocromáticas e coloridas. Dependendo do que o paciente depreende das manchas, e da interpretação que dá àquilo que vê, traça-se um perfil psicológico parcial) e anamnese (série de entrevistas psiquiátricas).

Na tarde de 27 de maio de 1992, enquanto o requerimento de instalação da Comissão Parlamentar Mista de Inquérito era lido numa sessão conjunta do Congresso Nacional, em Brasília, o próprio Pedro Affonso Collor de Mello encarava câmeras de TV, microfones de rádios e gravadores no salão de um hotel de luxo em São Paulo, para garantir ao país que não estava louco:

"O probando compareceu em dia e hora indicados, mostrando-se cooperante, estabelecendo bom contato com os examinadores, tendo respondido às questões de forma clara e ordenada. Durante a entrevista, abordou fatos atuais de sua vida, expressando-os com intenso colorido afetivo. Apresentou-se lúcido, orientado auto e alopsiquicamente, sem evidenciar distúrbios da atenção e da memória. As funções intelectuais e cognitivas mostram-se preservadas. Seu estado afetivo por vezes influenciou sua capacidade crítica. Não se evidenciaram alterações quanto ao curso e aspectos formais do pensamento, assim como ideias delirantes. Igualmente não se identificaram distúrbios de sensopercepção. Observou-se discreta exaltação de ânimo, congruente com a situação conflitiva que vivencia atualmente. O exame não mostrou alterações da psicomotricidade e da capacidade pragmática.

O presente relatório não tem como objetivo emitir um julgamento a respeito dos fatos que estão ocorrendo e que são de domínio público. Visa sim, a pedido do próprio interessado, verificar seu estado mental, particularmente sua capacidade de gerir sua própria vida. Como uma fotografia, oferece um corte transversal da vida psíquica, emitindo uma opinião psiquiátrica para seu estado mental atual.

O probando, na entrevista clínica, que se expressou no exame psíquico, não apresentou nenhum elemento que fizesse suspeitar de quadro psiquiátrico atual. Em que pese a presença de características como impulsividade, agressividade, baixa tolerância ao estresse, não encontramos traços suficientes para o diagnóstico de nenhum dos distúrbios da personalidade descritos nos sistemas classificatórios.

A ressonância magnética do encéfalo mostrou a existência de uma lesão vascular localizada na região parietoccipital direita. Esse achado foi discutido com diversos especialistas, sendo consensual a ideia de que esta malformação arteriovenosa não está causando qualquer déficit neurológico.

Concluímos que o senhor Pedro Collor de Mello encontra-se no momento apto a realizar todos os atos de responsabilidade civil, não apresentando nenhum diagnóstico psiquiátrico.

Miguel Roberto Jorge,
José Alberto Del Potro,
Marcos P. de Toledo Ferraz,
Professores-doutores da Escola Paulista de Medicina.
São Paulo, 27 de maio de 1992."

* * *

A precaução da junta médica em certificar-se da presença de Thereza dera-se em razão do angioma diagnosticado no lobo direito do cérebro do marido. Era um problema congênito, nunca diagnosticado antes, que poderia levar à ruptura de vasos sanguíneos e provocar, eventualmente, um acidente vascular cerebral caso o paciente fosse submetido a situações de intenso estresse e a episódios de alta ansiedade. Era tudo o que ocorria. O angioma, contudo, jamais se configuraria um problema para Pedro. O irmão do presidente Fernando Collor, autor das revelações que levaram à derrubada de um governo por *impeachment* pela primeira vez na História de uma República, morreria dois anos depois em decorrência de metástase no cérebro de um melanoma (câncer de pele) extremamente agressivo (*o desfecho dessa tragédia particular estará mais adiante, no transcurso dessa saga política brasileira*).

Almocei no Maksoud antes do espetáculo que seria a leitura do laudo de sanidade de Pedro. Boa parte dos jornalistas que cobririam o evento teve a mesma ideia. No grupo, sentado despojadamente numa das poltronas do café do *lobby* do hotel, identifiquei o cineasta Arnaldo Jabor. Ele era colunista da *Folha de S. Paulo*. Eu tinha para com Jabor uma dívida de gratidão inconfessa por seu melhor filme, *Eu sei que vou te amar*, de 1986. A película virara um *hit* nos cursos de comunicação e afins quando fora lançado e representava uma das melhores expressões de nossa produção cultural. Não o conhecia. Apresentei-me a ele em um ato quase incontido de tietagem. Fui bem recebido. Conversamos com outros repórteres. Quis saber por que ele estava ali, se o assunto não era exatamente sobre os temas que costumava escrever.

— Meu jovem, escrevo sobre dramas, sobre tragédias. Estou aqui porque é chance inédita de testemunhar uma tragédia nacional enquanto ela ocorre.

Sorri. Calei-me. Guardei a resposta. Era a melhor definição para descrever o momento, mas poucos divisavam com tal precisão o que ainda era muito contemporâneo.

Dirigimo-nos ao auditório. Pedro e Thereza saíram de trás de um tapume, como se entrassem num palco resgatados das coxias de um teatro. Estavam de mãos dadas. Acreditei ter escutado um ensaio de aplausos, alguns suspiros, uma ou outra frase de apoio. As câmeras até tentaram focar Pedro, mas aquele foi o exato momento em que Thereza Pereira de Lyra Collor de Mello se converteu na "cunhadinha do Brasil". Ela estava deslumbrante num *tailleur* quadriculado vermelho, listras azul-marinho e brancas, botões dourados. A saia era mais curta do que recomendaria a prudência. Como supus durante a gravação da entrevista na casa deles em Maceió, a esposa de Pedro seria elemento fundamental para a popularização do escândalo. A beleza, a naturalidade do sorriso jovial, o olhar de quem parecia observar o entorno e sempre guardar mais do que falava a transformariam instantaneamente numa coadjuvante poderosa e de grande apelo e personalidade naquela rinha entre os irmãos.

Não por acaso, logo depois que o marido leu o diagnóstico sobre si, indiferente a distância que guardava dos microfones, foi Thereza quem deu o *lead* à boa parte dos jornalistas presentes:

— Quero ver quantos membros da família Collor de Mello podem se submeter a essa bateria de exames e obter os mesmos resultados — disse.

O desafio fez com que convergissem os *flashes* até o ponto da mesa em que se encontrava.

O alívio na plateia era quase geral. Até eu estava aliviado. A tese de um Pedro Collor louco, apedrejando verbalmente o presidente por descontrole emocional, caíra por terra. Com a autoconfiança renovada, ele decidiu transformar a leitura do laudo em entrevista coletiva improvisada. Seguidamente advertido por seus advogados, que já lidavam nos tribunais com as primeiras queixas-crime e ações civis abertas pelo presidente da República e por seu ex-tesoureiro PC Farias, ensaiou um recuo.

— Você tem provas dessas acusações que fez na entrevista? — quis saber um dos jornalistas presentes.

— Querido, deixa eu te explicar: mantenho as denúncias na forma como foram feitas. Eu não tenho provas do que falei. As provas que tenho já foram publicadas, são aquelas que saíram na revista. O que disse na entrevista não tem provas. Mas ninguém vai negar.

Dali a poucos dias a comissão de inquérito do Congresso se iniciaria. Dita daquela maneira, respondendo à insistente pergunta sobre provas, e era tão lógico quanto esperável que a cobrança fosse feita, o denunciante do presidente fornecia o fôlego que o governo Collor precisava para esboçar uma reação. Não só isso: horas depois daquela entrevista o advogado de Paulo César Farias, o criminalista Antônio Cláudio Mariz de Oliveira, ingressou na Justiça de Alagoas com uma concisa ação de 24 páginas contra Pedro pedindo a condenação dele por 18 calúnias, 15 difamações e 3 injúrias que teriam sido cometidas contra PC. A retirada das ações foi uma oferta derradeira feita pelo Palácio do Planalto e pela defesa do empresário alagoano para que o recuo fosse mantido no depoimento do irmão do presidente no Congresso Nacional.

* * *

Segunda-feira, 1º de junho de 1992, 14h. A Comissão Parlamentar Mista de Inquérito reuniu-se com 22 integrantes titulares e 22 suplentes no Plenário de número dois das Comissões do Senado Federal. O espaço era relativamente acanhado para a dimensão histórica que o evento assumiria a partir dali. Nenhum dos líderes partidários admitia, mas quer fossem governistas, quer oposicionistas, todos sabiam que os antecedentes ocorridos na Casa e no país davam razão plena ao ministro-chefe da Secretaria de Governo Jorge Bornhausen: CPIs nunca levavam a nada. A partir delas sempre eram construídos acordos políticos em torno das investigações, deixando-se de punir os investigados com maior influência política ou econômica.

A sala designada pelo presidente do Senado para o funcionamento da CPI do PC, como a comissão de inquérito se tornou rapidamente conhecida, não era sequer o mais espaçoso e confortável dos plenários secundários do Parlamento. Era menor do que o auditório em que se reunia a Comissão de Constituição e Justiça do Senado. E muito menos acessível à imprensa e ao público externo do que a sala em que estava sediada a Comissão Mista de Orçamento.

Àquela época não existia ainda o canal corporativo de televisão dos senadores, muito menos alguma preocupação de registro de imagens da íntegra dos acontecimentos. Em razão disso, inexistia a preocupação em ambientar os espaços legislativos para torná-los amigáveis às transmissões por imagem e áudio. Às costas da mesa retangular de pau-ferro que fazia as vezes de bancada para a presidência e a relatoria dos trabalhos via-se um crucifixo descentralizado, uma foto ampliada de uma antiga sala de comissões do velho Senado do Império, dos tempos em que ele funcionava no Palácio Monroe no Rio de Janeiro, e um antiquado relógio-calendário que registrava hora e data em placas de alumínio pintadas — números e letras brancas em fundo preto, com armário de aço verde. Um *design* típico do fim dos anos 1960, começo dos anos 1970.

Diante da bancada de comando dos trabalhos, em posição contrária e quinze centímetros abaixo dali, retábulos semelhantes também de pau-ferro, nos quais deviam sentar os parlamentares integrantes da Comissão Parlamentar Mista de Inquérito (CPMI). Eram sete filas de mesas retangulares. Atrás deles, algumas poucas cadeiras para jornalistas, lobistas profissionais e curiosos. Nas laterais, em pé, assessores e mais curiosos, lobistas e jornalistas. Pelo prazo de 45 dias acordado entre os subscritores do Requerimento 052/1992 do Congresso Nacional era aquele o espaço físico em que se situava o centro nevrálgico de alguns dos acontecimentos políticos destinados a remodelar o Brasil contemporâneo. A sala de sessenta metros quadrados, lambri de gesso no teto e carpete de um verde quase cinza de tão gasto iria se agigantar aos olhos dos brasileiros. Contudo, na gênese dos grandes conchavos brasilienses, tudo fora planejado para que o Auditório 2 do Senado Federal cumprisse um papel bem menos honorável.

Pinçado dos quadros do PFL da Bahia, o presidente da CPI seria um deputado de baixo clero: Benito Gama. Até então, ele não conseguira se desvencilhar do controle férreo mantido pelo cacique conservador Antônio Carlos Magalhães sobre a carreira e o desempenho de seus correligionários regionais. A missão passada pelo chefe do clã político era ouvir os depoentes de praxe — Pedro Collor, Paulo César Farias e mais meia dúzia de personagens — e traçar um plano de ação. De um lado, que desse a sensação ao país de que algo estava sendo feito e, de outro lado, sossegasse os atores das cenas política, institucional e econômica afastando riscos de solavancos maiores para o governo Collor. Dessa forma, Benito devia fazer a CPI funcionar e depois arquivar a denúncia por ausência de provas.

— Senhores, lerei a finalidade para a qual essa CPMI foi criada — anunciou Gama em sua primeira intervenção aos pares. — Ela ao mesmo tempo delimita e circunscreve nossa atuação: "*Apurar os fatos contidos nas denúncias do senhor Pedro Collor de Mello referentes às atividades do senhor Paulo César Cavalcante Farias, capazes de configurar ilicitude penal*".

Um começo de balbúrdia se instalou na sala. O burburinho cresceu a ponto de ganhar ares de gritaria. Uns protestavam contra a delimitação das investigações. Outros, pela retirada da indicação explícita da intenção de se apurar ilicitudes contra o presidente Fernando Collor de Melo. Benito Gama soou energicamente a campainha destinada a alertar a todos que mantivessem silêncio na sala. Fez isso a primeira, a segunda, a terceira vez. O deputado cearense Jackson Pereira, do PSDB, bancário de profissão, revelou-se um dos mais inconformados. No terceiro toque da campainha acionada por Benito o senador Mário Covas, líder do PSDB, engenheiro de ofício, uma das vozes mais graves e respeitadas daquela e de legislaturas anteriores e posteriores, interpelou o companheiro de partido.

— Jackson, o que você quer? Atrapalhar? É hora de ficar em silêncio e ouvir.

— Senador, o governo já ganhou a primeira batalha ao tirar o nome do presidente do objetivo da CPI. Isso não vai dar em nada mesmo, como disse o Bornhausen.

Em primeiro mandato, Pereira não era páreo num debate sobre os meandros da ação de oposição no Congresso. Muito jovem ainda, Covas liderara o bloco de oposição em 1968 (*os partidos haviam sido extintos em 1965, por ordem dos militares*) quando o AI-5 fechou o Congresso Nacional. Proscrito da vida política pelos dez anos de vigência daquele Ato Institucional, retomou a carreira de engenheiro entre Santos e São Paulo sem deixar de auxiliar ações clandestinas de resistência à ditadura.

— Jackson, você é novo aqui — disse Mário Covas com seu inconfundível tom de barítono e mania de olhar direto para os olhos do interlocutor. — Sossegue. Se a gente quiser expor todos os males do presidente e do governo dele teremos de começar com o básico: levantando provas. Se elas existirem, eu te garanto que Collor não fica mais nem dois meses no cargo.

O presidente da CPI conseguira, enfim, o silêncio almejado ao acionar com vigor as campainhas. Assim, chamou a surpresa do dia, para estar ao seu lado na bancada.

— Senador Amir Lando, convido-o a se apresentar aos nobres colegas a fim de fazermos a votação regimental de seu nome para o cargo de relator dessa CPI.

No Congresso, raros eram os deputados, e mesmo os senadores, que sabiam até aquele momento quem era e o que pensava o gaúcho Amir Lando. Advogado dedicado ao Direito Agrário, radicado em Rondônia, Lando chegara ao Senado por obra do acaso. Era suplente do senador Olavo Pires, eleito em 1986 e assassinado em Porto Velho em 1990. Não se podia dizer que fosse um político de ambições maiores que os ermos limites rondonienses, nem sequer fora a primeira opção do PMDB para assumir a relatoria. Também não foi a segunda opção. Ficara com a incumbência porque a sigla, à qual estava destinado o cargo de relator por determinação das regras do Regimento Comum das duas Casas parlamentares, não possuía um cardápio maior de nomes disponíveis para redigir um relatório dócil ao Planalto ao mesmo tempo em que fingiria investigações implacáveis.

A escalação de atores do elenco "B" do Congresso, para atuarem numa tragédia republicana que ainda não tivera o roteiro totalmente traçado, revelar-se-ia desastrosa para quem duvidava da ocorrência do imponderável na política, vendo-a como ciência exata.

Lando não teve adversários na disputa pela relatoria. O senador gaúcho Pedro Simon desejou o posto, mas foi vetado pelo presidente do PMDB, Orestes Quércia. Os dois se tornaram inimigos figadais em 1989, quando o ex-governador paulista tentou retirar o apoio do partido à candidatura de Ulysses Guimarães à Presidência da República. Quércia desejava ser o candidato do maior partido do país na eleição que marcava o reencontro dos brasileiros com as eleições diretas para presidente. Simon, à época governador do Rio Grande do Sul, inviabilizou a manobra enredando os ardis quercistas para Dona Mora, mulher de Ulysses. Isso permitiu que o ex-presidente da Constituinte e da Câmara, um dos parlamentares que mais se destacaram no combate ao regime militar, isolasse Quércia e fosse candidato. Os predicados republicanos e a vasta experiência parlamentar, contudo, foram insuficientes para alavancar votos. Ulysses amargou o sétimo lugar entre os 22 candidatos presidenciais, obtendo 4,73% dos votos válidos.

Líder do PMDB no Senado, o paraibano Humberto Lucena vetou o nome de seu colega do estado, Antônio Mariz. Sobrevivente dos primeiros ventos de modernização da política, Lucena temia cacifar Mariz na Paraíba e perder o controle da oposição regional. Essas diminutas trapaças pelo uso do fígado, e não do cérebro, na hora de fazer política guindaram Lando à relatoria da CPI que inaugurou no Parlamento brasileiro um novo roteiro: comissões parlamentares de inquérito, enfim, poderiam chegar a algum lugar.

A renovação na equipe ministerial efetivada em abril de 1992, quando Collor convocou aqueles a quem chamava de "os profissionais do PFL" para sua equipe e abriu a Esplanada para vestais da sociedade civil que tinham alguma atuação política como Marcus Vinícius Pratini de Moraes e Adib Jatene, rapidamente se revelou inócua na contenção de danos no Parlamento. Filiados ao Partido Democrático Social (PDS), herdeiro da Arena, controlado pelo controverso, suspeito e ultraconservador Paulo Maluf —, Pratini e Jatene estavam à frente respectivamente dos ministérios da Indústria e Comércio e da Saúde.

O primeiro, gaúcho, era reconhecidamente um dos mais competentes gestores de relações com os *players* na área de importação e exportação. Integrara a equipe do ex-ministro Delfim Netto, no Planejamento e na Fazenda, durante o período militar. O segundo, paulista, auxiliara o renomado cirurgião Euryclides Zerbini no primeiro transplante de coração realizado no Brasil, firmara nome como um dos mais competentes cirurgiões cardíacos do país e não conhecia desafetos na Academia.

Ainda assim, numa vendeta prosaica da micropolítica catarinense, o líder do PDS no Senado, Esperidião Amin, adversário local ferrenho do ministro Jorge Bornhausen, apunhalou o presidente e seu governo pelas costas na madrugada anterior à instalação da Comissão Parlamentar de Inquérito.

Brasília fora dormir no domingo 31 de maio com a certeza de que o Palácio do Planalto controlaria a comissão destinada a investigar as denúncias de Pedro Collor por uma maioria magra de doze votos contra dez. Irritado com Bornhausen, que dificultava a liberação de um socorro financeiro de emergência a 60 mil desabrigados de uma enchente em curso em Santa Catarina, Amin consultara o colega gaúcho José Paulo Bisol. Integrante do PSB, Bisol era um ex-juiz de conceitos duros e de firmeza marcante nas sessões inquisitoriais. Amin o queria para preencher uma das duas vagas destinadas a senadores pedessistas. Os dois se encontraram por acaso no elevador do prédio funcional em que moravam. O líder do PDS sabia que a designação do gaúcho imporia uma derrota imensurável ao desafeto provinciano. O ex-juiz começava a ganhar protagonismo no Senado. Tivesse ocorrido três décadas depois, dir-se-ia na linguagem dos aplicativos de namoro que "deu *match*". Ou seja, quando há aprovação mútua e isso possibilita marcar um encontro.

— Aceito, desde que não precise ter nenhuma relação de dependência com você, com o governo ou com o PDS — certificou-se Bisol.

— Nenhuma. Quem seria eu para impor tamanha pequenez a um eminente juiz, nobre senador? — respondeu Amin sem abandonar a sua principal característica: o sarcasmo e as autopiadas seguidas de um sorriso amplo e sonso que une os lábios às orelhas e vinca a interminável testa calva.

Trato feito entre os senadores do PDS e do PSB, Esperidião Amin improvisou uma reunião em pé na antessala do plenário em que funcionaria a CPI do PC e comunicou o fato àqueles que integrariam a comissão. O roque entre os dois congressistas sulistas surpreendeu e desestruturou a linha de defesa do governo, que passava a ser minoria pelo mesmo placar de doze oposicionistas contra dez governistas no foro destinado a investigá-lo. Um dos parlamentares presentes, dono de bom trânsito palaciano, telefonou de pronto para a Secretaria-Geral da Presidência. Foi atendido por um Bornhausen enfurecido.

— Traição radical. Ele não podia ter feito isso — protestou o ministro contra o ardil de Amin.

— Fez. Como reagir?

Os governistas retardaram o início dos trabalhos da CPI e recorreram ao presidente do Senado e do Congresso, Mauro Benevides, para que aceitasse uma intervenção regimental na indicação dos integrantes da comissão. A ideia do exército desconexo do Planalto era impor um nome do Partido Democrata Cristão (PDC), próximo a Collor, no lugar de José Paulo Bisol. Foi a vez então de o deputado José Genoíno, líder do PT, revelar-se o temido regimentalista — marca maior que deixou em sua longa atividade parlamentar. Aquele diferencial competitivo de Genoíno, ex-guerrilheiro das pelejas contra a ditadura que conhecia como poucos as entrelinhas e as omissões dos regimentos da Câmara dos Deputados e do Congresso Nacional, era o responsável por grande parte das vitórias da oposição no Parlamento. O petista era capaz de paralisar votações por dias a fio, promovendo obstruções que impunham derrotas às maiorias governistas.

— Nobre presidente Mauro Benevides, o senhor não pode permitir essa troca. A designação de componentes das comissões, seja das comissões regulares, seja das extraordinárias como uma CPI, é prerrogativa exclusiva dos líderes.

— Mas podemos entrar num acordo — argumentou Benevides, cearense de fala mansa e gestos políticos placidamente largos. Sabia, como poucos, fazer política buscando consensos.

— Sem acordo, presidente. Se o senhor impuser isso, vamos recorrer às comissões de Constituição e Justiça da Câmara e do Senado, e até ao Supremo Tribunal Federal. O senhor sabe que perde. Por que vai brigar com arma ruim numa guerra que não é sua?

Filiado ao PMDB do Ceará, forjado também na resistência aos militares, eleitor de Ulysses Guimarães no primeiro turno de 1989 e de Lula no segundo turno, Benevides interrompeu a manobra governista e manteve a oposição como detentora da maioria dos votos na comissão parlamentar de inquérito que investigaria as denúncias de Pedro Collor.

Derrotado no primeiro dia dos trabalhos, profissional exemplar do ofício da política, Jorge Bornhausen tratou de reconstruir imediatamente as pontes com os parlamentares. Enviou por *fax* a uma assessora que se plantara no plenário dois do Senado, de onde transmitia relatórios circunstanciados do andamento da sessão, um bilhete endereçado a Benito Gama. O texto era ao mesmo tempo um recuo em relação ao vaticínio de que CPIs não davam em nada, e um pedido de desculpas.

"*A qualidade dos membros integrantes da presente CPI e a vigilância da opinião pública são circunstâncias decisivas para levar essa Comissão Parlamentar de Inquérito à veracidade dos fatos*", escreveu o ministro.

Benito leu o texto para os colegas. Em meio a aplausos envergonhados dos governistas e do silêncio obsequioso da oposição, acordou-se que o episódio estava superado.

* * *

Assim como o Governo, os jornalistas também precisavam constituir suas maiorias dentre os integrantes da comissão de inquérito: quais seriam aqueles que contariam as melhores histórias, cujas reconstituições de fatos seriam mais confiáveis? Quem vazaria documentos? Qual deles podia ser considerado obreiro de versões oficiais? Tanto na base governista quanto no grupo de oposicionistas, cada um de nós precisava forjar boas fontes. Valia o mesmo entre os integrantes do grupo de assessores que teriam acesso aos documentos a serem remetidos para a comissão.

Tratei de fazer um inventário de meus relacionamentos com os integrantes da Comissão Parlamentar de Inquérito e com a assessoria profissional do Congresso. O pontapé inicial das investigações seria dado a partir da entrevista e do dossiê publicados por mim. Isso certamente representava alguma vantagem na cabala por criar ou melhorar interlocuções com o plantel de fontes daquele plenário — era uma frente tênue, mas não deixava de ser uma margem confortável. Contabilizei quatro oposicionistas e três governistas dentre os protagonistas com os quais podia contar. Deles, diria até que eram excelentes fontes pessoais. Não estavam nesse grupo o presidente da CPI, Benito Gama, nem seu vice, o senador Maurício Correa. Muito menos o desconhecido relator Amir Lando. Eu não tinha relação alguma com esse trio e precisava esmerar-me na construção daqueles canais que me levariam aos mananciais.

Benito foi a primeira e mais pragmática aposta. Afinal, podia me dar notícias dos bastidores da comissão de inquérito e do Palácio do Planalto ao mesmo tempo. Filiado ao PFL, durante a Constituinte foi um soldado aplicado do bloco chamado Centrão. Ricardo Fiúza era o general de exército deles. Recorri à minha velha e boa fonte para fazer as apresentações. Àquela altura Fiúza estava integrado à equipe ministerial de Collor. Fora nomeado ministro do Bem-Estar Social. Sucedera a uma alagoana, Margarida Procópio. O ministério dado a Fiúza detinha uma das maiores dotações orçamentárias de todo o Governo Federal. Ele deixara em seu lugar na liderança pefelista o deputado Luís Eduardo Magalhães, filho de Antônio Carlos e herdeiro em linha direta do caciquismo baiano. Logo, concessionário de alguma autoridade sobre Benito.

— Passe na liderança do PFL, na hora do almoço, e se apresente ao Luís Eduardo — recomendou-me Fiúza. — Ele saberá o que fazer.

Já havia cruzado com o filho de Antônio Carlos Magalhães em eventos sociais, almoços e jantares. Fomos apresentados pelo jornalista de *O Globo* Jorge Bastos Moreno, exemplar da típica "grande figura humana" que outrora habitava redações. Inteligente, dono de uma implacável generosidade seletiva, Moreno podia também se revelar invejoso, persecutório e amargo. Por longos anos naveguei com suavidade no oceano de amigos dele que flutuavam em torno do arquipélago de virtudes do repórter global. Nos últimos anos da vida de Moreno, as correntes marítimas turvadas pelas intempéries dos relacionamentos jornalísticos, envenenadas por fenômenos exógenos à nossa amizade, insistiram em desviar-nos um do outro. Lançaram-nos no poço comum dos desafetos e das maledicências recíprocas. Tornamo-nos amigos silenciosos, latentes, distantes.

— Entra Lulinha, amigo de Jorge Bastos! — saudou-me Luís Eduardo.

O deputado não falou aquilo à toa. Moreno estava na sala. Mesmo ainda muito jovem, o deputado baiano tinha uma habilidade nata para fazer-se agradável. Sabia que o jornalista de *O Globo* gostava de ser visto como padrinho de quase todos os jovens integrantes da fauna jornalística que caçavam notícias nos ecossistemas específicos do Salão Verde, dos corredores e dos anexos da Câmara. Cumprimentei ambos. Sem reservas, pedi a Luís Eduardo que fizesse alguma gestão junto a Benito para que ele me dispensasse um tratamento diferenciado. "Ele merece, Luís", ainda reforçou Moreno. Era daquela forma que as coisas funcionavam.

A troca de favores, de precedências, o aluguel de relacionamentos, o sutil abrir de portas: são esses os combustíveis mais eficientes numa Brasília que resiste assistindo ao passar dos anos sem jamais modificar os hábitos tradicionais da política de resultados quando se tece uma boa vizinhança.

O líder pefelista levantou-se da cadeira, fez um gesto para que o acompanhasse sozinho até a minúscula sala apelidada de "confessionário". Duas poltronas, uma linha telefônica. Quando sentávamos ali nossos joelhos inevitavelmente ficavam tocando os joelhos do interlocutor. Nas paredes, revestimento acústico. Era onde se tratavam de todos os temas, falando-se até mesmo das coisas mais inconfessáveis, sem grandes reservas. Lá dentro Luís Eduardo me deixou seguro e tranquilo.

— Benito vai te passar tudo. Sempre. É determinação minha. Quando terminar a sessão de hoje, cole nele. Traga-o para cá. Seja leal a ele, e ele será leal a você. O governador mandou. Por Mário Sérgio, por você, mas sobretudo por Elio Gaspari. Ele adora o Elio. Já errei com Dom Elio uma vez e não farei isso de novo.

Foi daquela forma, seguindo o roteiro traçado naquela conversa, que se deu por toda a CPI e por alguns anos mais. O diálogo breve e direto com Luís Eduardo marcou também a sedimentação de uma das melhores parcerias de informações que mantive com uma fonte.

A dívida do filho de Antônio Carlos Magalhães com Elio Gaspari, àquela altura correspondente de *Veja* em Nova York e ex-diretor-adjunto de redação da revista, dera-se durante a Assembleia Nacional Constituinte de 1987. Recém-chegado a Brasília para cumprir o primeiro mandato federal, Luís Eduardo deu uma entrevista à revista no mais valorizado espaço da imprensa naqueles tempos — as páginas iniciais da publicação que recebiam a coloração amarelo marca-texto. Conseguir ser entrevistado nas páginas amarelas de *Veja*, naquele tempo, equivalia ao prestígio de quem fosse capaz de acessar um YouTuber de grande audiência, nos dias de hoje, e convencê-lo a fazer *lives* por dias a fio entrevistando-o. Em síntese: era o espaço nobre da imprensa brasileira.

Havia um pacto entre os entrevistados para as páginas amarelas: uma vez escolhido para ocupar o púlpito, teria de manter resguardo de ao menos uma semana sem falar com outros veículos para não transformar a honra exclusiva em algo banal. Luís Eduardo não respeitara o rito em sua estreia no Congresso.

— Falei com vocês e com todo o mundo. No fim de semana de minha entrevista nas páginas amarelas tinha pingue-pongue meu em *O Globo*, no *Jornal do Brasil*, n'*O Estado de S. Paulo*. Elio ligou para o governador e disse que me daria um castigo, um gelo. Passei um ano sem ver publicada uma só aspa minha na revista *Veja* — contou-me em meio às suas risadas cúmplices. — Não farei isso novamente! Vou honrar o prometido.

Honrou, com sobras.

Na meia hora final da sessão inaugural da CPI, posicionei-me à frente de todos os assessores no corredor lateral da sala destinado a eles. Movimentava-me com desenvoltura no meio da assessoria porque a chefe do Departamento de Comissões Especiais do Senado me apartara do oceano difuso de jornalistas. Puxara-me para uma conversa reservada.

— Foi você quem fez a entrevista, não foi? — quis saber.

— Sim, eu.

Apresentei-me. Ela foi direta. Chamava-se Cleide.

— Vamos te ajudar da melhor maneira possível. Parabéns.

Era a tal solidariedade ativa da burocracia de Estado. Minha nova amiga, depois revelada excepcional fonte, era concursada — uma das raras mulheres admitidas por concurso naquele início dos anos 1990 e que ocupava cargo de chefia no Congresso. Convocou três subordinados e apresentou-os a mim, dando a ordem de fornecerem ajuda quando necessário e possível.

Usei já no tiro de largada o portfólio de novas relações. Foi por meio delas que driblei muitos funcionários de gabinete e me situei ao alcance do olhar do presidente da CPI na primeira reunião do colegiado.

Benito Gama dizia duas frases e me olhava. Eu enviava sinais. Ele se encaminhou para encerrar a sessão.

— Senhoras, senhores... saibam cada um de vocês: nenhum de nós sairá dessa CPI do jeito que entrou. Melhores ou piores, não sei como estaremos. Mas seremos diferentes, disso tenho certeza.

Foi uma frase profética, embora tivesse sido pronunciada despretensiosamente e de forma burocrática.

— Encerrada a reunião. Convoco sessão para as dez horas da manhã de amanhã, a fim de organizar o plano de trabalhos — anunciou.

Levantou-se e um séquito de repórteres, precedidos por um paredão de microfones, ergueu-se diante dele. "Ai, cenas de jornalismo explícito", resmungou uma profissional mais madura, assessora da presidência do PFL, sem esconder no tom de voz certa ojeriza à sua mais antiga profissão.

Pacientemente, Benito gravou diversas entrevistas para rádios e TVs. No fim de uma frase puxou-me para falar ao pé do ouvido e pediu que o acompanhasse à liderança. Depois olhou o semicírculo de repórteres de jornais e revistas e pediu-lhes que também o seguissem. Encarei-o duramente, quase a ponto de ser grosseiro. Fitei-o e contorci o rosto para não deixar margem de dúvidas quanto ao meu desconforto. Ele me acenou com a mão direita como a dizer "está tudo bem, calma". Cruzamos lentamente o Salão Azul do Senado, atravessamos a fronteira para o Salão Verde da Câmara, atalhamos o caminho pegando a primeira porta de acesso para o estreito corredor das lideranças passando por trás da maquete do prédio de Niemeyer. É um dos pontos de visitação mais procurados por quem entra pela primeira vez no Congresso. Estar ali é sentir-se, de fato, em uma maquete funcional, em razão da escala monumental do mestre da arquitetura em sua melhor obra. Seguia sem entender o jogo dele.

Tão logo chegamos à liderança do PFL, o deputado me empurrou para o gabinete do líder. Luís Eduardo ainda estava lá. Levantou-se e deu seu lugar a Benito. Cumprimentou-me com um sorriso e nos deu adeus. O presidente da CPI puxou uma cadeira e colocou-a à sua direita, ordenando-me:

— Sente aí. Vou receber um a um cada veículo. Você vai ouvir todas as conversas. No fim, falamos só nós dois e fazemos nossos pactos. Pode ser assim?

Claro que podia. Sentei e me calei. Os despachos entraram pela noite.

Testemunhei cada uma das conversas. Raríssimos eram os repórteres que me conheciam. Ter passado um ano quase como eremita na cidade, entre meu apartamento, a redação e os compromissos profissionais, explicava em larga medida aquele desconhecimento. Ninguém protestara contra a minha presença nas entrevistas alheias. Levara a cabo o conselho de Mário Sérgio e evitara me comunicar com outros veículos. Como não era possível sequer imaginar que um dia existiriam as redes sociais, por meio das quais diversos jornalistas terminaram acreditando ser mais relevantes que as notícias publicadas por eles, eu praticamente não tinha desafetos na capital.

Muitos dos repórteres que tinham conversado com o deputado Benito Gama naquele anoitecer brasiliense confundiram-me com mais um dos tantos assessores da liderança pefelista. Não foi diferente com a derradeira repórter a ser recebida, do jornal *Zero Hora*, do Rio Grande do Sul. O presidente da CPI narrou pacientemente, pela enésima vez, alguns bastidores que precederam a sessão. Explicou os ritos que seguiria. Respondeu a algumas perguntas.

Talvez fosse obra do cansaço imposto pelo dia pesado, talvez não. Era certo, contudo, que havia algo diferente no ar do gabinete naquele momento preciso. Um perfume diferente, seguramente. A repórter muito jovem, cabelos ondulados, despenteados, vermelhos, dava-me pistas para responder àquilo que me perguntava: o que estava diferente? Tinha uma forma dócil de questionar, ao contrário dos demais. Mantinha-me calado e a observava. Não percebi que a conversa entre eles havia terminado. Fui despertado do torpor pelo deputado, que me puxava pelas mãos e se dirigia a ela. Interrompera a contagem das pintas existentes em seu rosto que eu fazia.

— E esse aqui, você conhece? — quis saber.

— Não — respondeu a repórter do *Zero Hora*. — Seu assessor? Posso ligar para ele quando precisar falar com o senhor?

Ri, desconcertado. Benito riu maldosamente e nos apresentou.

— Não, menina. Esse aqui é o Lula, Luís Costa Pinto, o menino que fez a reportagem e trouxe os documentos do Pedro Collor sobre o PC.

— Prazer — respondi com alguma timidez.

Trocamos os dois beijinhos de praxe. Como ela era consideravelmente mais baixa do que eu, colocara a mão em sua nuca para me auxiliar na hora de cumprimentá-la e de trocar os lados do rosto nos quais a beijaria.

— Prazer — cumprimentou-me e disse o nome. Depois repetiu o jornal onde trabalhava: — *Zero Hora.*

— Eu sei.

Rimos os três. Benito nos dispensou dizendo-se cansado.

— Lula, toma café lá em casa amanhã. Sete e meia — pediu-me.

Acedi e me ofereci para ajudar a repórter do jornal gaúcho com a bolsa. Ela aceitou, pois precisava acabar de mastigar uma tampa de caneta e pingar umas gotas de Sorine no nariz, além de tentar desesperadamente encontrar a chave do carro na bolsa. Saímos da liderança do PFL e nos dirigimos ao Salão Verde. Falávamos bobagens variadas. Descemos a escadaria que dá acesso à chapelaria do Congresso. Era ali que nos separaríamos. Meu carro estava numa das rampas da Esplanada dos Ministérios, o que me obrigava a ir para o gramado em frente ao prédio. O dela estava estacionado diante da Praça dos Três Poderes, na direção contrária. Como o perfume que sentira na entrevista continuava insistentemente no ar e parecia ter ficado impregnado na mão que coloquei na nuca dela, comentei ao me despedir, entre o *nonsense* e o ar evidentemente aparvalhado de quem não tinha mais o que falar:

— Até logo, então... Excelente perfume.

Disse aquilo e sorri, baixando os olhos, querendo esconder-me inteiro abaixo do mármore negro e opaco do *foyer* do Congresso. Estava envergonhado. "Empulhado", como se fala lá no Recife.

— Fendi. Até logo, a gente se vê. Beijinho.

— O quê?

— Fendi, o perfume...

— Ah... ok. Beijo. A gente se vê.

* * *

Pedro Collor voou para São Paulo na antevéspera do seu depoimento à CPI, marcado para as dez horas da manhã da quinta-feira 4 de junho. Estabeleceu como referência para si o escritório do advogado Paulo José da Costa Jr., um dos criminalistas que o atendiam. Por horas a fio, em dois períodos, foram simuladas perguntas e situações que poderiam ter de ser enfrentadas na Comissão Parlamentar de Inquérito. Costa Jr. tentou convencer Pedro a solicitar um *habeas corpus* ao Supremo Tribunal Federal destinado a impedir que quaisquer manobras de parlamentares governistas terminassem por redundar em sua prisão. Em CPIs, deputados e senadores têm poder de polícia e podem usá-lo para mandar prender depoentes. A tentativa do advogado foi em vão.

— Um *habeas corpus* preventivo enfraquece meu depoimento. Vou depor e dizer que o cartório que dá fé de minhas acusações é o meu sangue, que é igual ao sangue do Fernando. Provas, tenho poucas, argumentou Pedro afastando a possibilidade de se esconder por trás do *habeas corpus* preventivo.

Num encontro mediado por advogados amigos, o senador Eduardo Suplicy e o deputado José Dirceu, os dois integrantes da bancada de oposição na comissão de inquérito, estiveram com Pedro Collor em São Paulo entre as sessões de simulação do depoimento. A reunião entre eles não era praxe, fora mantida em sigilo por semanas e podia ter se transformado num pequeno escândalo de conspiração caso tivesse vazado. Dirceu e Suplicy saíram desanimados da conversa, certos de que o pivô das denúncias contra PC Farias e Fernando Collor seguia recalcitrante entre apaziguar o escândalo do qual era protagonista central ou deixar que o fogo consumisse o mandato presidencial do irmão.

Um jatinho alugado pousou no setor de hangares do aeroporto de Brasília no começo da manhã daquela quinta-feira. Pedro, Thereza, o advogado e uma secretária dele desceram e foram direto para o plenário número dois do Senado Federal. Chegaram pela chapelaria, no subsolo do prédio principal do Congresso. Um batalhão de cinegrafistas e fotógrafos os aguardava. Seguranças do Parlamento formaram um corredor para garantir-lhes mobilidade até a sala da comissão. Vez ou outra havia tropeções. No meio do caminho Thereza fez uma confissão para Costa Jr. que ele achou inusitada a ponto de registrar em suas anotações. "Já me deram tantos pontapés, que a minha meia-calça desfiou toda"! — reclamou.

Pedro não fora à CPI para ajudar a oposição, como suspeitava a dupla do PT que estivera com ele dias antes. Ao contrário, semeou dúvidas e esfriou o clima de conspiração que se respirava nos palácios brasilienses, na Esplanada, na Avenida Paulista. Antes do seu depoimento, Dona Leda fizera duas tentativas desesperadas de articulação política. Tudo era válido, enfim. Numa delas, tendo por pano de fundo a conferência internacional de Meio Ambiente Rio-92, da Organização das Nações Unidas, que reunira na capital fluminense mais de uma centena de chefes de Estado e de Governo, a mãe do presidente da República telefonou para a primeira-dama do estado, Neusa Brizola.

— Por favor, Dona Neusa, somos duas mulheres que já viram muita coisa na vida. Não precisamos assistir a uma briga entre irmãos atear fogo no Brasil. Fale com seu marido, peça a ele para não deixar que derrubem o meu filho. Os conselhos dele, a ajuda do PDT, serão muito importantes para serenar tudo isso. Peço isso pela alma gaúcha que nos une — apelou a matriarca dos Collor de Mello.

A mulher de Leonel Brizola deu o recado, mas esse não era o motivo de alguns pedetistas terem adotado postura excessivamente cautelosa no início dos trabalhos da CPI. Era flagrante no engenheiro que governava o Rio Grande do Sul durante o golpe de 1964, e cumpria já o segundo mandato de governador do Rio depois do exílio de 15 anos, o temor de novos retrocessos institucionais.

Na outra frente, decidida a fazer o filho caçula calar-se e até retroceder na CPI, Dona Leda investiu o secretário particular do presidente da República, Cláudio Vieira, um advogado alagoano de pouco brilho que acompanhara Collor do governo estadual ao Palácio do Planalto, dos poderes necessários para negociar a compra das ações de Pedro nas empresas familiares por valores vantajosos. Um "cala a boca" clássico naquele vale-tudo em que se transformara o destino da Presidência. Pediu também a ajuda do deputado Paulo

Octávio Pereira, do Partido da Reconstrução Nacional (PRN) do Distrito Federal, um dos mais íntimos e longevos amigos de Fernando e de Pedro.

* * *

"Paulo Octávio foi emissário de uma proposta de Fernando para que eu vendesse minhas ações na Organização Arnon de Mello", registrou *Pedro em suas memórias* (Passando a Limpo — a trajetória de um farsante). *"Pediu que eu providenciasse, para isso, uma avaliação da minha parte nas empresas. Recusei-me, argumentando que caberia ao interessado na compra fazer uma oferta. Paulo Octávio, então, estabeleceu aleatoriamente um valor entre 5 e 7 milhões de dólares. Imaginando que agia com sutileza, pediu que eu formalizasse a oferta por escrito. Neguei-me. Vendo que as coisas não caminhavam como gostaria, abriu logo o jogo:*

— Digamos que sejam 7 milhões de dólares. Com esse dinheiro, Pedro, qualquer um vive folgadamente o resto da vida no exterior. Suponho que você não tenha interesse de ficar no Brasil."

* * *

A proposta foi recusada.

Ainda haveria outra investida contra Pedro, na véspera do depoimento, com a intenção de calá-lo. Um advogado carioca amigo dos Collor de Mello apresentou-se na capital paulista e insistiu para se encontrar com Pedro Collor no escritório de advocacia em que estava sendo ensaiada a sua performance. Ele se ofereceu para mediar a compra das ações do caçula pela própria mãe, Dona Leda.

— Mamãe não tem 7 milhões de dólares para isso — retrucou Pedro, driblando o interlocutor. — E se ela pedir empréstimos bancários para me pagar isso, terá de dar em garantia as empresas. O nosso caixa não suporta essa operação.

Nesse ponto o advogado convertido em mediador deixou claro que dinheiro não seria problema.

— A preocupação da origem da grana é de quem compra, e não de quem vende — disse antes de ouvir a recusa final. Naqueles tempos a palavra "*compliance*" não fazia parte dos vocabulários corporativos e advocatícios.

Pedro Collor despediu-se do interlocutor certo de que, caso topasse a oferta, o dinheiro para pagá-lo sairia do caixa de PC.

O núcleo de parlamentares de oposição a Collor que integrava a CPI do PC, alertado pelo retorno dado por Dirceu e Suplicy, preparou-se para arguir a principal testemunha. O objetivo deles era afastar a suspeição de vendeta pessoal que cercava o caso e evitar o encerramento precoce das investigações em razão da inexistência de provas das denúncias.

Vice-presidente da comissão, ex-presidente da seccional brasiliense da Ordem dos Advogados do Brasil e um galanteador à moda antiga, o senador Maurício Correa, do PDT, foi destacado pelo bloco para fazer com que Pedro falasse mais do que pretendia. Ao mesmo tempo, em paralelo, deveria dissuadir o criminalista que o acompanhava de recomendar cautela excessiva ao cliente.

Correa começou a cumprir suas missões na antessala em que todos esperavam o início dos trabalhos. Levou-os até seu confortável gabinete pessoal, onde havia uma copa melhor que a média daquelas existentes no Congresso, e ordenou que servissem um arremedo de café da manhã. Entre elogios à beleza brejeira de Thereza, como depois narrou a amigos sem economizar adjetivos, trocava opiniões jurídicas com Costa Jr. e falava ao futuro depoente da dimensão do papel histórico que cumpriria.

Iniciado o depoimento, Pedro lançou um olhar demorado ao plenário de inquisidores diante do qual sentava e fez questão de registrar em sua agenda: "*Ausências — deputados Paulo Octávio, Augusto Farias* (irmão de PC), *Cleto Falcão* (ex-líder de Collor na Câmara, um dos mais combativos na campanha de 1989), *Vitório Malta* (primo de Rosane)".

O senador Odacir Soares, do PFL de Rondônia, e o deputado Roberto Jefferson, do PTB do Rio de Janeiro, que a partir dali se tornariam célebres como os generais de exército da tropa de choque de Fernando Collor, exigiram que o irmão do presidente pusesse a mão direita sobre a Constituição e jurasse dizer a verdade sob pena de perjúrio e de sair dali preso.

Pedro havia sido advertido por um amigo que a estratégia governista era armar uma voz de prisão contra ele, durante o depoimento, pelo cometimento do crime de "exceção da verdade". A imputação consistiria em acusar o depoente de caluniar e injuriar o presidente da República sem provas materiais. Os advogados que o assessoravam consideravam plausível a possibilidade. Sob juramento, Pedro Collor teria de medir cada uma das palavras que dissesse antes de se decidir por pronunciá-las. O Brasil não tinha tradição alguma no rito das CPIs, muito menos havia *media training* ou *coaching* preparatório para embates como aquele que se iniciaria.

O deputado Roberto Jefferson sentara-se na primeira fila de bancadas reservadas aos integrantes da comissão. Posicionou-se exatamente diante da cadeira reservada ao depoente. Advogado criminalista com clientes na Baixada Fluminense e no submundo da periferia do Rio de Janeiro, inteligente e articulado, Jefferson pretendia usar todos os diferenciais competitivos que dispunha para intimidar o irmão do presidente. Conseguiu. Contava, para isso, com a inestimável ajuda de três senadores — Odacir Soares, de Rondônia, homem tosco, mas articulado nas manobras regimentais; Ney Maranhão, do PRN de Pernambuco, político velho e folclórico, sempre metido em ternos de linho branco, gravatas berrantes e sandálias de couro no lugar de sapatos e meias; e Áureo Mello, um poeta do Amazonas, desproporcionalmente gordo para a sua baixa estatura, falante e dado a recitar platitudes filosóficas.

Com uma voz fina e sem traquejo para a política nem para os ardis de plenário, Mello era usado para confundir o plenário com proposições fora de lugar. Já Maranhão, corajoso e hábil no uso de metáforas populares, recebera a missão de interromper as falas de Pedro Collor para embaralhar o raciocínio que pretendesse entabular.

"*Evitei os ataques frontais, concentrei-me nas denúncias sobre Paulo César Farias, por diversas vezes repeti que estava sob forte emoção no momento em que gravei a entrevista para a revista*", confessou-me

Pedro alguns dias depois do depoimento que fora evidentemente decepcionante. "*Segui as instruções dos meus advogados. Não podia ir além. Havia muitos riscos e muitos interesses envolvidos.*"

As primeiras horas da inquirição de Pedro deram a impressão de vitória governista. Deputados e senadores de oposição já começavam a se irritar. Vivaldo Barbosa, remando contra a resistência do único integrante do PDT na Câmara com direito a voto na comissão, Miro Teixeira, usou a prerrogativa de líder do partido e pediu a palavra.

— Senhor Pedro Collor de Mello, há alguma prova material de suas acusações?

Até ali o depoimento havia sido conduzido pelo relator de forma a driblar uma negativa direta da existência de provas. Como Barbosa se aproveitou de uma baixa na guarda vigilante do senador Lando e dirigiu-se diretamente a ele, Pedro ficou sem alternativas. O depoente tomou ar, procurou o microfone com um menear de cabeça, conservou os dois braços abaixados e falou num tom suficientemente alto para calar a sala:

— Não.

— Então o senhor quer nos convencer de que fez todas essas denúncias, graves, inéditas, sob forte emoção? O senhor quer nos fazer de imbecis? Pensa que somos crianças?

O líder brizolista sabia estar próximo do momento em que as fragilidades de Pedro certamente emergiriam. Ele poderia ser então enquadrado no arriscado tipo penal da "exceção da verdade". Era o limite traçado pelos conselheiros jurídicos do irmão do presidente para que recuasse a fim de evitar uma intempestiva ordem de prisão. Escolado em certa malandragem do mundo dos negócios, bom parceiro de mesa de pôquer e profundamente concentrado para o momento, Pedro Collor vislumbrou a armadilha articulada por seus antagonistas e driblou-a.

— Deputado, quem sou eu para tentar fazer crer ao senhor ou a quem quer que seja qualquer coisa? Se é imbecil ou criança, não sei nem sou eu em quem vai decidir essa questão de foro íntimo.

O começo da resposta fez o plenário cair na risada. Vivaldo irritou-se. Não conseguiu conter o enrubescimento do torso e do rosto e ainda teve de ouvir do depoente a quem tentava emparedar:

— Quero só lembrá-lo que estou sob juramento e não posso mentir. Tudo o que falo aqui é a verdade dos fatos, porque sou ou fui testemunha deles. E quando me calo é porque não posso cruzar determinados limites.

Colega de bancada de Vivaldo Barbosa, o gaúcho Amaury Müller virou-se para mim, que estava de pé ao seu lado, e cochichou.

— Disse ao Brizola: Vivaldo é a prova viva e careca de que Harvard também erra.

O senador Mário Covas pediu a palavra. Quando o político paulista o fazia, em geral, todos em volta dele se calavam. Covas integrava um grupo restrito de não mais que uma dúzia de congressistas tidos como reserva moral do Parlamento. Excelente orador, era arguto ao deslindar seus raciocínios em geral cartesianos. Herança do curso de Engenharia Civil na Universidade de São Paulo, onde dividiu as bancas acadêmicas com seu maior adversário político: o ex-governador paulista Paulo Maluf. No Congresso, Covas sabia perguntar como poucos. E foi justamente ele quem salvou, para a posteridade e para o curso daquela CPI, o primeiro depoimento — precisamente, o depoimento do denunciante-chave.

— Senhor Pedro Collor de Mello... assisti ao vídeo da entrevista que foi concedida ao jornalista Luís Costa Pinto. O senhor estava calmo, havia jantado em sua casa, estava na bonita sala de sua residência. Um belo quadro por trás de vocês, e uma conversa muito tranquila entre o senhor e o jornalista. Não me parecia que ali o senhor estivesse sob forte emoção. E ali o senhor fez todas as acusações. O senhor parecia bastante calmo.

"Confesso que naquele momento fiquei um pouco irritado com a afirmação do senador Covas", escreveu Pedro em suas memórias. "Ele não podia julgar sensações tão íntimas. Não podia também colocar em risco a minha liberdade e, muito menos, fazer-me declarar o que eu não podia." O temor dele era a prisão. Se saísse

detido da CPI, sem confirmar nada, sem provas, com Fernando no exercício pleno dos poderes de presidente e com controle vertical da Polícia Federal, o irmão do presidente sabia que seria seu fim. Em Passando a Limpo — a trajetória de um farsante, *ainda registrou: "Será que era tão difícil compreender as limitações legais a mim impostas? Não bastava ter denunciado o que muitos, inclusive parlamentares, presenciavam nos bastidores do governo? Por que eu deveria cometer perjúrio, mentir, afirmar ter provas que não cabiam a mim obter?".*

— Senador, se o senhor está querendo perguntar se tenho provas concretas de que Fernando e PC Farias são sócios, eu digo: não, senador, não as tenho.

Covas pareceu então ter encarnado um hábil promotor ou advogado a despeito de jamais ter passado perto dos cursos de Direito. Era engenheiro. Foi um tribuno brilhante naquela manhã brasiliense.

— O senhor não está aqui para provar nada. Cabe a nós, investidos desse poder de investigação que a Constituição e o Regimento desta Casa nos concedem, investigar suas denúncias. Seu papel aqui, que é imenso, é o de nos mostrar os caminhos. E nós convocamos o Ministério Público e a Polícia Federal, instituições que são do povo brasileiro, e não do governo A ou governo B, para nos ajudarem a investigar.

Houve quem aplaudisse, no fundo da sala, a intervenção do senador paulista. Pedro suspirou em sua cadeira. Estava flagrantemente aliviado. O discurso enérgico de Covas dava a deixa para encerrar o depoimento com o governo tecnicamente em vantagem, mas com o placar em aberto.

* * *

Tão logo Pedro Collor deixou Brasília rumo ao Rio de Janeiro no mesmo jatinho alugado que o levara à capital para depor na CPI do PC, um dossiê contra ele começou a chegar às redações brasilienses.

Entrei na sucursal de *Veja* em Brasília e Eduardo Oinegue me chamou à sua sala. Passei na copa, peguei dois cafés, sentei-me diante dele com ar preocupado. Fora um depoimento muito ruim. Eu havia me reunido com os senadores Pedro Simon e Maurício Correa depois da sessão e conversara com os deputados Miro Teixeira e José Dirceu. Unânimes, todos reputavam a Covas a salvação do dia. José Múcio Monteiro, deputado do PFL de Pernambuco, contabilizado como voto a favor do Palácio do Planalto, também considerou evasivo o que ouvira na sessão. "Foi um depoimento muito vago" disse-me.

* * *

Conhecia José Múcio desde os tempos do Recife. Ele disputou, pela Frente Liberal, o governo de Pernambuco em 1986 com Miguel Arraes. Colheu uma derrota histórica na segunda eleição de Arraes para o cargo — uma reparação pública dos pernambucanos à abjeta cassação do mandato do governador na esteira do golpe de 1964. Exilado na Argélia e depois na França, Arraes só regressou ao Brasil com a anistia de 1979 depois da expiração do Ato Institucional nº 5.

Eu estava na universidade durante aquela campanha de 1986 — era meu primeiro ano na Universidade Federal de Pernambuco (UFPE), fazia política estudantil desde os tempos do 2º grau e fui integrante ativo do comitê pró-Arraes. Foi quando me tornei mais próximo de Eduardo Campos, neto do governador cassado. Ele coordenava um núcleo denominado Brigada Portinari. Nessa "brigada" reuníamos artistas consagrados ou não, grafiteiros e amadores em geral, para pintar muros por todo o Recife e a região metropolitana. Eram painéis em cores vivas e com inspirações cubistas ou naïf, *sempre pedindo votos para o avô de Eduardo.*

Arquivadas as rivalidades regionais de Pernambuco, quando fui morar em Brasília procurei Múcio e não seria exagero dizer que nos tornáramos amigos. Dono de um bom humor antológico, de talento incomum para contar piadas nas quais se insere sempre como protagonista (e aquele que invariavelmente perde na autopiada), boêmio e com raro espírito público, José Múcio foi das fontes mais interessantes que construí. Ele se tornaria decisivo no curso da Comissão Parlamentar Mista de Inquérito que investigou a relação de Collor com PC Farias, transitou ideologicamente da direita para o centro liberal, foi ministro de um governo do PT, tornou-se um dos melhores amigos de Eduardo Campos, o neto de Arraes, e consolidou uma das mais suaves carreiras públicas que já vi. Quando Eduardo morreu num acidente aéreo em 2014, foi Múcio quem deu a notícia da tragédia à filha de Arraes, mãe de Eduardo.

* * *

Refletia sobre aquelas conversas quando Oinegue me jogou um papelório datilografado com o título "Quem é Pedro Collor?". Era mais um roteiro para apuração do que um dossiê com encadeamento lógico. Trazia os seguintes tópicos:

1. Intermediou a venda de petróleo de outros países para a Petrobras em nome do empresário equatoriano Washington Vasconez.
2. Criou um escritório da Fundação Arnon de Mello em Miami para fazer *lobby* nos EUA e credenciar-se a receber verbas filantrópicas americanas. Empresa de fachada para *lobby*.
3. Intermediou a venda de um edifício inteiro, em São Paulo, para o fundo de pensão dos funcionários do Banco do Brasil.
4. Fez *lobby* para que uma agência de publicidade chamada Positiva obtivesse verbas publicitárias do Governo Federal.
5. Intermediou a contratação da empresa de telefonia Multitel para que ela instalasse um tronco telefônico entre a barragem de Xingó, em construção pela Chesf no Rio São Francisco, até Maceió e Recife.

— O que é isso? — eu quis saber.

— Recebi de uma pessoa do Palácio. Eles querem mostrar que os interesses comerciais de Pedro são muito mais amplos. Não se restringem à questão da Tribuna x Gazeta em Alagoas.

— Sim, sabemos disso — respondi.

— Sabemos.

— Mas as denúncias feitas por ele são também muito maiores do que Alagoas. Isso é chantagem. Estão querendo usar o mau momento dele, o recuo, o medo dele, para desmoralizá-lo. Tentei argumentar.

— Sim, mas o jogo é esse. Nós temos consciência disso.

— Não vamos publicar isso, não é? Vamos desqualificar a nossa fonte? Aumentei o tom de voz.

— Não sei. Esta decisão será tomada em São Paulo.

Engrossei ainda mais o timbre. Bati a mão espalmada na mesa. Não faria aquilo com Mário Sérgio. Mas Eduardo era só um pouco mais velho do que eu, havia alguma intimidade na nossa relação e nunca me passou pela cabeça duvidar da correção profissional dele.

— Se a revista fizer isso vai ser um escândalo e uma deslealdade.

— Sei disso. Mário sabe disso. Duvido que publiquemos. Mas avise a Pedro Collor que estão querendo sacaneá-lo. E diga que não publicaremos. Fazer assim te dará um crédito. Mas saiba que a decisão ainda não está tomada.

Deixei a sala de Oinegue e telefonei para Zenita. Precisava saber onde localizar Pedro. Ela me deu o telefone do hotel onde ele estava no Rio — Caesar Park, com Thereza. Informei o que começava a chegar nas redações. Ele me disse que recebera, por *pager*, um pedido de retorno de jornalistas de *O Estado de S. Paulo*, *Jornal do Brasil* e do *Zero Hora*. Pediu que lesse as denúncias. Reproduzi o que estava no papel entregue por Eduardo.

— É tudo mentira, Lula. Eu te digo caso a caso...

— Não precisa me dizer nada.

— Mas digo, até para você saber do que se trata e me ajudar a derrubar essa armação. A partir dali, passou a argumentar enumerando os casos.

— Um: o Vasconez me procurou. Disse a ele que procurasse a Petrobras. Dei o telefone a ele. Só isso. Dois: a digital do Fernando e do Cláudio Vieira está nessa denúncia da Fundação Arnon de Mello em Miami. Cogitei isso, não executei porque teria de me dedicar demais a esse negócio e só Fernando e Cláudio Vieira souberam dessa intenção, além de Leopoldo. A ideia não saiu do papel. Três: um grupo de empresários de São Paulo me procurou. Queriam que o Previ, o fundo de pensão do Banco do Brasil, comprasse um prédio inteiro. Eu os encaminhei para falar com a direção do banco, só isso. Com o Lafayette Coutinho. Quatro: apresentei o dono da Positiva, Cláudio Martinez, ao Cláudio Vieira. Outra digital. A agência não venceu nenhuma licitação do governo federal até hoje. Claro que o Cláudio é o autor desse dossiê. E cinco: a Multitel me procurou. Disse a eles que o caminho não era a Chesf, e sim a Eletrobras. Só isso.

— Pedro, use essa indignação com todo o mundo. Responda desse jeito, diretamente, a cada um que procurar para falar desse papelório.

Desligamos depois que dei a ele uma nanoconsultoria de como se relacionar com a imprensa numa ação de contrainformação.

Duas ou três daquelas histórias foram publicadas lateralmente, sem destaque, em veículos esparsos. Nada que pudesse arrefecer a importância das denúncias de Pedro Collor. A tensão em Brasília e no país, as atenções da CPI, voltavam-se para o depoimento de Paulo César Farias à comissão de inquérito. Ele fora marcado para 9 de junho, dali a cinco dias. *Veja* seguia solitária na vanguarda da cobertura, precisávamos produzir algo para o fim de semana que antecedia o depoimento de PC. Como sempre dizia Elio Gaspari: "Jornal conta o que aconteceu. TV e rádio contam o que está acontecendo. Revista conta o porquê tudo aconteceu e quais os cenários futuros — ou seja, precisa sempre sair melhor que os concorrentes e tem de estar um passo à frente".

A fórmula explicava o sucesso de *Veja*. Com o passar dos anos, porém, parece ter sido esquecida. As revistas brasileiras já não conseguem definir a relevância delas para a sociedade nem mediar debates de interesse público.

* * *

A redação da sucursal de Brasília trabalhou em ritmo acelerado para fechar os textos com reportagens e análises desde o depoimento de Pedro na quinta-feira. Juntos, viramos a madrugada. Amanheci no apartamento de um dos integrantes da CPI. Precisava tirar dúvidas. Enquanto o esperava na sala para tomarmos o café da manhã, já com o sol alto das nove horas da manhã, escutei uma voz feminina familiar. Vinha do corredor. Com os cabelos molhados, usando a mesma roupa com a qual cobrira o depoimento de Pedro Collor e um semblante de espanto ao ter me encontrado naquela manhã, a produtora de jornalismo de uma emissora de TV acenou-me e cobrou o parlamentar de forma irritada e extremamente íntima.

— Você não me disse que ele viria.

Dirigiu-se para mim em seguida.

— Bom dia. Por favor, preserve-me. Ela parecia tremer enquanto falava. — Até logo, não vou tomar café com vocês. Limpa a minha barra, por favor. Pediu aquilo e apressou-se na caminhada até a porta do apartamento da Superquadra 311 Sul.

Eu a conhecia superficialmente. Trocáramos poucas palavras até aquele dia. Era uma mulher bonita, muito jovem ainda, nem sequer entrara na casa dos trinta anos. Tinha fama, entre nós, de ser apuradora minuciosa e detalhista. Parecia ser melhor que os repórteres que apareciam no ar, aos quais entregava levantamentos prontos e bem executados.

— Fique tranquila. Não tenho nada com isso e, para mim, nem essa conversa existiu.

Ela sorriu. Pareceu aliviada. Tornamo-nos amigos a partir daquele momento, cúmplices em algumas apurações mais pesadas. Voltei a cruzar com ela saindo da ala privada do apartamento funcional daquele deputado outras vezes. Em determinados momentos da cobertura que duraria alguns meses, ela deu relevância a alguns aspectos de reportagens minhas que precisavam ser cacifadas, e vice-versa.

No curso da conversa que tive com a minha fonte, depois da saída da produtora de TV, meu interlocutor fez duas ou três tentativas de pôr o assunto sobre a mesa e se gabar da noite que passara. Constrangido, mudei de assunto. Focamos nos passos seguintes da comissão, sobretudo na inquirição de Paulo César Farias. Voltei à sucursal sem ter tido tempo de passar em casa. Todo o material produzido em Brasília tinha de estar na redação central, em São Paulo, às duas da tarde. Havia uma escala para a descida do material à gráfica. O atraso de uma hora no fechamento podia representar o atraso de duas horas na impressão da revista. Quando aquilo ocorria a expedição via aérea dos pacotes impressos para os estados mais remotos demorava e significava, muitas vezes, a perda de um ou dois dias da exposição de *Veja* nas bancas.

Por volta das três horas da tarde toda a equipe brasiliense da revista estava reunida para um lanche improvisado, à guisa de almoço, num restaurante natural simplório que se instalara no térreo do Trade Center. Foi um raro momento de descontração.

Subimos rápido de volta a nossos postos — certamente haveria dúvidas dos editores executivos e do redator-chefe e precisávamos estar a postos para tirá-las. Naqueles tempos, *Veja* adotava o sistema de funil em seu modelo de produção: com um time de quase 200 jornalistas, apurava incessante e detalhadamente tudo o que pretendia publicar. Na quarta-feira, em geral, fazia-se uma triagem sobre o que valia mesmo a pena investir, o que deveria ser descartado e o que poderia transitar para a semana seguinte porque demandava mergulho mais profundo caso não houvesse risco de sermos furados por concorrentes. Se houvesse o risco, muitas vezes se decidia por reforçar equipes de apuração e acelerar a publicação.

Depois que o jornalista entregava seus textos para o chefe direto — editor ou chefe de sucursal —, a produção intermediária tinha de ser lida pelos editores-executivos. Deles, os textos passavam para o redator-chefe. A boca final do gargalo do funil era o diretor de redação. No caso, Mário Sérgio, que tinha o admirável talento de muitas vezes melhorar textos simplesmente cortando-os, debulhando adjetivos, assassinando períodos longos, unindo raciocínios prolixos. Um ou outro editor-executivo, no meio do caminho, impunha acréscimos aos textos, mudava o tom e a forma da descrição. Ora, colaboravam para a clareza do que seria publicado, ora empastelavam tudo e faziam ecoar em reportagens alheias suas crenças e seus credos pessoais. Muito em razão disso, e muito porque tentava mimetizar o estilo mordaz e finamente irônico da britânica *The Economist*, bíblia semanal do pensamento liberal, eram raríssimos os textos assinados em *Veja*. Àquela época, assinar um texto na revista não era apenas reconhecimento de autoria. Era um prêmio a ser comemorado.

* * *

Encontrávamo-nos então na entediante vigília de fechamento, o que nos obrigaria a ficar na sucursal onde viráramos a noite. Ali permaneceríamos até o fim do *Jornal Nacional*, da TV Globo (para evitar surpresas e uma eventual bola entre as pernas que tivessem escapado à nossa apuração), quando o menino do doce entrou. Era um adolescente de não mais que treze ou catorze anos. Ajudava na renda familiar indo às redações das principais sucursais da cidade onde vendia brigadeiros, casadinhos, bolos de leite em pó e cajuzinhos, todos produzidos na cozinha de casa por sua mãe. Estabeleceu-se num nicho de mercado: só vendia seus doces, bombons e bolos para jornalistas e fotógrafos das sucursais de jornais e revistas da capital. Sempre nos visitava às sextas-feiras, por volta das quatro da tarde, quando iniciava seu circuito singular. O garoto já me havia dito que era pela redação de *Veja* o começo de seu roteiro de vendas, dada a localização geográfica de nossa sucursal no Setor Comercial Norte. Justamente na transição para o Setor Comercial Sul e Asa Sul, onde estavam as demais sucursais brasilienses dos veículos de imprensa nacional.

Ele acondicionava a mercadoria saída da produção familiar em caixas de camisas masculinas descartadas. O pai, contou-me o pequeno vendedor, trabalhava numa loja de moda masculina no Conjunto Nacional, o centro comercial do Plano Piloto. A minha baia era a primeira à esquerda de quem entrava em nossa redação. Fui então o primeiro a quem ele ofertou os bombons naquela tarde. Num gesto político de enorme repercussão pessoal no futuro, resolvi tomar uma atitude em tudo dissonante com o meu temperamento retraído e minha proverbial incompetência para atrevimentos do gênero.

— Você sabe onde fica a sucursal do jornal *Zero Hora*? No Setor de Rádio e TV Sul?

— Sei, claro. Sempre passo lá, quando sobra algo para vender depois de ir às redações do Edifício Oscar Niemeyer. No Niemeyer estão *O Globo*, o *Jornal do Brasil* e outra revista, acho. Não é? É sempre lá que vendo tudo.

— Pois é aqui que você vai vender tudo hoje. Quantas caixas você tem?

— Quatro. São quatro caixas com todos os doces.

Disse aquilo abrindo duas delas e me mostrando o conteúdo colorido: brigadeiros, cajuzinhos, cocadas, morangos cobertos com chocolate, bombons de leite em pó com cravo. Pedi que fechasse.

— Que desconto você me dá se vender tudo? Veja bem: você não vai precisar perder tempo, hoje, indo de redação em redação. Vou comprar tudo aqui, mas você vai entregar a uma única pessoa lá na redação do *Zero Hora*. Topa?

O garoto topou. Calculamos o preço do conjunto somando as unidades, concedeu-me um desconto de 20%, que achei razoável, e disse que aceitava tíquetes-refeição. Nossos talões de tíquetes haviam chegado no malote daquele dia, isso era uma ótima coincidência. Paguei-lhe com os tíquetes, dei uma grana para que pegasse um táxi — não queria correr o risco de as caixas chegarem desarrumadas a seu destino e esmerei-me na redação de um bilhete.

> *"Há uma semana o perfume Fendi não sai de mim. Não sei se é uma fragrância tão espetacular, ou se é a memória afetiva de um encontro inesperado na segunda-feira. O que sei: a segunda-feira 1º de junho me afetou demais. Beijos, Lula."*

Caprichei na letra, sem floreios, mas tentando esconder meu estilo meio médico de escrever com garranchos. Selei o bilhete com cera de uma vela que guardávamos na copa, visto serem frequentes as interrupções do fornecimento de energia num Setor Comercial Norte que só no início dos anos 1990 começava a acelerar o ritmo das obras dos espigões que viriam a marcar sua paisagem. Brasília seguia em construção. Uni as quatro caixas de doces usando fita crepe, fechando-as e dando-lhes a característica de embalagem. Arranquei duas flores de um vaso de violetas que Silvânia tinha sobre a mesa dela, diante da minha, e instruí o vendedor acerca da importância do que ele carregava ali. "Meu amigo, aí dentro tem algumas ilusões e um enorme investimento." Não sei se entendeu, mas sorriu.

— Entrega na redação do *Zero Hora* para essa pessoa.

Disse aquilo e passei-lhe o nome por escrito no verso de meu cartão de visitas.

— Só entregue a ela. Se ela não estiver, espera. Se for demorar muito, ligue-me. Quando entregar a ela, dê-lhe esse meu cartão também. Diga — e só diga a ela, escute bem — que fui eu quem mandou. E, por favor, tome essa ficha aqui: telefone-me daquele orelhão que tem no térreo do Edifício Assis Chateaubriand, depois que entregar a ela, para dizer que deu tudo certo.

O rapaz entendeu tudo. Entreguei-lhe a ficha de orelhão, o dinheiro do táxi e as caixas com os doces artesanais. Enfim, um *kit* completo de tentativa quase adolescente de sedução. Ele sorriu mais uma vez com um ar quase matreiro. Recolheu tudo, não sem antes afixar meu bilhete com carinho na encomenda, e tranquilizou-me dizendo que daria tudo certo.

Deu.

O garoto dos doces me telefonou do orelhão, como combinado. Logo depois a repórter cearense do jornal gaúcho também me ligou. Marcamos de nos encontrar, depois dos respectivos fechamentos, no Bizarre. Era um bar da moda, não tinha nada a ver comigo. O nome vinha da música *Bizarre Love Triangle*, sucesso da época. Na verdade, diria até que eu era o avesso do Bizarre. Nunca fui especialmente de *rock*, exceto o *rock* brasileiro dos anos 1980. Sempre fui mais MPB.

Em meus vinte e poucos anos ninguém poderia me acusar de ser refém do *pop*. Longe disso. Por obrigações profissionais esforçava-me por circular em Brasília com o estilo engomadinho tão em voga nos anos Collor. Ia trabalhar com gel no cabelo, usava prendedor de gravata, sapatos de cromo alemão que custavam um percentual razoável do salário. Achava a fauna que frequentava o Bizarre meio estranha demais para um ex-apocalíptico engajado dos tempos de universidade e já tão integrado ao mundinho da capital.

Quando entrei no bar tocava, indefectivelmente, *Bizarre Love Triangle*. Pedi um uísque. Ela, a repórter, gin. Meu casamento só terminaria dali a três anos, mas havia começado a acabar de fato naquele momento e com aquele gesto de uma ousadia pessoal que desconhecia ter.

Confuso e exausto, na madrugada do sábado viajei para Recife. Precisava rever a família.

* * *

Entramos em nova semana decisiva. Os demais veículos mantinham-se céticos em relação às denúncias de Pedro e conservavam um tom quase pró-governo ao desacreditarem o futuro da Comissão Parlamentar de Inquérito. Fazia um mês que a vanguarda do noticiário se restringia à *Veja* e àquilo que publicávamos. Parte da sociedade civil organizada, puxada pela Ordem dos Advogados do Brasil, pela liderança de Barbosa Lima Sobrinho na Associação Brasileira de Imprensa, pela União Nacional dos Estudantes e pela Associação Nacional dos Docentes do Ensino Superior, ajudava a ecoar o que saía na revista. Perfilavam em torno dos movimentos de resistência. Os sindicatos de servidores públicos e sobretudo o Sindicato dos Bancários, de abrangência nacional, vieram em seguida. Mas a coesão do movimento que resistia às tentativas de imposição de força do governo Collor dependia do desempenho de PC Farias e do secretário de Publicidade do Planalto, Cláudio Vieira, nos dias que se seguiriam. Seriam os próximos depoentes.

O depoimento de Paulo César Farias à CPMI que o investigava poderia ser descrito quase como um espetáculo circense. Pautaria por muitos anos à frente os ensaios, os treinos, os estudos preparatórios e os *media trainings* de depoentes em outras comissões de inquérito. O protagonista central estava preparado para o embate caso ele permanecesse circunscrito às denúncias lançadas por Pedro

Collor, mas não o preveniram para um ardil construído nos bastidores da assessoria técnica do Parlamento. Escondidos nos labirintos das comissões temáticas e especiais da Câmara e do Senado há um excepcional corpo de profissionais, e um dos méritos daquela CPI do PC foi usá-los da forma correta.

Estimulados por Lando, o senador Bisol e os deputados Miro e Dirceu, todos advogados de ofício, além de dois técnicos em legislação eleitoral pinçados dos quadros da Câmara, elaboraram análise minuciosa da prestação de contas da campanha de Fernando Collor ao Tribunal Superior Eleitoral em 1989. Sem cerimônia, o eleito convidara o presidente do tribunal para integrar sua primeira equipe ministerial. Intelectualmente preparado, mas ambicioso demais por construir sua biografia, o mais jovem ministro do Supremo Tribunal Federal, Francisco Rezek, renunciou ao posto no STF e aceitou o Ministério das Relações Exteriores de Collor. Meses depois foi demitido e se submeteu à nova indicação para o Supremo, sendo novamente aprovado em sabatina do Senado.

Era um Congresso ainda dócil. Fazia vistas grossas à abertura da porta giratória na Corte suprema do país. A partir do precedente sempre polêmico aberto por Rezek, em alguns casos vestir a toga do STF tornou-se uma forma de alavancar transitoriamente carreiras jurídicas. Uma pena, porque o posto no Supremo servia até então para marcar o coroamento de trajetórias respeitáveis, e não o trampolim para saltos ornamentais.

Os assessores do Parlamento, que contaram com auxílio de auditores do Tribunal de Contas da União e de técnicos ofertados pelo Sindicato dos Bancários de São Paulo, descobriram a fragilidade mistificadora da prestação de contas da arrecadação do PRN do presidente da República em sua campanha cujo caixa informal era PC Farias. Não havia a assinatura do empresário alagoano nas planilhas, mas sim de Cláudio Vieira e de dois outros personagens que entravam a partir daquele momento para o curso da narrativa e das investigações. Uns tais Fábio Monteiro de Araújo e Abílio Dantas também assinavam a prestação de contas de Collor protocolada burocraticamente no TSE, tribunal que com igual burocracia as tratou.

* * *

Quase 30 anos depois, em 2018, o mesmo TSE iria se deparar com o desafio de julgar prestações de contas burlescas e bizarras de candidatos a presidente da República. Seria a primeira vez que o faria em relação a um pleito nacional desde a vedação de financiamento empresarial a partidos políticos e a candidaturas. Um dos candidatos a presidente naquele ano, o vitorioso Jair Bolsonaro, entabulou o mesmo discurso de divisão do país, eivado de ódios, com ode e loas à extrema-direita, *esgrimido por Collor em 1989.*

Bolsonaro declarou ter gastado menos de R$ 2,5 milhões (quantia inferior a US$ 700 mil à época) em quase quatro meses de campanha oficial. Oficiosamente, ele a iniciara em 2016, embalado pelo processo de impeachment *da presidente Dilma Rousseff. Irrisório na cabala por votos num Brasil de 210 milhões de habitantes,* é *impossível o montante ser aceito como verdadeiro. Esse milhão de dólares, mesmo em cálculos extremamente conservadores, jamais pagaria os deslocamentos aéreos do candidato, a estrutura formal de mídia — produção de programas de rádio e TV, cachês de atores e locutores, além dos redatores — e sobretudo a estrutura informal de comunicação centrada em disparos de notícias falsas, de meias verdades e de memes muitas vezes abjetos usando redes de grupos de Whatsapp e de SMS.*

Assentado numa base jurídica fragilíssima, o processo de deposição da presidente Dilma Rousseff expôs uma face do Brasil escondida numa espécie de armário proibido das páginas mais ignóbeis e vergonhosas da República. Discursos e credos misóginos, homofóbicos, ódios religiosos, recalques racistas, incompreensões de classe, defesa da tortura como ferramenta de ação política contra os adversários e até mesmo o fascismo foram naturalizados como discurso político pela extrema-direita e receberam *a chancela de grupos empresariais que se associaram a Jair Bolsonaro no curso da campanha eleitoral. Espantosamente, seguiam com ele ao menos nos primeiros nove meses de seu governo em 2019. O usufruto da estrutura política e da rede de comunicação advindos da construção dessa "network das trevas" pode ser compreendido como benefício irregular ao candidato extremista enfim vitorioso.*

Até a presente edição deste livro ir para o prelo, o Tribunal Superior Eleitoral não havia ainda julgado as contas do Partido Social Liberal (PSL) de Bolsonaro em 2018. É possível que, no curso desse julgamento e a posteriori, *a Justiça Eleitoral decida fazer uma intervenção profilática na forma como se constrói e se dissemina o ódio nas campanhas políticas, evitando que siga em frente a tática de destruir as pontes que um dia uniram os diferentes segmentos da paisagem social brasileira. Essas pontes nos uniam na busca de saídas para mitigar o fosso que divide, por meio de gigantescas contradições, a ínfima parcela dos brasileiros ricos e privilegiados daquela imensa maioria situada abaixo da linha da pobreza e, muitas vezes, em condições miseráveis.*

Mudanças radicais nos sistemas de prestações de contas, novas métricas para analisar a veracidade das declarações de despesas e parâmetros reais para medir ou estimar os gastos fazem-se necessário. A Justiça Eleitoral precisa estar apta e atenta para rastrear a utilização de moedas virtuais (bitcoins) e esquemas de transferências eletrônicas cruzadas de fundos para o exterior a fim de remunerar a ação de exércitos de robôs e de "ativistas" na disseminação de falsas notícias e na alavancagem de perfis e de reações a publicações de determinados candidatos em redes sociais da web.

A falsificação das prestações de contas por parte de siglas partidárias, de candidatos e de suas equipes não pode receber tratamento dócil e singelo por parte da Corte. Esse crime eleitoral pôs em risco a Democracia brasileira por duas vezes, em 1989 e em 2018. Em ambas, terminou por amplificar o discurso de candidatos de extrema-direita e levaram a campanhas assimétricas. Beneficiaram, assim, políticos detentores de projetos autocráticos de poder. A simetria nas disputas é um valor basilar nos Estados Democráticos.

* * *

Monteiro de Araújo era funcionário da secretaria de Cláudio Vieira, no Palácio do Planalto, e estava sendo investigado pela Polícia Federal por envolvimento com uma quadrilha de narcotraficantes que importava pasta base de cocaína da Colômbia. Depois de internar a pasta base no Brasil, refinavam a droga no interior de São Paulo. Já Dantas tinha um prontuário de inquéritos por desvio de recursos na Legião Brasileira de Assistência (LBA) dirigida pela primeira-dama Rosane Collor até poucos meses antes da eclosão do escândalo com as contas de PC. A LBA de Rosane e de Dantas virara geradora de caixa para prefeitos corruptos e pequenas empreiteiras, também para empresas fornecedoras de merenda escolar sem escrúpulos no trato de verbas assistenciais. A conexão de PC com esse submundo palaciano, por meio da "assessoria" pragmática e informal que ele dera na arrecadação de fundos eleitorais, passara despercebida pelos advogados do empresário e do presidente Collor. Foi essa isca colocada pelos técnicos do Congresso e por seus auxiliares *ad hoc* do TCU e de sindicatos no anzol de deputados e senadores de oposição para que fisgassem o ex-tesoureiro.

Foi um espetáculo.

Um Paulo César Farias confiante, metido em terno azul-marinho de tecido e corte italianos, gravata vermelha da grife Hermès, sapatos de cromo alemão com cadarços e camisa branca com as iniciais P.C.C.F bordadas à mão por um camiseiro exclusivo da capital paulista, chegou ao Congresso faltando apenas oito minutos para o início da sessão que iria inquiri-lo.

No dia anterior telefonara para Ney Maranhão, a quem conhecia em razão de *lobbies* pretéritos junto ao setor sucroalcooleiro de Pernambuco e de Alagoas, e pediu ao senador que destacasse um funcionário de seu gabinete e desse a ele a missão de informar seu motorista, via *pager*, sobre a hora que marcava o relógio de ferro da parede da sala da CPI. Assim foi feito. Um automóvel Mercedes preto, de vidros escuros, com PC no banco de trás, estacionou estrategicamente diante da entrada principal do Palácio do Itamaraty, último ministério antes da rampa de descida à chapelaria do Congresso Nacional, e esperou o assessor de Maranhão enviar o "bip", como seguíamos chamando as mensagens de texto mandadas para receptores com telas verdes minúsculas que haviam sucedido os "bips" mais antigos.

A tecnologia dos "bips" não aceitava textos. Quem os tinha carregava um aparelho do tamanho de um maço de cigarros. Aquele que desejasse localizar o detentor de um "bip" tinha de telefonar para uma central e deixar um recado. A central acionava seu código por uma frequência de rádio. Um sinal sonoro tocava e uma luz vermelha acendia no aparelho e o receptor do sinal ligava, ele também, para a central a fim de saber qual o recado que o esperava.

Mas o motorista usava *pager*, e não "bip", e a mensagem dizia apenas que o relógio do plenário marcava 9h50. Em um minuto e meio o Mercedes preto estacionava diante do mar de repórteres, fotógrafos, cinegrafistas e curiosos que pareciam esperar a grande atração de um circo cujo espetáculo se desenrolava em capítulos e ao vivo.

O empresário saltou do carro sem necessitar de apoio. Ergueu-se confiante, mirou a pequena multidão com um olhar panorâmico e sorriu encerrando o movimento com uma piscadela enigmática. Com o gesto, o bigode bem escovado se ofereceu para as fotos. Certificou-se de que uma pasta tipo 007, preta, estava segura em sua mão direita. Cumprimentou o irmão Augusto, deputado federal, com um aceno de cabeça. Localizou o advogado Antônio Cláudio Mariz com o olhar. Marchou seguro para dentro da chapelaria. Dispensou o elevador e isso foi um alívio, pois o espaço exíguo provocaria imenso tumulto. Ainda assim, subiu a escada helicoidal que dá acesso do térreo para o Salão Azul com uma romaria quase enlouquecida atrás dele. Repórteres faziam perguntas, cinegrafistas gritavam uns com os outros, seguranças distribuíam safanões, cotoveladas e xingamentos. Um pequeno grupo de manifestantes gritava palavras de ordem contra Collor. Nenhuma das perguntas lançadas ao ar era respondida. Microfones que se interpunham no caminho eram retirados aos tapas. Aqui e acolá, um jornalista chutava um segurança e vice-versa, abaixo da linha de visão das câmeras. Presidente e vice da CPI, Benito Gama e o senador

Maurício Correa, foram à entrada da sala da comissão para receber o depoente com o respeito que qualquer um deles mereceria. Mariz, o advogado, sinalizou com um gesto para Correa que desejava ter uma conversa reservada antes de iniciarem os trabalhos.

Maurição, como passei a chamá-lo depois de o convívio nos ter aproximado, era um homem cordial de meia-idade. Advogado de razoável sucesso em Brasília, consolidara seu escritório nos anos 1970 e presidiu a seccional local da Ordem dos Advogados do Brasil no fim do regime militar. Converteu-se em ativista político a partir dali. Encantou-se por Leonel Brizola ao conhecê-lo depois que o gaúcho regressou do exílio e filiou-se ao Partido Democrático Trabalhista. Elegeu-se senador em 1986 no ambiente de esperança e renovação criado em torno da Assembleia Nacional Constituinte. Afável, elegante, tornara-se o interlocutor ideal da mesa de comando da CPI com todos os advogados de defesa dos depoentes. Afinal, sempre deixava claro que não seria possível dispensar prerrogativas clássicas da atuação profissional, muito menos suprimir direitos e garantias de investigados, ainda que se tratasse do personagem a encarnar momentaneamente o papel de vilão número um do país.

PC não recorrera ao Supremo Tribunal Federal em busca de um pretenso *habeas corpus* que lhe permitisse ficar em silêncio ante as perguntas dos congressistas. Só depois daquela CPI o recurso se tornara um hábito frequente entre depoentes de comissões de inquérito, o que ajudou a esvaziá-las e as devolveu para a vala comum vaticinada de forma infeliz (naquele caso) pelo ministro Jorge Bornhausen. Mariz pediu a Benito, a Correa e a Lando que zelassem pelo respeito ao cliente. E lhes perguntou se Paulo César podia fazer uma preleção antes de começar a responder às perguntas. Aquele discurso antecipado era algo inédito. Em geral, depoentes sentavam-se na cadeira destinada a eles, qualificavam-se civilmente e ficavam à disposição do relator das comissões. O relator sempre fazia as primeiras perguntas, sendo seguido pelo vice-presidente da comissão e só então eram abertas as perguntas para os integrantes efetivos da CPI de acordo com a ordem de inscrição. Depois deles, os suplentes. Líderes partidários podiam tomar a palavra a qualquer momento. Essa é uma das precedências da liderança. No fim da audiência, se quisessem, relator e presidente da comissão de inquérito esclareciam alguns pontos. O comando da mesa da CPI concordou com a preleção.

Confiante, Paulo César Cavalcante Farias ocupou o lugar central da bancada no plenário número dois do Senado Federal. Tinha diante de si, apertadas na sala, mais de uma centena de pessoas. No Corredor das Comissões, ao lado, três televisões transmitiam o depoimento ao vivo. Quem não conseguira lugar lá dentro espremia-se para escutá-lo fora da sala, mas próximo dela. Não havia ainda a permissão para funcionamento no Brasil das emissoras de TV por serviço a cabo, por assinatura. Algumas poucas concessionárias de TV aberta decidiram transmitir o depoimento. Pela primeira vez na História do país eventos de natureza política que se desenrolavam em Brasília adquiriam características de torcida nacional em dias de jogos de copas do mundo.

— Senhoras e senhores deputados e senadores, foi com muita honra e tranquilidade que decidi comparecer ao Congresso Nacional para contar a verdade a vocês, para esclarecer de uma vez as mentiras das quais venho sendo vítima, e o país também — disse PC quando começou seu discurso depois de intenso bate-boca entre governistas e oposicionistas em torno do formato do depoimento.

Por quinze minutos, sem interrupções, ouvindo piadas esparsas, provocações contínuas e reações irônicas quando exagerava nos adjetivos a seu favor, Paulo César Farias narrou fatos de sua vida. A intenção clara era construir uma imagem de *self-made man*, forjado no rústico e competitivo ambiente de negócios do Nordeste brasileiro. Também tinha por meta mostrar-se injustiçado e sabotado por interesses de empresários paulistas. Via-os como seus antagonistas no mundo dos negócios. Negou todas as afirmativas feitas por Pedro Collor contra ele na entrevista à *Veja*. Começou a perder um pouco a compostura quando exagerou na composição de seu personagem como uma vítima. O flanco começou a ficar exposto no momento em que ele respondeu ao senador Maurício Correa, segundo na fila de inquisidores.

— Pedro Collor então é um débil mental, um insano, afirma tudo aquilo sem prova de absolutamente nada? — quis saber Correa, sentado na bancada ao lado de PC e olhando-o fixamente.

Paulo César Farias ajeitou-se na cadeira, puxou o microfone da bancada, segurou um cigarro firme entre os dedos (*ainda era permitido fumar no Congresso, em qualquer lugar, a qualquer hora*), girou o corpo em direção ao plenário e, pontuando as palavras com gestos firmes da mão esquerda, olhou os demais parlamentares antes de responder.

— Um irresponsável, louco, que causou a esta Nação, a este Congresso Nacional, o constrangimento de vir aqui depor sem provas. Ele quis tumultuar o sistema político nacional. É um irresponsável de marca maior.

— O senhor é, então, um grande injustiçado? — interrompeu Correa, de novo mirando o depoente quase a ponto de tocar em seu ombro.

— Totalmente injustiçado. Coitado de mim! — respondeu PC, concordando.

Risadas foram ouvidas. Ele mesmo, parecendo ter percebido o exagero, afastou-se do microfone recuando a cabeça e sorrindo enquanto levava o cigarro à boca para um trago. Correa recuperou o controle da situação, devolveu o comando da sessão a Gama e teve início a bateria de perguntas dos inscritos.

Na noite anterior, no apartamento funcional de José Dirceu na Superquadra 302 Norte, assessores e parlamentares de oposição haviam ensaiado exaustivamente a hierarquia das perguntas que deveriam ser feitas ao ex-tesoureiro da campanha presidencial vitoriosa de Collor, em 1989.

Sem perceber, PC foi sendo conduzido docilmente para o labirinto planejado por seus algozes. Enredou-se com certa facilidade no roteiro traçado por seus antagonistas. Parecia um boi a exibir algum vigor mugindo protestos, mas se deixando levar por dentro dos cercados do matadouro. Confirmou, sem se dar conta da gravidade jurídica de suas palavras, que era o comandante de uma arrecadação informal e paralela de recursos de campanhas para Fernando Collor.

— Sobrou dinheiro no caixa de campanha? — quis saber Dirceu.

— Sobrou — respondeu o depoente.

— Quanto?

Paulo César Farias brecou abruptamente o ritmo acelerado com o qual respondia às perguntas. Voltou-se para trás e fitou o advogado Antônio Mariz por cima de seu ombro esquerdo. Mariz acenou negativamente com a cabeça. Responder seria um tiro no pé, não fazê-lo soaria uma espécie de confissão de culpa. O deputado insistiu.

— Quanto sobrou da arrecadação de campanha?

...

(Três segundos infernais de silêncio. O depoente engoliu em seco.)

— Não lembro.

— Não lembra? Onde está esse dinheiro? Como entrou na contabilidade da campanha?

— Não entrou. Numa campanha que vai crescendo como a nossa os amigos vão surgindo, um paga uma viagem aqui, a montagem de um palanque ali, despesas com equipe de transporte... A campanha do presidente Fernando Collor, em 1989, deve ter custado três vezes mais do que aquilo que foi formalmente declarado à Justiça Eleitoral.

— Mas isso é ilegal. Ilegal! — gritou um parlamentar do meio da bancada.

Benito Gama acionou a campainha e pediu silêncio.

— O depoente está com a palavra, senhores. Contenham-se — gritou o presidente da sessão.

O foco voltou a ser PC, que havia recuperado um tanto do ar arrogante. Tendo virado a cabeça levemente para trás, como se olhasse as bancadas dos inquisidores de cima para baixo, ajeitou o microfone, estendeu o braço esquerdo à frente do corpo e fez um gesto panorâmico com a mão, da direita para a esquerda e vice-versa, enquanto produzia uma das frases que o celebrizou.

— Todos nós sabemos como se faz política, como se financia uma campanha. A campanha de nenhum dos senhores aqui custou aquilo que está declarado. Não sejamos hipócritas, senhores deputados, senhores senadores. Vocês sabem disso.

Protestos, xingamentos, pedidos de palavra, balbúrdia, enfim. O presidente da CPI acionou insistentemente a campainha por meio da qual reivindicava a restauração da ordem. Aos poucos o plenário foi sossegando. O senador Mário Covas estava com a mão esquerda levantada, indicador apontado para cima. Benito demorou a vê-lo. Covas não gritava. Esperava que a turba silenciasse. Enfim, recebeu a palavra.

— Senador Covas — ordenou Benito. — O senhor tem a palavra pelo tempo que for necessário. Peço ao plenário que se acalme e escute o senador Mário Covas. Pode falar, senador.

— Senhor Paulo César Farias, meça as suas palavras. Não nos iguale àqueles que estão olhando o que ocorre aqui, temerosos, e aguardando em silêncio no meio de onde o senhor veio. Não nos iguale.

Covas tremia ao falar. Seu vozeirão calou a todos.

— Nobre senador Covas... — tentou intervir Paulo César Farias, atentando para o quão desastroso havia sido sua frase genericamente conceitual.

— Alto lá! — reagiu o senador paulista com a voz grave já uma oitava acima. O objetivo era intimidar PC e inibir novos pretensos intervenientes. — Alto lá! Quem está falando sou eu, o senhor é depoente. Espere a sua hora de falar. Não me interrompa. Essa Casa aqui é de quem foi eleito. Nenhum de nós, e falo isso também pelos nobres colegas da bancada do governo, nenhum de nós ficará aqui escutando alguém detratar a política, igualar políticos corruptos com gente como eu, como o senador Simon, como o senador Bisol, como o senador Amin, para citar só alguns, mas poderia citar todos aqui presentes. Porque nós temos um projeto para o país, um projeto de reconstrução do Brasil, e neste projeto não cabe quem ludibria prestação de contas de campanha. Fazer isso é ser desonesto com o princípio basilar da Democracia, que é o da igualdade de oportunidade no concurso de uma eleição. Disputa-se igualmente, e será eleito aquele que convenceu mais pessoas da excelência de seu projeto.

A sala permaneceu em silêncio. Ouvia Covas como a um pai ralhando com o amigo malquisto do filho mais velho em meio a uma festa de família na qual entrara de penetra. PC Farias percebeu a hora de calar. Baixou o olhar, voltou o torso para a frente, alinhando-o de novo com o resto do corpo, balançou a cabeça afirmativamente.

— Pela liderança do PMDB, senador Simon com a palavra — anunciou Benito.

— Mas ele não é líder do PMDB — protestou Ney Maranhão.

— Mas é como se fosse. Responde aqui pela liderança e pediu a palavra como líder. Tem a palavra, senador Simon. Eu a asseguro.

O gaúcho, também ele um excelente orador, levantou-se. Gostava de discursar de pé. Miúdo, magro, voltou-se antes para o plenário da comissão e se curvou em respeito a ele, num gesto que lembrou a coreografia dos orientais num encontro social. Depois dirigiu-se para a mesa diretora dos trabalhos.

— Senhor Paulo César Farias, eu podia aqui falar muitas palavras contra os ataques que daí foram desferidos contra nós aqui, contra esse Parlamento, contra a política. Mas direi uma só coisa: obrigado, senador Covas. Obrigado pela defesa altiva que merecemos.

Aplausos. Mas Pedro Simon seguiu com a palavra, já sentado, e fixou-se diretamente em PC.

— Foi o senhor quem assinou a prestação de contas, que admitiu que é falsa, da campanha de Collor?

— Não.

O ex-tesoureiro havia perdido inteiramente o ar confiante. Começou a suar. Apagou o cigarro, reduzido a uma guimba, e tirou um lenço branco do bolso da lapela do terno. Enxugou a testa vasta até o centro da cabeça. Desceu a mão com lenço pela nuca e foi até o pescoço. Contraiu a musculatura da face num tique nervoso, como quem resistisse à ferroada do anzol que o fisgara e quisesse fugir da barbela.

— Então as assinaturas que vejo aqui, Cláudio Vieira, Fábio Monteiro de Araújo e Abílio Dantas, firmaram um documento público para o Tribunal Superior Eleitoral, mentindo ou compactuando com uma mentira?

— É o senhor quem diz, senador.

— Não, senhor! — gritou Simon, gesticulando em negativas com o dedo indicador esquerdo em riste enquanto segurava o microfone da bancada com a mão direita. — É o senhor quem diz! O senhor falou aqui, e todos nós ouvimos, e está nos autos desta sessão, que a campanha do presidente Fernando Collor de Mello em 1989 teve uma arrecadação paralela de recursos, que sobrou dinheiro dessa arrecadação, que esses recursos não foram contabilizados e nem o senhor, nem ninguém até agora, sabe onde estão esses recursos e que a prestação de contas feita ao Tribunal Superior Eleitoral é uma fraude. Uma fraude firmada por esses três senhores que citei, um deles investigado pela Polícia Federal por tráfico de drogas e o outro, pelo Tribunal de Contas da União e pelo Ministério Público por desvio de verbas da LBA.

Pedro Simon mostrara a PC que ele mesmo cavara a vala onde sua prepotência, arrogância e seu desprezo pela atividade parlamentar começavam a ser enterrados. Ao igualar a todos ali, definindo-os como correia de transmissão do sistema corrompido que desejara montar, calou até os defensores do governo. Quando deslindou os dois tópicos dos prontuários de Dantas e Araújo, o senador gaúcho apenas deu curso à estratégia traçada pela oposição na reunião na casa de Dirceu. A ideia era justamente, àquela altura, por volta da hora do almoço, fazer com que a imprensa percebesse que havia uma condução no depoimento do dia e que consequentemente a comissão não morreria de véspera por inanição informativa.

Funcionou, e haveria mais.

Desolado com o andamento do depoimento, o senador governista Ney Maranhão considerou prudente sair para falar com a imprensa no corredor externo à sala da CPI. Levantou-se, olhou para os jornalistas de rádios e TVs no fundo da sala, indicou para eles que daria entrevista no corredor. Encontrou-os no corredor externo. Gravou uma fala otimista, o contrário absoluto do que sentia:

— O empresário Paulo César Farias deixou claro que há uma total falta de provas das acusações do senhor Pedro Collor — disse Maranhão.

Os repórteres protestaram e provocaram-no a relatar sobre a falsa prestação de contas ao TSE. Ele caiu na provocação.

— Mas as contas foram prestadas e aprovadas, não há dúvidas sobre isso — argumentou.

Encerrou a entrevista dizendo ter um assunto importante a tratar. Desceu correndo o vão de escadas que levam à Biblioteca do Senado. Diante da porta de vidro da entrada do arquivo parou e retirou um papel do bolso direito do paletó. Rasgou-o. Era a minuta de um requerimento em que pediria o encerramento imediato da CPI, "em virtude da ausência de objeto a ser apurado, pois não há crime sem provas nem podemos buscar provas onde não sabemos onde estão". O requerimento, redigido na assessoria parlamentar do Palácio do Planalto, seria apresentado tão logo o depoimento de Paulo César Farias acentuasse a falta de rumo das denúncias do irmão do presidente. A estratégia foi tentada no início do dia, tornando-se óbvia nas afirmações de PC para o senador Maurício Correa. A tática, contudo, mostrou-se frustrada quando o ex-tesoureiro mordeu a isca das sobras de campanha.

* * *

Trecho do relatório final da Comissão Parlamentar de Inquérito em que se faz um resumo do depoimento de Paulo César Cavalcante Farias à comissão:

DEPOIMENTO DO Sr. PAULO CÉSAR CAVALCANTE FARIAS

A 9 de junho foi ouvido o Sr. Paulo César Cavalcante Farias, ex-seminarista, ex-professor de francês e latim, ex-vendedor de automóveis usados e novos, ex-advogado de júri e ex-locutor de rádio.

60

Confessou ser um comerciante nato. Em 1972 fundou a Empresa de Tratores de Alagoas S.A.. Em 1985, a Empresa de Participações e Construções-EPC, em 1988, a Brasil-Jet e em 1991, a Gráfica e Comunicação Tribuna, para não relacionar todas. Uma de suas firmas, a Tratoral foi objeto de diversos processos administrativos da iniciativa da Receita Federal e do Banco Central, submetendo-se em 1983 a uma concordata. A despeito de ser padrinho de casamento do Sr. Pedro Collor de Mello, respondeu às suas acusações com ação judicial, na qual relacionou 18 calúnias, 19 difamações e três injúrias.

Exerceu a coordenação financeira da campanha de Fernando Collor de Mello à Presidência da República, o que colocou alguns de seus amigos à testa de órgãos públicos importantes, embora sem sua indicação direta. Nega ter intermediado negócios com o Estado, reconhecendo que intercedeu em favor de algumas pessoas de suas relações, tal como o Governador Moacir Andrade, de Alagoas, na liberação de verba destinada ao laboratório LIFAL, e Wagner Canhedo na discussão de contrato de fornecimento de combustível para a VASP. Esclarece, entretanto, que não utilizou, para esse efeito, a intermediação do Sr. Marcos Coimbra. Quanto a sua relação com Ministros, mencionou que convivia bem com a Srª Zélia Cardoso de Mello, os Sres. Carlos Chiarelli e Alceni Guerra. Relacionou com pessoas de sua intimidade o irmão Luís Romero Farias e o então Presidente da Caixa Econômica, Sr. Lafaiete Coutinho. Reconheceu que o Sr. Jorge Waldério Tenório Bandeira de Mello é seu sócio na Brasil-Jet. Garantiu que tão logo foi encerrada a campanha eleitoral, foi cuidar de suas empresas, afastando-se do Governo. Quanto ao jornal *Tribuna de Alagoas*, negou que seu objetivo fosse concorrer com a empresa jornalística da família Collor. Frisou ter sido coordenador da campanha eleitoral do Sr. Renan Calheiros em 1988, mas, em virtude de uma amizade de mais de vinte anos, acabaria por apoiar a candidatura do Sr. Geraldo Bulhões ao Governo de Alagoas, razão pela qual o Sr. Renan Calheiros passou a acusá-lo, inclusive a pretexto de fraudes eleitorais. Reconheceu ter conta no Banco Nacional de Paris, mas negou ter empresas no Exterior, admitindo, entretanto, que o Sr. Guy de Longchamps é um velho amigo, com o qual contratou uma assessoria financeira que na verdade se destinava à compra de equipamentos para o jornal acima referido.

61

No que concerne à multiplicação de seus bens, no ano de 1991, alegou bom faturamento de suas empresas e incorporação de reservas. Sobre a Brasil-Jet assegurou que se limita a utilizar dois aviões "alugados", pagando, por um deles, 62 mil dólares por mês e 154 mil dólares, pelo outro. Negou ser proprietário de imóveis no Exterior. Minimizou suas visitas à Casa da Dinda, e sobre gastos da campanha eleitoral disse que a legislação brasileira é hipócrita. Com muita segurança, abriu mão do direito ao sigilo bancário e fiscal. Não admitiu ter participado do acordo entre usineiros e o Governo de Alagoas.

Durante todo o seu depoimento, fez praça de orgulho e segurança, referindo-se às acusações como inconseqüentes e irresponsáveis, transferindo a impressão de que se sente um homem superior.

* * *

No Palácio do Planalto o depoimento de Paulo César Farias era assistido atenciosamente pela TV em ao menos três salas. No segundo andar, pelo porta-voz Pedro Luiz Rodrigues. No terceiro, pelo próprio Collor em seu gabinete. O presidente estava acompanhado pelo embaixador Marcos Coimbra. Na secretaria de Governo, por Jorge Bornhausen e seu assessor Antônio Martins, um experiente jornalista da cobertura de Congresso.

Martins foi presidente da Radiobrás durante o mandato presidencial de José Sarney. A passagem pela estatal de comunicação encarregada de administrar a TV pública e as emissoras de rádio do governo, além de organizar o embrião de uma agência de notícias, deram a ele uma capilaridade incomum e uma agenda de telefones de valor inestimável para quem desejasse medir o potencial de devastação ou de construção de imagem. Podia fazê-lo instantaneamente ligando para os principais comunicadores em cada uma das cinco regiões do país. Foi o caso. O jornalista fez aquilo sem que ninguém pedisse. O resultado, constatou, era desalentador para o governo. PC não passara credibilidade, a confissão do caixa paralelo na campanha eleitoral se revelaria demolidora para alguém eleito sob discurso estreito da moralização da política e do combate ao que chamava de privilégios das empresas estatais.

— Ministro, acho que essas impressões devem ser levadas ao PR lá em cima, no gabinete — recomendou Martins.

Bornhausen acatou o conselho e comunicou a aferição instantânea a Collor. O presidente estava tenso. Porém não decidiu nada a partir dali. Ficaram todos calados. Na CPI o empresário PC Farias ainda admitira, no curso do depoimento, ter efetuado ao menos dois *lobbies* bem-sucedidos dentro de órgãos do governo federal.

Num deles, a Central de Medicamentos do Ministério da Saúde, encarregada de efetuar todas as compras de vacinas e remédios distribuídos à rede de hospitais públicos do país, firmara compromisso de adquirir diversos medicamentos produzidos pelo Laboratório da Indústria Farmacêutica de Alagoas (Lifal). Era uma empresa estatal administrada por prepostos de PC em Maceió. O compromisso de compra permitia ao Lifal arbitrar os preços, muitas vezes superfaturados. Quem atestava a compra na outra ponta, liberando os recursos, era Luiz Romero Farias, irmão de PC.

O outro *lobby* admitido pelo ex-tesoureiro de Collor dera-se na Petrobras: ele confirmou a pressão exercida sobre o Conselho de Administração da empresa para que fosse concedida uma linha de crédito especial à Vasp (Viação Aérea de São Paulo) no valor 40 milhões de dólares. A Vasp, privatizada no fim de 1991 e comprada por um dono de empresas de ônibus do Distrito Federal, Wagner Canhedo, precisava daquela linha de crédito como oxigênio para tocar seus voos enquanto se reestruturava. Circulava em todo o país a informação dando conta de Canhedo ter sido mero testa de ferro de PC. A admissão da ingerência a Petrobras a favor da Vasp turbinou a boataria. Luiz Octávio Motta Veiga, executivo profissional que assumira a presidência da estatal brasileira de petróleo no início da administração de Fernando Collor, largou o posto intempestivamente. Depois, admitiu que o fizera em razão dos *lobbies* bem-sucedidos dos integrantes da República de Alagoas contra o caixa da empresa.

Os telejornais daquela noite promoveram uma alteração sutil na temperatura do microclima político e na pressão sobre o Planalto. A CPI seguiria por semanas a fio tomando depoimentos. Escassos documentos se revelavam úteis para comprovar quaisquer das denúncias de Pedro. O cenário econômico se deteriorava porque o Brasil se convertera num lugar inseguro para investimentos — onde não há governo sólido nem uma governança republicana bem temperada, ninguém sério ou bem-intencionado põe dinheiro ou faz apostas. Em ambientes assim, grassam especuladores.

Liderados por Célio Borja, da pasta da Justiça; e Marcílio Marques Moreira, da Fazenda, um grupo de ministros apartou-se do núcleo central do governo federal. Não pediram demissão, mas seguiram na Esplanada sem necessariamente responder aos comandos palacianos. Autodenominaram-se “ministros éticos”, levando à analogia óbvia de que os ministros que permaneciam integrados ao grupo de confiança do presidente da República eram “aéticos” como parecia ser o próprio chefe do Executivo caso se verificassem verdadeiras as denúncias. Assim, o país passou a conviver com a situação inusitada de ter um governo dividido em dois — um, obedecia cegamente ao presidente da República; o outro, era uma República de Ministros sem primeiro-ministro definido.

Enfraquecido, Fernando Collor não podia demitir o “núcleo ético” de seu ministério — se o fizesse, o governo cairia antes de serem disputadas as batalhas fundamentais do Parlamento. Começava-se a levantar a hipótese de *impeachment*, à boca miúda. Todos sabiam que a estrada por onde a aventura caminharia era longa e tortuosa, mas ninguém arriscava servir de bússola na jornada. Afinal, nunca, até ali, uma Nação em todo o mundo levara a cabo a deposição por *impeachment* de um presidente eleito democraticamente.

* * *

Meus dias pareciam ter passado a contar quarenta e oito horas. A dedicação à cobertura da comissão de inquérito era total, mas não integral. A dissolução lenta e silenciosa de meu casamento, em virtude do encantamento com aquela repórter do *Zero Hora*, impunha uma tripla jornada à rotina. Minha mulher e meu filho haviam se mudado para Brasília, dava-lhes atenção e carinho tentando parecer natural, mas em paralelo investia na relação que para mim poderia ser um encontro definitivo. Daqueles encontros que só ocorrem uma vez na vida, quando ocorrem.

Os deputados Miro Teixeira, José Genoíno, Nélson Jobim (*um gaúcho do PMDB que fora sub-relator de sistematização da Constituição de 1988*), José Serra (*o paulistano líder do PSDB*) e Sigmaringa Seixas (*um carioca eleito pelo PSDB de Brasília que depois se filiaria ao PT, grande amigo de Lula*), foram constituídos por mim como uma espécie de *politburo* (*nome do comitê central do Partido Comunista na antiga União das Repúblicas Socialistas Soviéticas — URSS*) pessoal de fontes. Além deles, Mário Covas, o senador com quem construíra uma relação excepcional desde a mudança para a capital, e o comando central da CPI — Benito Gama, Amir Lando e Maurício Correa — eram os caminhos por onde recebia a maior parte das informações e com os quais verificava o que não vinha deles.

Dentre todos, Miro tornara-se o mais próximo a mim. Em razão disso, eu e a repórter do *Zero Hora* combinamos que ela sempre diria "o deputado Miro Teixeira quer falar com ele", quando ligasse e não fosse eu a atender o telefone. O deputado carioca me ligava a toda hora, em qualquer lugar, assim como ela. Era, portanto, uma senha bastante viável para conservar oculta a amizade que caminhava para se converter num relacionamento de fato. Miro, advogado de formação e jornalista de ofício, jamais soube que por algum tempo foi também um álibi para mim. Quando alguém me chamava e anunciava "o deputado Miro quer falar" batia a dúvida. Podia ser ele, podia não ser.

Além de lidar com tamanha confusão pessoal, de cobrar-me como ponto de passagem essencial para tudo o que de relevante chegasse à CPI do PC, precisava conservar um olhar panorâmico sobre o que acontecia no resto do país, fora do Congresso Nacional. Marquei um almoço com o deputado Delfim Netto, ex-ministro da Fazenda, do Planejamento e da Agricultura de governos militares.

Tão logo me mudei para Brasília, em 1991, fui almoçar com Delfim no tradicional *Francisco*. Era então uma das melhores mesas da cidade, localizado na Entrequadra Comercial 402 Sul. Especializado em bacalhau e peixes de água doce como pirarucus, tambaquis e surubins, tinha uma salada clássica e bem servida. Possuía uma adega extremamente pretensiosa para aqueles tempos de claudicante abertura comercial do Brasil para o exterior, e quando o vinho não havia ainda conquistado lugar de destaque na mesa do brasileiro. Muitas vezes, almoçava-se ou jantava-se em Brasília com doses fartas de uísque ruim à mesa — alguns achavam aquilo até elegante. Eu abominava. Elio Gaspari, nas vezes em que comemos no *Francisco*, sempre fizera questão de pedir a carta de vinhos para folheá-la entretido e fazer sempre o mesmo comentário ao final. "Como pode um restaurante português no centro do Brasil oferecer mais rótulos em sua adega do que o *Alfredo*, em Roma? Ou mais marcas de grappas do que os bares do Trastevere?" Sem respostas, só retórica.

Ainda em 1991, quando contava apenas três semanas de minha mudança do Recife para lá, fui almoçar no *Francisco* com Delfim e perguntei-lhe o que havia de errado com o país, por que o crescimento estava emperrado? Sem me responder, Delfim espalmou as duas mãos e apontou para o carrinho de apoio do *maître*. Nele havia três latas de azeite fabricado no Brasil, um refrigerante brasileiro, uma porção de atum e outra de anchovas pescados no Brasil e até uma taça de vinho Almadén, brasileiro, que ele pedira. Observei o carrinho e não entendi. Olhei para ele e Delfim insistiu em não falar, esperando que eu concluísse o que queria dizer apenas apontando-me o carrinho. Encolhi os ombros contra o pescoço e franzi as bochechas — gesto típico de quem não entendera.

— A culpa de não ter dado certo é disso.

— Desculpe, deputado. Não captei. Disso o quê?

— Azeite, brasileiro — disse aquilo e levantou uma das latas. — Este aqui também. Este outro, idem. Levantou as três latas, mostrando-me. — Este refrigerante, brasileiro. Fabricado aqui mesmo. Esse vinho, ruim, brasileiro. Atum, pescado no Brasil. Anchova, pescada aqui. Como vamos dar certo se estamos isolados do mundo e o mundo nos isola? Não fazemos trocas econômicas, o custo de investir no Brasil é altíssimo. Estamos fadados ao fracasso.

Aquela análise fora feita havia pouco mais de um ano, antes de nosso novo encontro. Quando nos encontramos a primeira vez, respirava-se um clima de esperança. Anunciava-se uma modernização do setor automotivo porque, segundo Collor, as montadoras nacionais só fabricavam "carroças". Na esteira daquele anúncio, entretanto, só uma nova fábrica de veículos passou a trazer seus produtos para o Brasil: a russa Lada, remanescente do poderio industrial obsoleto da extinta União Soviética. Os carros da Lada conseguiam ser ainda mais toscos e anacrônicos do que os nossos.

Eu e Delfim nos reunimos naquele almoço que tivemos meses antes, e que nos parecia já tão distante no tempo dada a velocidade adquirida pelos fatos. Em outro almoço, em 1992, quando nossos pratos chegaram, repeti a pergunta.

— Deputado, por que tudo dá errado? Por que a economia não anda?

Ele mais uma vez ficou em silêncio, esticou os dois braços que sempre pareciam incomumente pequenos dada a circunferência de seu abdome roliço e seu rosto em forma de lua cheia, e abriu as duas mãos na direção do carrinho de apoio do *maître*. Estavam ali dezoito garrafas e latas de azeite, nenhum deles de marca nacional. Uma garrafa de soda italiana. Um vinho português. Azeitonas gregas, figos turcos, carpaccio de salmão canadense. A minha posta de bacalhau era norueguesa. O filé dele, argentino.

— Mas desta vez é tudo de fora, tudo importado. Diferente do outro dia — retruquei.

— A culpa segue sendo disso — disse ele. — Como uma Nação sobrevive tendo se aberto tanto ao comércio exterior, em tão pouco tempo, sem dar oportunidade às empresas nacionais de se organizarem para esta abertura? Pior do que isso: depois de se realizar um confisco criminoso de contas correntes que liquidou com a capacidade nacional de investimento? Esta é a resposta para sua pergunta. Acho que Collor cairá. Sei que não há prova alguma contra ele, até agora. Mas ele cairá porque perdeu o apoio de quem o elegeu. Foram os setores mais conservadores da sociedade brasileira que elegeram Collor, foram os investidores internacionais, os donos do capital nacional. E Collor traiu a todos, fez sumir o emprego e aniquilou a esperança. É por isso que ele vai cair, eu não tenho dúvidas.

Um almoço inesquecível. Explicava tudo.

* * *

O cordão tênue que ainda sustentava Fernando Collor na cadeira presidencial começou a romper na madrugada de 27 de junho de 1992. A *Istoé*, única revista de informações gerais que concorria com *Veja*, embora tivesse tiragem inferior a um quarto da nossa, que se aproximava de um milhão de exemplares semanais, o carro-chefe da Editora Três, circulava com uma entrevista oficiosa de Fernando Collor na capa. Mas tinha um *slash* equivalente a uma bomba de nêutrons.

* * *

A bomba de nêutrons tem ação destrutiva apenas sobre organismos vivos, mantendo intacta, por exemplo, a estrutura de uma cidade. Com ela, é possível eliminar os inimigos e apoderar-se de seus recursos.

* * *

O *slash* era o recurso gráfico que usávamos nas capas das antigas revistas impressas. Nos meios eletrônicos de hoje pode-se dizer que era equivalente a uma janela de *pop-up* quicando na página inicial de um *site* para capturar a atenção do leitor. Consistia, em geral, de uma tarja transversal num dos cantos superiores da capa. O *slash* daquela edição de *Istoé* trazia as revelações de Francisco Eriberto França, motorista que servia à secretária de Collor na Presidência, Ana Acioli. Eriberto se revelaria o catalisador das denúncias de Pedro e o fio condutor por meio do qual seria possível gerar o curto-circuito político do *impeachment*.

O fotógrafo Mino Pedrosa, uma espécie de repórter-perdigueiro, craque em farejar problemas e dotado do espírito dos detetives dos romances policiais da subliteratura, muito comuns nas antigas bancas de revista, recebeu uma dica de uma fonte dos porões da comunidade de informações. A pista o obrigava a acompanhar uma diligência de parlamentares da CPI à sede da BrasilJet Táxi Aéreo. A empresa estava sob investigação dos parlamentares porque um fornecedor do Ministério da Saúde, Takeshi Imai, fabricante de bombas aspersoras do inseticida usado no combate ao mosquito *Aedes aegipty*, dissera aos parlamentares que fora achacado pelo irmão de Paulo César, secretário-executivo do ministério. Segundo Imai, Luiz Romero Farias exigiu retorno de 40% do faturamento nas vendas das bombas aspersoras para o Governo Federal. O desvio, destinado a lubrificar a máquina corrompida da Saúde, seria possível com base numa negociação fictícia entre a empresa de Imai e a BrasilJet, cujo dono era PC. O negócio de táxi aéreo era administrado pelo piloto pernambucano Jorge Bandeira de Mello, comandante dos voos de Paulo César e uma espécie de *latin lover* nordestino que dividia as farras da noite com o chefe.

Os parlamentares tomaram um chá de cadeira aguardando o contador da BrasilJet que lhes passaria planilhas contábeis da empresa. Uma secretária daria a eles os planos de voo e os registros dos passageiros das aeronaves, entre elas o Learjet 55 customizado de PC Farias. Era um avião desconfortável, pequeno, barulhento. Todo pintado de preto e com as iniciais PCF nas asas, rapidamente ganhou o apelido de Morcego Negro nos hangares de Brasília, São Paulo, Maceió e Miami. Eram as cidades para as quais voava com razoável frequência.

Enquanto esperava os depoentes, o irrequieto Mino tirava fotos de qualquer um que se aproximasse da sede da empresa de táxi aéreo. Foi assim, por meio da objetiva de sua Cannon, que acompanhou a chegada do motorista. A estatura acima da média — quase 1,90m — as sobrancelhas em forma de garranchos grossos num rosto situado numa cabeça alongada e oval e o inconfundível pomo de adão pronunciado no pescoço faziam de Eriberto França um personagem peculiar. Mino se aproximou, não sem antes verificar que falaria a sós com o alvo escolhido.

— Oi. Já te vi no Palácio do Planalto, não vi?

— Sim. Faço trabalhos para a Ana Acioli, secretária do presidente.

— O que você está fazendo aqui?

O silêncio que se seguiu àquela pergunta, o cenho franzido do motorista e o gesto de procurar uma saída de cena com o olhar deram ao fotógrafo a certeza de que havia peixe na tarrafa lançada em águas turvas. Ao menos foi daquela forma que ele me narrou o episódio, quase quinze anos depois, quando conversamos longamente sobre o poder de convergência do acaso. Certo de ter notícia ao alcance das mãos, Mino convocou o hábil prosador Augusto

Fonseca, um dos melhores repórteres da nossa concorrente, para juntos promoverem aquilo que chamávamos docilmente de pau de arara nas redações: balançar, sacudir e torturar psicologicamente uma fonte em potencial para que vomitasse tudo o que pudesse saber sobre algum fato que porventura estivéssemos apurando. Particularmente, eu sentia prazer quase sádico de conduzir as sessões inquisitoriais como a pretendida por meus concorrentes naquele momento. Eriberto não demorou muito a deixar claro para a dupla da *Istoé* que eles haviam capturado uma ostra contendo um colar de pérolas.

O motorista contou que era funcionário terceirizado da Radiobrás, ou seja, admitido sem concurso público. Que fora requisitado para servir diretamente à secretária particular do presidente da República e entre as demandas solicitadas a ele estava a missão quase diária de bancar o mensageiro de luxo entre a BrasilJet, o Palácio do Planalto e a Casa da Dinda (*residência pessoal de Fernando Collor, onde insistira em seguir morando, desprezando o Palácio da Alvorada e a Granja do Torto, residências oficiais dos presidentes*). Muito mais lhe foi perguntado e a tudo assentiu afirmativamente, ampliando o rol de novidades passíveis de publicação.

Cantou como um sabiá nos entardeceres do cerrado e teve a felicidade de encontrar ouvidos bem treinados para escutar todas as suas partituras e converter o conjunto numa ópera trágica para o bufão que ocupava a Presidência. Sem muitas delongas, sem floreios, com a simplicidade crua dos homens simples, Eriberto deixou claro que despesas pessoais de Collor e da primeira-dama Rosane eram bancadas com cheques entregues por Marta Vasconcelos, secretária de Bandeira de Mello e de PC na empresa de táxi aéreo.

Com a fonte a tiracolo, a dupla Mino Pedrosa e Augusto Fonseca correu para a sucursal. Não havia tempo a perder. A revista deles tinha um parque gráfico mais acanhado que o nosso e um sistema de distribuição menos capilar e mais artesanal. Consequentemente, os prazos de fechamento eram mais exíguos.

O escritório brasiliense da *Istoé* era chefiado pelo compositor João Santana, um jornalista astuto e *bon-vivant* que nos anos 1970 fizera algum sucesso na esteira dos ícones de sua geração — Gilberto Gil, Caetano Veloso, Maria Bethânia, Moraes Moreira. Santana, cuja sensibilidade para radiografar confusões era proverbial, rapidamente diagnosticou a amplitude do abalo sísmico que um depoimento do motorista causaria. Tratou de reentrevistá-lo, com tudo gravado, e de mapear uma rápida apuração que pudesse ser feita para publicar junto com a entrevista. Depois, temendo que a concorrência também localizasse Eriberto França antes de *Istoé* ir para as ruas, despachou o motorista para a fazenda de um amigo publicitário no interior da Bahia com ordem expressa para que ficasse lá até a noite do sábado seguinte, quando a revista estaria circulando.

A *Veja* foi às bancas naquele fim de semana com a capa mais infeliz de toda a sua História iniciada em 1968: uma espécie de enquete pré-respondida em que "perguntava" ao leitor como Collor ficaria no futuro. Abaixo da pergunta, as opções de resposta com quadrinhos à esquerda para se assinalar o "x" — "Sofrerá *impeachment*", "renunciará", "sairá fortalecido com oposição desmoralizada" e "fica fraco, mas no poder". A última previsão trazia um "x" em amarelo apontando a análise editorial de nossa equipe embasada no pouco que se conseguira descobrir com a CPI. Fazendo os fatos ocuparem o lugar devido no jornalismo. Afinal, jornalismo vive de fatos, e não de opiniões. *Istoé* trazia naquele mesmo sábado o *slash* devastador — "Aparece uma testemunha" — com as revelações de Eriberto.

O motorista localizado por Mino, entrevistado por Augusto e escondido por Santana, produzira ao mesmo tempo um terremoto e um *tsunami* em Brasília.

* * *

Collor estava em Las Leñas, uma estação de esqui na Argentina, quando recebeu por *fax* as cópias da reportagem de *Istoé*. Participava de uma reunião do Grupo do Rio, cúpula de chefes de Estado da América do Sul que tinha por anfitrião o pitoresco presidente argentino Carlos Saúl Menem. Fiel escudeiro, o embaixador Marcos

Coimbra acompanhava o presidente brasileiro quando as páginas com fac-símiles das revelações de Eriberto começaram a chegar na suíte do hotel em que estavam hospedados. Usando o canal presidencial, Coimbra localizou Ana Acioli em Brasília e perguntou se o motorista era uma fonte plausível para a revista. Ele de fato existia? Ela o reconhecia? Ele fazia os serviços que dizia fazer?

— *Sim, é. Ele é tudo o que a revista diz que é* — respondeu Acioli a todos os questionamentos.

Gustavo Paul, repórter de *Veja* que cobria aquela reunião internacional, avisou Oinegue que o presidente brasileiro anteciparia o retorno a Brasília.

Foi uma madrugada insone na comitiva brasileira que estava na estação de esqui da Patagônia argentina. Antes das 6h30 o Boeing 707 que servia à Presidência estava pronto para retornar à Base Aérea brasiliense e lá mesmo ocorreria uma reunião ministerial convocada por Collor. Todos os ministros deveriam estar presentes, inclusive os chefes das três forças militares. O avião presidencial pousou por volta das 11 horas. A austera sala de reuniões da base militar do aeroporto Juscelino Kubitschek não fora idealizada para momentos históricos. As linhas retas de seu mobiliário, o conforto sem afetação dos estofados, pareciam acentuar a tensão e o silêncio. Fernando Collor não conseguiu encarar nenhum de seus ministros. Também não foi cobrado diretamente por nenhum deles. Estava claro que se alguém o fizesse a energia aprisionada no recinto seria liberada em megatons.

— É tudo mentira. Aleivosias — disse o presidente. — Deem-me 48 horas e respondo tudo. Não ficará assim. É uma grande conspiração.

Até as cabeças coloridas dos alfinetes que enfeitavam o mapa do Brasil na parede da sala de reuniões da Base Aérea de Brasília, marcando precisamente onde havia pistas de pouso em todo o território nacional, sabiam que o prazo de dois dias para responder a ataques tão contundentes significava uma sentença de morte para o governo. Com invejável capacidade para perscrutar o sentimento dos atores políticos de Brasília e antecipar as reações do Parlamento, o ministro Ricardo Fiúza, do Bem-Estar Social, arriscou sugerir um artifício manjado.

— Ok, presidente: em 48 horas, respostas contundentes. Mas não seria o caso de fazer um pronunciamento à Nação ainda hoje, desmentindo?

— Sem pronunciamentos — cortou Collor.

O deputado Paulo Octávio Pereira, empresário e amigo particular do presidente, era o único não integrante do governo que estava na Base Aérea.

— É isso, Pablito. Vamos em frente — disse Collor ao vê-lo.

— Deve estar sendo difícil segurar essa barra, meu amigo.

— Está, mas vou vencer. Estou forte.

A reunião foi suspensa e os participantes dispensados para regressarem a seus afazeres. O porta-voz presidencial Pedro Luiz Rodrigues deu uma breve declaração aos repórteres que esperavam a comitiva no estacionamento da base: *"O presidente disse que as despesas da Casa da Dinda são pagas há 25 anos com recursos da família. Não seria agora que precisaria de fontes alternativas"*.

Visivelmente desolado, Fiúza voltou para seu apartamento funcional na Superquadra 302 Norte e convocou alguns amigos para narrar os fatos e escutar as opiniões de terceiros. A um lobista, que era desde muitos anos um dos grandes parceiros que tinha na cidade, confidenciou que sentiu o cheiro da derrota.

— Aquela sala tinha o perfume dos velórios — descreveu o ministro do Bem-Estar Social fazendo referência à reunião da manhã.

Collor, por sua vez, retornou à Casa da Dinda e respondeu a algumas ligações. A conversa mais demorada foi com o governador da Bahia, Antônio Carlos Magalhães.

— Ouvi a declaração do porta-voz — disse ACM ao telefone.

— O que achou, governador?

— Não adianta o presidente da República ficar irritado com quem faz denúncias. A irritação corrói a autoridade. A autoridade é altiva e se impõe. Você precisa é apresentar documentos, provas materiais do que diz. Só elas vão desmentir quem mente.

O telefonema enfureceu Fernando Collor, que desligou impaciente.

* * *

Antes de depor à CPI atendendo a uma convocação especial e imediata, Eriberto França foi sabatinado por um grupo de integrantes da comissão. Os senadores Covas e Bisol estavam entre eles, além dos deputados Jackson Pereira e José Dirceu. A tarefa era esquadrinhar tudo o que o motorista iria dizer no Congresso, antecipar as fragilidades e lacunas de seu relato e definir vacinas e anticorpos para os ataques da base governista que viriam no sentido de desqualificar o roteiro de apuração oferecido pela fonte da *Istoé*.

França não se comportou como Pedro Collor. Não mudou o depoimento. Com algumas provas à mão — copiara alguns cheques dos pagamentos que realizara para a secretária da Presidência, pois desejava estar preservado se houvesse divergências e contestações em relação a seu desempenho profissional —, dera à Comissão Parlamentar de Inquérito o plano de ação que havia três semanas era avidamente perseguido. Numa tentativa pedestre de desqualificar a fonte da revista *Istoé* o líder da tropa de choque governista, Roberto Jefferson, usou com Eriberto a mesma estratégia lançada mão pelo brizolista Vivaldo Barbosa com Pedro Collor.

— Olhe nos meus olhos: por que o senhor fez essa denúncia, senhor Eriberto? — pediu Jefferson, treinado para usar o corpanzil volumoso, de obeso mórbido, e o vozeirão de cantor de churrascaria na arte de intimidar adversários.

— Porque sou patriota — respondeu o motorista.

— Só por isso? — perguntou o deputado do PTB do Rio, com ar de chacota.

— E o senhor acha que é pouco, deputado?

De chofre, sem pensar, Eriberto deu uma resposta simples e ao mesmo tempo eficaz. Usou o ar surpreso dos indignados e o tom de voz dos homens humildes. Jefferson se calou, a audiência da sala gargalhou. Uns até aplaudiram a singeleza indignada do motorista. Encerrada a sessão de audiência do motorista, João Santana, o chefe da sucursal da *Istoé*, estava liberado para produzir uma pequena vingança pessoal contra mim e destinada a ostentar o furo de sua revista.

— Preciso falar com Eriberto — disse-lhe.

Até aquele momento o motorista não falara com nenhum outro veículo de imprensa.

— Claro, rapaz. Venha almoçar lá em casa. Ele vai almoçar conosco, você é meu convidado — respondeu Santana.

Fui desarmado e sozinho. Pensava que seria uma conversa trivial entre dois jornalistas antagonistas nos veículos, mas amigos fora deles, e um personagem que fatalmente se constituiria em astro do momento. Quem abriu a porta do apartamento de meu rival foi a mulher dele. Ao entrar na sala constatei que toda a sucursal da revista concorrente estava lá. Os lugares estavam definidos na mesa retangular. João Santana e Eriberto França estabelecidos numa cabeceira, eu na outra. Entre nós dois, seis repórteres, dois fotógrafos da Editora Três e a esposa de meu concorrente.

— Lula, o Eriberto está aqui e pode responder a qualquer pergunta que você fizer. Na nossa frente. Não é, Eriberto?

A fonte deles, o homem que dera consequência às denúncias de Pedro Collor, respondeu afirmativamente com a cabeça.

Tomei ar, olhei para cima, mordi os lábios. Busquei palavras enquanto bebia um pouco de água, mas a raiva que sentia e procurava esconder revelava-se pelo tremor das mãos. Derramei água sobre meu prato. Percebi o semblante vitorioso de João Santana no sorriso que nem pensou em disfarçar. Entrei no jogo, embora nauseado e sentindo a lâmina de uma faca traiçoeira enfiada nas costas.

— Eriberto, nós, em *Veja*, achamos excelente o fato de você ter falado com a *Istoé*. Digo isso do fundo do coração. Estava se tornando uma briga pessoal nossa contra o governo, Collor estava começando a virar o jogo. Se ele ficar no poder vai se vingar da gente. Parabéns, muito bom você ter escolhido a concorrência.

Mino não se conteve. A frieza e educação lhe foram concedidos como um dom proporcionalmente inverso à sagacidade com que sabia identificar e levantar denúncias.

— Vai se foder, Lula. Ele não escolheu a gente. Nós é que o encontramos.

A irritação do fotógrafo me dera o prazer de marcar ao menos um gol de honra. Transformara em 7 a 1 a goleada de 7 a 0. Combinara com Eduardo uma provocação como aquela caso o almoço fosse a armadilha que eu custara a crer que realmente armariam para mim. Oinegue tinha certeza que tudo transcorreria daquela forma. Desde então, jamais falei sozinho com Eriberto. Antes de me receber ele sempre convocou alguém da concorrência para acompanhar a conversa.

* * *

As revelações do motorista da Radiobrás usado pela secretária do presidente da República para realizar serviços bancários do chefe e da família presidencial funcionaram como sal bombardeado nas nuvens dos céus do sertão: choveu no terreno pedregoso onde estavam plantados os indícios revelados por Pedro Collor. As provas começaram a florescer de diversos pontos.

No dia seguinte ao depoimento de Eriberto o presidente falou em cadeia nacional de rádio e TV. Foi um pronunciamento de 23 minutos iniciado às 20 horas. Pela primeira vez desde a posse em 1990, declarou publicamente que não mantinha "qualquer ligação" com o empresário Paulo César Farias. Durante o discurso ele citou quatro vezes o nome de PC, o que também era inédito. Jamais tinha feito aquilo. Nem em entrevistas, nem em pronunciamentos.

"*Há cerca de dois anos não encontro o senhor Paulo César, e nem falo com ele. Mente quem afirma o contrário*", disse Collor. "*Quero deixar claro, de uma vez por todas, que não mantenho com o senhor Paulo César Farias ligações empresariais ou de qualquer outra natureza que possam beneficiar a mim ou a minha família: nunca o autorizei, nem a quem quer que seja, a utilizar o meu nome em assuntos de governo*", falou o presidente. Estava abatido. Olhava fixamente para a câmera, sem piscar. O timbre da voz denunciava raiva, era ríspido. *"Vamos dar um basta a essas fantasias que estão construindo"*, encerrou. Não houve boa-noite, não houve agradecimento à audiência.

Na estratégia de contra-ataque, além da cadeia de rádio e TV, o Palácio do Planalto distribuiu à imprensa cópias de dois documentos. Os papéis, imaginavam os advogados de defesa e a Consultoria-Geral da República, seriam provas destinadas a desmentir as acusações de Pedro e de Eriberto. Os "documentos", cartas redigidas pelo secretário da Presidência Cláudio Vieira e pela secretária particular do presidente Ana Acioli, negavam que as contas pessoais de Collor e de seus familiares fossem abastecidas por recursos que não tivessem origem exclusiva em depósitos feitos por Vieira. As cartas também foram exibidas durante o pronunciamento.

* * *

Iluminada pelas novas pistas, a ala oposicionista da CPI estruturou um roteiro de diligências em empresas de táxi aéreo, locadoras de automóveis, bancos, grandes empresas que contratavam consultorias fictícias a empresas de Paulo César Farias. Sem controle da escalada da situação na comissão de inquérito, o deputado Benito Gama avisou a seu padrinho político, Antônio Carlos Magalhães, que teria de liberar as investigações e elas poderiam revelar dissabores para o governo.

— Numa posição como a sua, Benito, você tem de ter mais juízo do que lado. Não pode perder nunca a moral com o colegiado, senão sai derrotado inclusive politicamente — aconselhou-o ACM.

O presidente da CPI entendeu o recado como um sinal verde para intensificar o equilíbrio entre as pretensões governistas e as descobertas surpreendentes que a oposição começava a celebrar. A pescaria na Avenida Paulista mostrou a existência de bagrinhos, manjubas, bodiões e meros nas águas turvas dos clientes da EPC — Empresa de Planejamento e Consultoria — uma espécie de guarda-chuva para delinquências montado pelo ex-tesoureiro de Collor.

O escritório da EPC em São Paulo tinha um telefone de número (011) 530-1944. Dele, sempre em dias que Paulo César Farias estava na capital paulista segundo registros de seus voos no Morcego Negro, eram disparadas ligações em paralelo para ministérios em Brasília e para sedes de grandes empreiteiras como Odebrecht, Mendes Júnior, OAS, CR Almeida, Cowan e Andrade Gutierrez. Todas elas, obviamente, tinham negócios com o Governo Federal e colecionavam interesses a serem defendidos.

Na Esplanada, as ligações mais frequentes eram para os gabinetes dos ministros da Economia, Zélia Cardoso de Mello; da Infraestrutura, João Santana; da Educação, Carlos Chiarelli; para o próprio Planalto e para a secretaria-executiva do Ministério da Saúde onde dava expediente Luiz Romero, irmão de PC. Também havia registro de ligações para as presidências do Banco do Brasil e da Caixa Econômica Federal.

Foram descobertos contratos de gigantes do baronato empresarial com a EPC. O Grupo Votorantim, do capitão da indústria nacional Antônio Ermírio de Moraes, contratara o ex-seminarista alagoano Paulo César Farias para que lhe desse conselhos a fim de obter novos negócios e abrir-lhe mercado. Nenhuma evidência de tal prestação de serviços fora encontrada. Convocado a depor, Ermírio de Moraes confessou a contratação como um "mal passo", disse arrepender-se daquilo e cancelou o contrato. Obviamente, as consultorias sem quaisquer provas de real execução mascaravam o velho *lobby* empresarial: pagar para lubrificar a máquina pública e obter contratos em licitações viciadas, vantagens diversas e outras facilidades disponíveis nos guichês do Estado.

As empreiteiras Andrade Gutierrez, Odebrecht e Tratex também haviam pago mais de cinco milhões de dólares pelos conselhos de PC, segundo os registros contábeis da EPC. Em valores menores, mas sempre conectados a obras federais em curso, Cetenco e Tenenge, duas empresas de construção civil de menor porte, estavam nos registros de clientes da consultoria do alagoano. Contudo, não havia uma linha escrita sobre os serviços prestados, nem agenda de realização de eventos ou reuniões entre executivos daquelas construtoras e o ex-tesoureiro.

Um detalhe chamava a atenção dos técnicos da Comissão Parlamentar de Inquérito, que montara uma subcomissão de Assuntos Bancários: quase todos os pagamentos eram feitos por meio do Banco Rural, onde a EPC, a BrasilJet e o próprio Paulo César mantinham contas com grande movimentação. Raramente eram emitidos cheques ou feitos saques em outras duas contas, no Bancesa e no BMC, onde PC e suas consultorias também eram correntistas. O deputado José Dirceu, do PT, fora nomeado sub-relator daquela subcomissão e levara para lá Waldomiro Diniz, um integrante de proa do Sindicato dos Bancários de Brasília e funcionário de carreira da Caixa Econômica.

O Banco Rural era uma instituição pequena, familiar, com sede em Minas Gerais e apenas uma agência na Avenida Paulista e outra em Brasília. Verificou-se que Ana Acioli, a secretária do presidente Collor, também abrira conta no banco mineiro. E era na agência brasiliense que Eriberto França dizia fazer a maior parte dos pagamentos, transferências e saques em espécie quando solicitado pela chefe.

O esquema PC começava a emergir de forma avassaladora, ficava claro o tráfico de influência e a advocacia administrativa praticados pelo ex-tesoureiro no governo do amigo e talvez sócio. Tudo com o beneplácito das grandes empresas do país. Entretanto, faltavam elos daquele caixa impróprio, fruto óbvio e ululante de ilegalidades e *lobbies* obscuros, com a tesouraria da família presidencial.

Enquanto a revista *Istoé* começava a circular com a reportagem em que Eriberto França apontava o traçado do propinoduto que unia Collor a PC Farias às traficâncias praticadas pelo ex-tesoureiro usando a máquina pública, a CPI tratou de pedir ao Banco Central todos os documentos bancários relacionados a Ana Acioli, Paulo César Farias, Jorge Bandeira, EPC e outras empresas que tivessem o empresário alagoano e seu piloto como sócios. Era o mapa do caminho.

* * *

— Se o Banco Central não enviar as cópias dos cheques e a íntegra dos extratos das contas solicitadas, eu asseguro: será um grande escândalo, porque a Polícia Federal e os procuradores da República vão invadir o BC e montar lá dentro um *bunker* da subcomissão bancária.

A ameaça era do deputado Jackson Pereira, do PSDB cearense, bancário de carreira do Banco do Brasil, que se revelava um dos mais incansáveis investigadores da comissão. Ele tentava convencer o presidente do Senado, Mauro Benevides, a ser menos diplomático com o Ministério da Economia e com o próprio Palácio do Planalto. Conciliador, Benevides tentava conceder mais tempo para a entrega dos documentos. Pereira havia articulado o endurecimento com o conjunto das oposições e com o procurador-geral Aristides Junqueira. O senador Mário Covas foi convencido a procurar o ministro Marcílio Marques Moreira, que substituíra Zélia na Economia e era um dos líderes do levante do "Ministério Ético", a fim de dar-lhe um ultimato. Covas seguiu o roteiro combinado, e Marcílio cedeu.

Em dois dias, duas centenas de caixas com cópias de cheques, extratos, canhotos de pagamentos e documentos bancários diversos da EPC, de PC, de Ana Acioli, do piloto Jorge Bandeira de Mello e de diversos outros investigados — pessoas físicas e empresas — foram recebidas numa sala-cofre do Prodasen, o serviço de processamento de dados do Senado. Ali dentro, com a ajuda de técnicos do Senado, da Câmara e do TCU, Waldomiro Diniz, o assessor de Dirceu que fora crucial na preparação da equipe para o depoimento de PC Farias, comemorava o desenvolvimento de um programa de computador que lia e comparava as informações bancárias numa velocidade distante dos horizontes dos investigadores.

A CPI inaugurava um novo momento. Havia funcionado até então sob regime de alimentação externa. Reportagens dos principais veículos de comunicação da época, sobretudo as revistas *Veja* e *Istoé*, davam a profundidade das investigações. As fontes dos jornalistas orientavam a linha e o tom das investigações, mas documentos eram escassos. O aporte de documentos fornecido pelo Banco Central, por ordem expressa de Marcílio mediante as ameaças de Covas e de Pereira, com aval de Aristides Junqueira, mudou tudo.

A mudança alcançou-nos até mesmo nas redações. Sabíamos que perderíamos a vanguarda na divulgação dos fatos, mas isso não podia ocorrer de uma vez. Um grupo de parlamentares da CPI reuniu-se para estruturar um calendário de furos que seriam ofertados aos veículos de acordo com os dias da semana. O objetivo era fazer da comissão um instrumento de luta política, sim, mas defendido por todos os principais órgãos da imprensa. Diniz avisou-me da estratégia, irritando-me profundamente. Abri a alma indignada para Eduardo Oinegue, na sucursal, e ele convocou Expedito Filho e Mário Rosa, dois de nossos outros repórteres mais tarimbados em *Veja*. Nossa missão: deveríamos ir juntos aos principais líderes da comissão e dos partidos de oposição protestar contra a isonomia antijornalística.

Chegou até nós, na sucursal da *Veja*, um *off* carregado de intrigas: a ideia do cronograma de furos partira do deputado petista Aloizio Mercadante. Era estapafúrdio que fosse daquela forma. O furo jornalístico é o prêmio ao empenho profissional, jamais poderia ser usado como escalada para ascensão midiática de quem desejava abrir portas e ficar bem com todos os veículos de comunicação. Fomos tomar satisfações com ele. Discutimos de forma bizarra. Mercadante assumiu a paternidade da maluquice. Disse que desde sempre José Serra, líder do PSDB na Câmara, fizera assim e desfrutava por isso de latifúndios na mídia brasileira. Era verdade, estava certo naquele particular, mas não aceitaríamos um segundo Serra em nossas vidas.

* * *

Eu mesmo desfrutava da simpatia do tucano paulista — em geral uma fonte intragável para muitos. Mário Rosa, que estava comigo naquela cruzada contra a isonomia de furos, dera uma lição memorável na arrogância serrista.

Certa vez, durante as minhas férias, Veja *pautou longa reportagem sobre o Orçamento Geral da União e a necessidade de aprová-lo com alguns cortes duros. Sem intimidade com Rosa, a quem coubera a missão de destrinchar a peça orçamentária com Serra em minha ausência, o tucano mandou um assessor procurar o jornalista na sucursal da revista um dia antes da entrevista e entregar para ele textos acadêmicos e artigos de autoria do próprio deputado. "São para você compreender o assunto antes de falar com ele", disse o assessor. "Lula já estava a par, já falou com ele sobre Orçamento da União outras vezes, e ele acha melhor você ler esse material para não chegar cru na conversa."*

Óbvio que aquilo ofendeu *Mário Rosa. O repórter reagiu de forma incomum. Recolheu os catálogos telefônicos dos 26 estados brasileiros e do Distrito Federal que tínhamos na sucursal, envelopou-os dois a dois ou três a três, exceto os imensos catálogos de São Paulo e Rio de Janeiro que iam solitários nos envelopes, e mandou etiquetá-los: "pasta José Serra 01", "pasta José Serra 02", "pasta José Serra 03"... assim por diante. Na hora da entrevista pediu ajuda a Temístocles, o mensageiro da sucursal, para carregar todas as pastas com ele. Dirigiram-se ao gabinete da liderança do PSDB na Câmara. Rosa chegou antes da hora marcada, pôs os envelopes sobre a mesa de reuniões, onde seria a entrevista, certificou-se de que todos estavam lacrados e deixassem à mostra o nome José Serra. Quando o líder do PSDB entrou na sala de reuniões espantou-se com os envelopes e perguntou do que se tratava. "Reuni tudo o que o senhor já escreveu na vida, deputado. Tanto no exílio, como antes do exílio e sobretudo depois do exílio", disse. "Por que isso, rapaz?", quis saber Serra, curioso e já meio sem graça. "Não podia vir falar com o senhor com a possibilidade de ter qualquer dúvida. Por isso está tudo catalogado para análise e consulta enquanto conversamos." Um Serra evidentemente murcho, intimidado, deu a entrevista sobre Orçamento da União da qual saíram duas frases na edição seguinte de* Veja.

Nunca mais o líder tucano tripudiou suas virtudes intelectuais sobre qualquer um de nós na revista. Quanto a Rosa, talvez tenha iniciado ali a carreira humorística que anos depois abraçaria em definitivo e com algum sucesso.

* * *

— Mercadante, já lhe disseram que você tem todos os defeitos do Serra?

— Já.

— E nenhuma das virtudes?

Não podia perder a oportunidade para revelar a ele, na lata, a brincadeira que fazíamos nas redações dado o temperamento dos dois — a perseguição pela unanimidade e a despropositada vaidade intelectual os unia. Naquele momento, o chiste terminou sendo a gênese de uma relação conturbada que passamos a ter por diversos anos.

Mercadante decretou que seguiria fazendo como planejara. Mal sucedido com o petista, corri à chapelaria do Congresso, localizada no primeiro subsolo, ponto de chegada de quem visita o Parlamento, para aguardar o presidente da CPI. Minha abordagem a ele foi tão ousada quanto despropositada e descortês.

— Benito, olha aqui: o combinado era que teríamos alguma vantagem em relação à concorrência para os documentos que chegassem à CPI em razão da denúncia de Pedro.

— Não sei do que você está falando.

— Vocês criaram um fluxograma do furo. Cada veículo ganha um furo, um dia da semana. Que maluquice é essa?

— Ideia do Mercadante.

— Eu sei. Mas você tem o controle da sala do cofre — disse eu.

Ele me encarou revelando maus bofes. Fez uma careta e fechou o semblante. Não tinha ideia que nós já havíamos descoberto a designação de um local específico, com cofre-forte e tudo, para guardar os principais documentos enviados à comissão. Era a sala da diretora de Comissões do Senado, Cleide Cruz, aquela que se tornou minha boa fonte. Só ela tinha acesso ao local, decorado esparsamente. Uma escrivaninha, uma mesa redonda para reuniões com até seis pessoas, um ramal telefônico, um *fax*. Apenas isso e o retrato de Mauro Benevides. Somente ela e um assessor da Câmara sabiam o segredo do cofre-armário, daqueles modelos que equipavam instituições bancárias até os anos 1960.

— Quem te contou da sala?

— Para mim? A torcida do Flamengo inteira sabe que fica no Senado e lá estarão os principais papéis que separarem na triagem do Prodasen.

— O acordo com vocês valia até o depoimento do Eriberto. Desculpe, meu caro, mas o motorista deu melhor o caminho das pedras que o Pedro Collor.

— Vai voltar atrás na palavra empenhada? É isso? Se você for desleal conosco vai se arrepender. Nosso poder de fogo é muito maior que o da *Istoé*.

— Isso é uma ameaça? O que é isso?

— Não. Lembrança de lealdade. Apenas isto.

— Ok. Olhe só, me dê um tempo. Hoje é terça-feira. Eu prometo que a partir da quinta-feira o que vier de exclusivo será furo de *Veja*, de vocês. E novos documentos exclusivos só chegam a partir do domingo, nos jornais, com vocês nas ruas.

— Posso ficar tranquilo?

— Pode.

— Ok.

* * *

As caixas de documentos bancários referentes às contas da EPC, da BrasilJet, de PC Farias e de Ana Acioli no Banco Rural, no Bancesa e no BMC haviam drenado para o Congresso um manancial inteiro de informações que emergiram de forma cristalina para chocar todo o país. Assombrados, passamos a lidar com fantasmas que assinavam cheques, sacavam dinheiro em espécie nos caixas dos bancos, arcavam com despesas pessoais da Casa da Dinda onde Collor morava com Rosane. Também pagavam parte dos salários de alguns ministros e assessores presidenciais.

Em março de 1990, na esteira do Plano Collor que confiscou a poupança e os saldos em contas correntes dos brasileiros e de empresas operando em território nacional, um decreto assinado por Zélia Cardoso de Mello extinguiu a figura do cheque ao portador. O instrumento era uma ordem de pagamento bancária — um cheque — que podia ser emitida sem limitação de valor e sem discriminação do beneficiário. Ou seja, qualquer um podia sacar qualquer cheque emitido por qualquer pessoa.

Foi com cheques ao portador emitidos entre a vitória em 15 de novembro de 1989 e a posse em 15 de março do ano seguinte que Collor pagou a pensão dos filhos à herdeira milionária, Lilibeth Monteiro de Carvalho. Com eles, deu mimos financeiros à mãe, colocou à disposição de Rosane um caixa da ordem de 30 mil dólares mensais, pagou complementações salariais ao então porta-voz Cláudio Humberto Rosa e Silva e ao coronel da Polícia Militar alagoana Dário César Cavalcante para comandar a segurança presidencial. Até o mordomo da residência pessoal de Collor, Berto José Mendes, recebia o salário com cheques ao portador saídos das empresas de PC Farias.

O decreto da ministra da Economia tornava impossível o cheque ao portador. Exigia a designação de quem receberia o dinheiro. O objetivo (não de Zélia, mas do técnico que ofertou a ideia a ela) era dificultar fraudes em transações financeiras que fossem análogas dos procedimentos de lavagem de dinheiro cometidos por traficantes e contrabandistas.

"*Um intelectual, um artista para o cometimento de crimes.*" Assim Pedro Collor definia Paulo César Farias nas conversas mais relaxadas.

Foi PC, o artista do crime, quem urdiu o sistema de concessão de vida a personalidades fantasmas. Esses ectoplasmas financeiros, frutos do gênio criminoso do alagoano, abririam contas em bancos, teriam registro junto ao Cadastro de Pessoas Físicas (CPFs) de indivíduos já mortos cujos documentos não haviam ainda recebido baixa no Ministério da Economia. Até mesmo assinariam cheques. José Carlos Bonfim, Flávio Maurício Ramos e Maria Gomes foram os fantasmas mais usados. Outros cinco, Manoel Dantas Araújo, Jurandir Castro Menezes, Rosalina Cristina Menezes, Rosimar Francisca de Almeida e Carlos Alberto da Nóbrega foram empregados pelo esquema com alguma parcimônia.

Logo depois do congelamento de todos os depósitos e o confisco das cadernetas de poupança, das aplicações financeiras e até dos saldos em contas correntes dos brasileiros empreendido por meio do decreto presidencial de Fernando Collor e da ministra Zélia Cardoso de Mello, o conjunto de fantasmas idealizado por PC ganhou vida e depositou o equivalente a 2,4 milhões de dólares na conta pessoal de Ana Acioli. Com o dinheiro, a secretária do presidente pagou parte das despesas iniciais da Casa da Dinda logo depois das eleições de 1989.

Ao longo do tempo, cheques emitidos pelos próprios fantasmas — com assinaturas falsificadas ora por Acioli, ora pelo piloto Jorge Bandeira, e também por duas secretárias de PC, Rosinete Melanias e Marta Vasconcelos — e pelo piloto Jorge Bandeira, passaram a confrontar os gastos cada vez mais altos da residência presidencial e da família Collor de Mello. *"Ele diz para todo o mundo: madame está gastando muito, eu sei porque pago as contas"*, afirmou Pedro Collor em suas denúncias, reproduzindo o que seriam reclamações de Paulo César aos hábitos perdulários da primeira-dama Rosane. *"Fala isso para revelar intimidade, para mostrar que é de casa. E tanto em Brasília quanto em São Paulo essa intimidade funciona."*

O bancário Waldomiro Diniz, assessor da subcomissão da CPI encarregada de processar as informações enviadas pelo Banco Central, sugeriu aos deputados e senadores mais dedicados às investigações que tirassem extratos frequentes de suas contas bancárias pessoais. "Para que isso?", perguntei certa vez ao ver os deputados José Genoíno, José Dirceu e Sigmaringa Seixas, além do senador Eduardo Suplicy, numa fila diante de um caixa eletrônico da Caixa Econômica no vão de uma das escadas do Arquivo do Senado. Esperavam a vez para emitir os extratos de suas respectivas contas. "O governo pode mandar alguém depositar valores sem origem em nossas contas bancárias, fabricar uma denúncia contra nós", explicou-me um dos petistas. A cada dois dias, portanto, os parlamentares de oposição verificavam os extratos das contas bancárias.

* * *

No dia 14 de julho de 1992, depois de adiar por três vezes o depoimento aos parlamentares da CPI do PC alegando enfrentar uma gravidez de risco, enfim a secretária Ana Acioli seria ouvida pelo presidente e pelo relator da comissão, acompanhados pelo senador Mário Covas. O respeito que impunha onde quer que entrasse explicava a presença de Covas com a dupla, exigência dos advogados da depoente. Acioli foi ouvida na suíte 826 do Instituto do Coração, em São Paulo, porque dera à luz a um bebê semanas antes e houve um distúrbio coronariano com ela. Tinha sido um parto de alto risco, a secretária de Collor era portadora de uma doença rara, Púrpura Trombocitopênica Imunológica. Entre outras coisas, o mal reduz o nível de plaquetas no sangue.

— Como está o bebê? Ele é muito comilão? — perguntou o senador paulista com seu vozeirão característico.

O ar de avô bonachão que lhe era constante e o sorriso tão largo quanto forçado não surtiram efeito. A pergunta funcionou como um catalisador emocional. Ana Acioli caiu num choro convulsivo que demorou quinze minutos. A pressão arterial dela, monitorada por uma enfermeira, estava num pico de 16 por 9. Só depois de uma interrupção de quase meia hora o interrogatório foi retomado.

Aquela sessão externa da comissão de inquérito foi a única sem a presença da imprensa, sem gravação. Durou três horas. Ana Acioli contou a Gama, Lando e Covas que todos os depósitos bancários em suas contas eram de inteira responsabilidade de Cláudio Vieira.

— Ele é seu chefe? — insistiu Covas.

— Meu chefe é o presidente Fernando Collor. Doutor Cláudio Vieira é quem transmite as ordens do presidente.

Talvez sem querer, ao responder daquela forma a secretária ajudou a formular uma acusação direta ao chefe afinal revelado por ela. Ainda prosseguiu:

— Todas as contas que eu tenho no Banco Rural, no Bancesa e no BMC são exclusivas para movimentar os recursos do presidente.

Não sai nenhum centavo dessas contas sem a expressa autorização de doutor Collor.

Os três parlamentares se entreolharam e pareceu tácito que era a hora de parar. A pressão da secretária estabilizara-se em 14 por 8 havia pelo menos uma hora. Fizeram os cumprimentos de praxe e deram por concluído o interrogatório. Estavam exultantes, sobretudo o relator Amir Lando. Enquanto tinham a companhia de enfermeira, médico, advogado e Ana Acioli, não fizeram comentários entre si. Quando entraram no elevador Lando pôs a mão direita sobre o ombro de Covas, mordeu o lábio superior, olhou para Benito e falou para os dois companheiros naquela jornada:

— Chegamos à porta principal do Palácio do Planalto.

Rápido e mordaz, Covas completou:

— E entramos nos jardins da Casa da Dinda.

* * *

Para nós, em *Veja*, o imenso desafio passava a ser não somente a obtenção de provas das denúncias de Pedro Collor, mas também a preservação do furo por alguns dias durante os meses de funcionamento da CPI e a confecção de cópias de cheques e documentos guardados no cofre da Diretoria de Comissões do Senado. Àquela época, o valor do *toner* usado nas máquinas de reprodução xerográfica era tão alto, que se tornara item específico nas planilhas de custeio das repartições públicas. No Congresso não era diferente, e nem todos os funcionários tinham acesso franco a equipamentos xerográficos. Não tinham sido inventados ainda os escâneres nem os *smartphones* para fotos instantâneas. Decidimos, portanto, por iniciativa de Expedito Filho que eu tinha de reconhecer ser genial, ensinar a um parlamentar como copiar documentos usando um *fax*. Nem todas as pessoas sabiam operar as máquinas de *fax* com naturalidade. Sigmaringa Seixas, nomeado por Benito Gama e Amir Lando fiel escudeiro da Sala do Cofre, foi o escolhido para receber uma investida sedutora de conversa-fiada: sondaríamos se aceitaria copiar alguns papéis e nos passar. Sig tinha acesso privilegiado à senha do armário de aço. Ela lhe fora confiada pela funcionária encarregada do setor, à revelia de Benito e de Lando.

À hora do almoço, num começo de tarde quente da Brasília dos meses de julho, já com a estação seca caminhando para o auge de seu período, eu e Expedito trancamo-nos com Sigmaringa no cubículo restrito dele no edifício Anexo 4 da Câmara dos Deputados. É um prédio com metade dos gabinetes dispostos para o poente, e essa era a posição em que estávamos. O *brise-soleil* que reveste a fachada amarela do Anexo 4 detinha a luz solar, mas irradiava o calor para a sala de não mais que doze metros quadrados em que nos apertávamos. Leváramos um aparelho de *fax* da revista para ensinar a Sig como proceder. Confeccionei recibos de diversos tamanhos, tive o cuidado de levar documentos reais em folhas A-4 e usei até cheques destacados do meu talonário do Banco Nacional, para transformá-lo em exímio copiador de documentos.

Foi uma aula demorada, mas funcionou. Daquela fonte jorraram bons furos, boas novidades, excelentes fac-símiles publicados em nossas páginas. Muitos exclusivos, outros nem tanto.

Sigmaringa Seixas socializou o que aprendera conosco, entregara cópias dos documentos a outros parlamentares que os distribuíam a jornalistas diversos. Ele mesmo tornara-se ótima fonte de outros veículos, mas tudo era executado sem comprometer a confiança depositada nele por nós, da Editora Abril. Parecia uma ação coordenada com o objetivo de criar no país a compreensão coletiva de que era melhor cassar o mandato de Collor do que seguir com um governante, flagrado em corrupção de diversas ordens de profundidade, ocupando a cadeira presidencial.

Exceto em um momento crucial da CPI, um ponto de inflexão política decisivo, não nos sentimos traídos pela socialização do furo. Sig jamais confessou que ajudara naquela tarefa, um vazamento certeiro para o jornal *O Globo* articulado para ser um torpedo político. Sempre tive certeza de que foi ele, ou por meio dele, que se dera a engenhosa arte da manipulação da notícia para se produzir uma consequência devastadora contra o governo de Fernando Collor.

O ponto de inflexão capital ocorreu na transformação de Ulysses Guimarães em personalidade política favorável ao *impeachment*. O "Ministério dos Éticos" havia convertido o almirante Mário César Flores, ministro da Marinha, em pacificador dos quartéis e de todos os entes fardados da República. Na esquerda, o deputado José Genoíno transmutou-se em interlocutor contumaz e quase diário de Flores. Ao centro, e com acesso aos núcleos da Academia, das universidades, era o senador Fernando Henrique Cardoso quem exercia esse papel. Flores, Genoíno e Fernando Henrique, às vezes acompanhados de outros parlamentares ou presidentes de partidos como Lula, pelo PT, e José Richa e Tasso Jereissati, pelo PSDB, faziam análises frequentes da conjuntura política.

Ulysses Guimarães, que personificava a longa luta pela restauração da Democracia entre as décadas de 1960 e 1980, confessava com facilidade o temor de o país vivenciar um novo e absurdo retrocesso institucional, caso se desse seguimento a um eventual *impeachment* de Collor. "E o vice, Itamar? Vão cassar Itamar também?", perguntava ele a quem aparecesse à sua frente propondo o uso do Artigo 85 da Constituição. "Como fazer? Nova eleição? Devolver o país aos militares?"

Temores semelhantes e perguntas cujas respostas não eram conhecidas, posto que as dúvidas se revelavam inéditas ante uma Constituição recém-promulgada, assaltavam outras mentes coroadas da República naqueles dias.

O senador Pedro Simon, amigo pessoal de Itamar Franco, o vice-presidente que nem sequer se comunicava com o titular do cargo, abriu um canal de interlocução para um grupo reduzidíssimo de parlamentares da CPI dialogar com o sucessor natural do presidente caído em desgraça. Não se tinha notícia até ali, a partir das investigações da comissão de inquérito, de qualquer vaso, duto ou canal misturando dinheiro ilegal de PC Farias às contas lícitas de Itamar, depois da posse presidencial. Maurício Correa, o advogado senador brasiliense por quem Itamar se afeiçoara durante a Constituinte, auxiliou Simon na empreitada. Durante a campanha de 1989, contudo, contas do vice foram pagas com verbas levantadas pelo tesoureiro informal de Collor.

Para dar prosseguimento às articulações do *impeachment* era necessário separar o presidente do vice — inclusive na cabeça das pessoas e no imaginário dos integrantes das Forças Armadas — e depois auscultar de alguma maneira qual a visão de Brasil que Itamar tinha. Simon buscou o auxílio de Covas, de quem o vice-presidente era admirador confesso. Negociador arguto e profundamente cioso da gravidade das conversas que passaria a ter, o senador paulista exigiu que nenhuma das tratativas vazasse para a imprensa. "Em hipótese alguma. De minhas conversas, eu tenho controle", determinou.

— Só haverá *impeachment* sob duas hipóteses: apoio consolidado de quem tem juízo neste país, e Ulysses representa isso, é o símbolo disso; e uma prova cabal da ligação de Collor com o dinheiro espúrio de PC Farias — deixou claro Covas na primeira reunião em que ele, Flores, Genoíno e Simon discutiram a fundo a possibilidade concreta de queda do primeiro presidente eleito diretamente depois do regime militar.

— Doutor Ulysses está duro. Joga na legalidade. Nós também, mas o que temos parece não o convencer — lamentou Genoíno, concordando com os termos postos à mesa por Covas.

A reunião era num apartamento na SQS 302. Fazê-la ali era forma de despistar a imprensa. Sempre dava certo. O endereço se localizava distante do quadrante destinado às residências de parlamentares pelo projeto original da cidade. Na terça-feira 21 de julho de 1992, os argumentos sonhados pela ala avançada da CPI para auxiliar o convencimento e a conversão de Ulysses se materializaram na subcomissão bancária da CPI.

Assinado por José Carlos Bonfim e nominal a ele mesmo, fora encontrado um cheque do Banco Rural no valor de dois milhões, quinhentos e oitenta mil, novecentos e sessenta e sete cruzeiros e dois centavos. A data, 5 de abril de 1991. Aquele cheque comprara outro cheque, dessa vez um cheque administrativo, do próprio Banco Rural. O cheque administrativo do Rural, que tinha valor de dinheiro à vista, quitava por sua vez uma duplicata da Fiat na compra de um automóvel modelo Elba, uma perua lançada havia pouco tempo no Brasil. Havia a instrução na duplicata: Fiat Elba a ser entregue ao senhor Fernando A. Collor de Mello, residente no Setor de Mansões do Lago Norte (SMLN) 10, Conjunto 1, Casa 1. O endereço é onde existe até hoje a Casa da Dinda. E ainda estava escrita à mão uma observação: "venda via CVP". Era a maior revenda Fiat do Distrito Federal.

O cheque que ligava o presidente e sua residência pessoal ao ex-tesoureiro podia ser a bomba de hidrogênio almejada pelos restauradores da construção democrática brasileira pós-ditadura: capaz de matar o personagem Fernando Affonso Collor de Mello e, ao mesmo tempo, preservar as instituições que amadureciam a duras penas.

O Fiat Elba tornara-se famoso nas filmagens de fins de semana de Collor. No período em que ainda conservava a força de estreante no cargo, ele costumava se exibir dirigindo o veículo até o ponto de partida de suas corridas pelas margens do Lago Paranoá, ou mesmo em deslocamentos internos na Casa da Dinda, cujo terreno era imenso.

O sigilo sobre a descoberta daquele elo financeiro foi imediatamente decretado pelo comando político da comissão de inquérito.

— Eis a nossa bala de prata para convencer Doutor Ulysses — disse Covas ao tomar conhecimento da existência do cheque.

Remeteu, sem guardar ironia, à expressão usada pelo próprio Collor em 1990 ao decretar o confisco de contas correntes e poupanças. Para o presidente em seu primeiro dia de mandato, a drenagem financeira das contas bancárias dos brasileiros era a "bala de prata" destinada a matar a inflação. A administração desastrosa sempre esteve longe disso, mas feriu o próprio governo e o condenou a uma morte lenta por perda continuada de apoios no empresariado, no lumpesinato e em parte da sociedade brasileira que o havia levado à vitória nas urnas.

* * *

Naquela mesma noite eu jantaria com Ulysses Guimarães, a quem conhecia pouco. Definitivamente, era alguém por quem eu tinha profundo interesse intelectual por me aproximar desde a chegada a Brasília. O deputado Nelson Jobim, um dos auxiliares mais próximos dele durante a Assembleia Nacional Constituinte em 1987 e 1988, ajudara-me a marcar o encontro. O senador Pedro Simon, também próximo de Ulysses, pautou-me sobre como conduzir a conversa para extrair com exatidão desde o estado-da-arte da alma do experiente político em relação ao tema "*impeachment*" que crescia a olhos vistos na cena aberta e nos porões da cidade.

O pai de minha amiga repórter do *Zero Hora* tinha sido parlamentar, do PMDB, e de certa forma disputava espaços no comando partidário com o velho ícone da resistência aos militares. Aproveitei a agenda para tomar um café prospectivo com ela, sob o pretexto de ouvi-la e colher sugestões. Foi divertido fazer o exercício de vislumbrar grandes articulações políticas enquanto não tirava os olhos do reflexo do sol de fim de tarde nos fios ruivos do cabelo dela. Quando a corrente de ar ajudava, ainda buscava traços do perfume que chegavam até mim.

— Ainda é o Fendi. Estou nesta fase. Só uso ele — disse-me ao perceber o impacto do perfume em mim.

O relógio andou rápido até a hora marcada para o jantar, às sete e meia da noite.

Cheguei ao Piantella e doutor Ulysses já me esperava numa mesa no mezanino. Não estava só. Um assessor o acompanhava. Alto, magro, queimado de sol, jovem, era a sombra do chefe nos corredores e nos salões palacianos da capital. Avisou-me logo que teriam outra reunião na sequência, então o tempo era exíguo.

— Quanto? — quis saber.

— Duas horas — respondeu-me.

Cumprimentamo-nos e sentei-me. Começamos a falar amenidades. Contei-lhe que havia jantado em Teresina com o prefeito da cidade, Heráclito Fortes, que fora seu discípulo. "Não sei o que foi fazer lá. Preferia ele aqui, tomando *poire* em fim de noite e conspirando", respondeu-me abrindo um sorriso gostoso e pigarreando. Pigarro de quem já entrou fundo na idade.

O poire, *aguardente de pera, era a marca de um grupo que se autodefinia como "os moderados" do antigo MDB. Tinha como expoente exatamente Ulysses Guimarães e se contrapunha aos "autênticos" da legenda, que se posicionavam sempre mais à esquerda nos embates ideológicos. O subgrupo emedebista portara--se como entidade quase partidária desde as articulações para a anistia de 1979, que repatriou exilados como Leonel Brizola, Miguel Arraes, Herbert de Souza e tantos outros, até o começo dos trabalhos da Constituinte, quando se dispersou em razão das divisões e fissuras provocadas pelo exercício do poder. Ao fim das reuniões, sempre pediam* poire.

— Fazer oposição nos unia — completou ele, sorrindo. — O gosto de ser governo sem mandar de fato em nada amargou o *poire*. Gosto muito do Heráclito.

— Uma figura excepcional. Fui almoçar na casa dele em Teresina e, um pouco antes, inspecionou pessoalmente um carregamento de galinhas-d'angola que estava mandando para Belo Horizonte.

— Belo Horizonte? Galinhas-d'angola?

— Sim. Segundo me disse o prefeito, eram para o governador Hélio Garcia. O Heráclito me contou que Hélio Garcia está namorando a Martha Rocha (*ex-miss Brasil*), e ela ia jantar com ele no Palácio das Mangabeiras. Disse ele que Martha adora guinés, como chamam as galinhas-d'angola lá no Nordeste, e por isso o carregamento saiu do Piauí.

A gargalhada de Ulysses Guimarães, a tosse que a entremeava, os olhos marejando de tanto rir e seu assessor dando-lhe água, sem perder a circunspecção, marcaram a partir dali as lembranças que conservo das escassas conversas que mantive com o mais instigante parlamentar que conheci. Era hora de escolher o prato, pois o tempo corria. Ele pediu um filé alto, ao ponto, com arroz. Eu pedi um peixe grelhado depois de me certificar que o peixe do dia era um cherne.

— Vejam só..., nosso amigo é um jornalista ingênuo — disse Doutor Ulysses.

Só não me senti ofendido porque a sensação não tinha nexo algum naquele momento. A provocação feita por um personagem com a biografia do meu interlocutor, com o triplo de minha idade, foi absorvida suavemente. O assessor dele sorriu sem mostrar os dentes, mas se voltando para mim.

— Ingênuo por quê? — quis saber.

— Meu filho — começou a responder Ulysses elevando a voz uma oitava e mal disfarçando o sarcasmo: "Estamos tão distantes da praia mais próxima, que só alguém ingênuo entra no *Piantella* e pede um cherne achando que é fresco e é do dia. Sou muito amigo do Marco Aurélio, o dono daqui. Ou esse cherne chegou congelado há uma semana, ou há um mês, ou foi pescado há três dias e nem dava para congelar mais porque ia estragar. Em Brasília quem pede peixe do mar é ingênuo. Não ia perder a piada, desculpe se o ofendi".

"A maior ofensa que se pode fazer a um jornalista é chamá-lo de ingênuo", disse-me certa vez Elio Gaspari enquanto comíamos um bife a cavalo no mesmo *Piantella*, meses antes. Acatei a quase ofensa de Doutor Ulysses, pedi um filé no pão francês com cebolas caramelizadas e mostarda — "é o filé do Luís Eduardo", explicou-me depois o dono do restaurante, Marco Aurélio, o homem que não servia peixe oceânico fresco, referindo-se ao pedido contumaz do deputado Luís Eduardo Magalhães —, e fomos direto ao ponto nevrálgico daquela conversa.

— A CPI pode pedir o *impeachment* do presidente Collor? — quis saber.

— Se for prudente, não. Se for sábia, não. Se observar a Constituição que nós promulgamos um dia desses, não.

— Por quê? O senhor não está chocado com tudo o que foi descoberto?

— Meu filho, não há nenhum ato do presidente que tenha sido comprovadamente usado para PC fazer *lobby*. Indício não prova nada, só prova material, cabal. O irmão do presidente diz que o empresário lá, o senhor Paulo César Farias, paga as despesas da Casa da Dinda. Cadê a prova disso? Tem algo que comprove essa afirmação?

— Mas Doutor Ulysses, são muitas as denúncias, a falta de pudor...

— Não se pode derrubar um presidente eleito sem uma prova material da quebra de decoro. Crime de responsabilidade é isso: o presidente quebrou o decoro do cargo. E mais: não se pode derrubar um governo sem saber como será o dia seguinte. Quem fica lá? Itamar? Está pacificada essa tese? Os militares aceitam? O PT, o senhor Lula, aceita? Vão dar trégua ao Itamar? Ele governa até o fim do mandato ou convoca uma nova eleição? Se convocar nova eleição, o eleito fica até quando? Um mandato de cinco anos, como ficou na Constituição? Ou de quatro, como queríamos? Ou só completa o tempo do senhor Fernando Collor?

— Essas coisas não podem ser resolvidas com articulação política?

— É o que está faltando, meu filho: articulação política. Mas nenhuma articulação, por melhor que seja, pode passar por cima das leis e da inexistência de provas. O Supremo Tribunal Federal, que nós reforçamos como Corte Constitucional, não deixaria um presidente eleito ser deposto só por vontade da oposição que foi derrotada nas urnas. Não é assim. Se houver a conjunção e uma prova cabal contra o presidente da República, uma articulação política que desenhe o futuro do Brasil e não nos deixe no vácuo e no meio das incertezas, e a concordância do Supremo de que tudo isso está de acordo com as normas, pode-se depor o presidente. Sem essa conjunção de forças que é quase impossível ser obtida, não.

Fora uma das conversas mais agudas que eu jamais tivera. Reduzira a pó meu entusiasmo de iniciante nos labirintos tortuosos da dinâmica real da política. As ponderações de Ulysses Guimarães, descomprometidas de projetos pessoais ególatras, projetavam a imagem da responsabilidade pública e democrática. Perturbei-me com a minha própria pequenez por ter me mantido prisioneiro de ambições bobas, da ambição de ver a deposição do presidente da República provocada por reportagens das quais tivesse participado. Sentia-me cada vez menor quando me punha em contraste com a altivez de Doutor Ulysses. Ele se despediu e retirou-se para a reunião sigilosa que teria, certamente com o comando político da

CPI. Provavelmente estava a caminho de um encontro reservado com os integrantes do "Ministério Ético". O relógio do tempo político corria aceleradamente para marcar o horário da queda de um governo, mas pouca gente tinha essa percepção. Naqueles dias em Brasília, não fomos capazes de dimensionar a velocidade da queda.

* * *

Amanheci na casa do senador Amir Lando no conjunto 4 da QL 8 do Lago Sul. Era uma construção simples, comum, descontada a nobreza da localização. Ele me recebeu de pantufas marrons, calça de *jogging* azul com uma listra branca nas laterais que ia do tornozelo à cintura e uma camisa de malha branca sem nenhuma estampa. Estava amarfanhado. Parecia estar ainda usando a roupa com a qual passara a noite. O gargalo do funil do prazo de encerramento para a redação de seu relatório estava se estreitando. Como eu desconhecia a existência do cheque do Fiat Elba encontrado no dia anterior em meio ao papelório do fantasma José Carlos Bonfim, escondido entre os documentos enviados pelo Banco Rural, devo ter soado meio parvo naquela manhã.

— Senador, os primeiros quarenta e cinco dias de seu prazo já se foram. Vocês não têm muito tempo para seguir com a apuração. Sinceramente, essa comissão vai dar em algum lugar?

Ele abriu pacientemente um caqui e pousou as duas metades da fruta num prato de sobremesa. Ainda havia caquis àquela altura do ano. Na safra, come-se caqui no cerrado durante as três refeições. De quando em vez chegavam sapotis do Nordeste. Serviu-se de suco de laranja e cortou o mamão papaia em dois, oferecendo-me uma das bandas. Aceitei. Ao contrário do senador Esperidião Amin, que gostava de comer apenas os caroços do papaia, Lando jogou os caroços fora e dividiu comigo a polpa do mamão.

— Costa Pinto, calma. Tenho a sensação de que muita coisa vai acontecer nos próximos dias.

Ele tinha certeza. Informação e certeza. Reunidos, relator e presidente da CPI haviam feito um acordo para usar cirurgicamente a bomba de hidrogênio localizada na subcomissão bancária. Ainda insisti.

— Senador Amir Lando, tem alguma novidade na comissão? Algo que eu não saiba?

Ele sorriu e soltou um "tem muita coisa que você não sabe, meu jovem". Quando percebeu que eu havia compreendido o sussurro dito entredentes e já o questionava sobre o que tentava não me dizer, desconversou com platitudes bem endereçadas.

— O conjunto da obra é muito feio para o presidente Fernando Collor. A união de tudo, fatalmente, levará a um pedido de *impeachment*. Não vou lhe dizer que essa é a minha conclusão, pois nem marquei ainda o dia para entregar meu relatório final.

Fez uma pausa em sua fala, uniu o polegar ao dedo médio da mão direita num gesto de pinça, levou-os à altura do rosto, tomou um pouco de ar, virou os olhos como quem estivesse entre o enfado e o mistério e seguiu:

— Falta muito pouco para unir o país em torno desse processo. O presidente só cairá por consenso. As Organizações Globo precisam vir de vez para o lado de cá, ficam em cima do muro o tempo todo. Deram um apoio decisivo ao Collor na campanha. Precisam ser empurrados para o lado de vocês, do questionamento, da cobrança. E nosso velho timoneiro também.

— Quem?

— Doutor Ulysses. Estamos falando aqui da deposição de um presidente. O homem que simboliza a conciliação, a luta pela redemocratização, que é Ulysses Guimarães, tem de estar do nosso lado. Portanto, tenha calma. As coisas acontecerão.

Deixei a casa de Lando, entrei no Fiat Uno prata que recebera de *Veja* como reconhecimento pelo desempenho profissional (*metade de nossa sucursal havia sido premiada com um benefício extrassalarial como aquele, eram as bonificações pagas em mimos como carros, viagens, dólares extras para gastar nas férias*) e atravessei a Ponte das Garças para ir até o apartamento funcional de Benito Gama, na SQS 111.

Havia um grupo de repórteres sob os pilotis do prédio. Tinha acertado com o presidente da CPI que usaria a vaga reserva dele na garagem quando isso ocorresse e eu pretendesse ter uma conversa mais privativa. Mergulhei direto na rampa de acesso ao subsolo. Quando virei à esquerda para estacionar, vi o deputado baiano e o jornalista Jorge Bastos Moreno entrando no carro de Benito. Emparelhei as janelas e perguntei se não podíamos conversar ao menos um minuto.

— Não — disse Benito. — Preciso resolver uma coisa com Moreno. Eu te encontro em meu gabinete, no Anexo 4, dentro de quarenta e cinco minutos. Pode ser?

Claro que podia. Moreno sabia ser irônico, impaciente, inconveniente e engraçado ao mesmo tempo.

— Costa Pinto, são nove horas da manhã e o deputado Benito não serviu nem ovo cozido para mim. Vamos tomar um café e, de lá, ele fica no Congresso, com você. Larga a fonte que ela é de todos nós.

Sorrimos, e eles se foram. Achei que segui-los seria um abuso. Ainda era quarta-feira. Tinha margem para driblar novidades. Decidi chegar mais cedo ao Congresso e andar um pouco a esmo pelo Salão Verde e pelos corredores. Estava me dedicando excessivamente aos porões da CPI e as salas da comissão ficavam todas no Senado. A Câmara dos Deputados tinha mais vida e uma densidade demográfica de fontes maior. Estacionei na frente da Praça dos Três Poderes, que sempre fora para mim uma das visões mais interessantes da capital, sobretudo quando é possível enquadrar ao mesmo tempo no campo de visão o Congresso, o Planalto e o Supremo. Caminhei entretido com a imponência das palmeiras imperiais plantadas ao lado do espelho d'água formado pelo sistema de refrigeração do prédio. Entrei pelo Anexo 1 da Câmara, um dos prédios de 26 andares que formam o conjunto do Poder Legislativo. No corredor destinado aos partidos políticos, esbarrei por acaso com o assessor de Ulysses Guimarães que estava no jantar da noite anterior.

— Bom dia. Tudo bem? Doutor Ulysses está aí? Foi um ótimo jantar o de ontem.

— Foi ótimo. Ele gostou também. Mas não está aqui na sede do PMDB, não. Doutor Ulysses ainda está em casa. Ele tinha um café com o deputado Luís Eduardo e mais dois convidados.

— Sigilo?

— Sigilo. Não posso dizer. Desculpe.

Entrei no plenário e fui até o café. Num estreito vão de mármore branco, um balcão e três mesas redondas, pequenas, semelhantes àquelas dos bistrôs franceses. Sentei-me numa delas com os deputados pedetistas Amaury Müller e Miro Teixeira. Logo Sigmaringa chegou. A conversa fluía divertida e com piadas em torno dos gastos excessivos da madame Rosane Collor na cozinha da Casa da Dinda. Mas rapidamente cessou.

— Vamos parar. Nosso assunto chegou — disse o Müller.

Sigmaringa freou. Por três segundos achou que fosse sério. Caímos os quatro numa gargalhada alta. O nosso homem que copiava documentos bancários logo recuperou o semblante sério.

— Novidade? — perguntou.

— Nenhuma — respondi.

— Ô Sigmaringa — provocou Miro. — Novidade do Lula a gente só lê no fim de semana. Hoje é quarta-feira. É dia de a gente alimentar ele com alguma novidade. Eu não tenho. Amaury não tem. Você tem?

— Eu?!? Claro que não.

Não foi convincente. Miro e Amaury não sabiam de nada. Mas Sig escondia, ou deixava de contar, algo. Despedi-me. Não queria chegar muito atrasado ao gabinete de Benito, no Anexo 4, e teria de cruzar toda a Câmara pelos túneis internos. Apressei o passo. Contornei o plenário, atravessei o corredor das comissões, desci a escada rolante e, quando ia entrar na esteira que me conduziria ao último prédio, escutei a voz inconfundível de Moreno me chamar. Mantinha um quê irônico no sotaque pantaneiro. Chegara do Mato Grosso para trabalhar em Brasília durante o governo Figueiredo, o último dos generais-ditadores.

— Costa Pinto, obrigado pela sua discrição de não ter nos seguido. Eu não teria sido tão educado.

Sorri. Ele também.

— Moreno, tenho para com você a deferência devida aos anciãos.

Ele era quase quinze anos mais velho do que eu. Detestava ser chamado de velho, ainda que o fizéssemos com alguma doçura.

Fuzilou-me com o olhar e me puxou para o espaço entre as duas esteiras — a que ia e a que vinha do Anexo 4.

— Você é desses que acham que estou acabado para o jornalismo?

— Claro que não, Moreno. Fiz uma brincadeira.

— Olhe bem, tem muita gente que pensa isso de mim. Acha isso porque saí de redação, fiz a campanha do Doutor Ulysses em 1989, e voltei para a redação. Acham que não posso mais ser repórter porque em algum momento fui assessor.

— Mas você não foi assessor de qualquer um. Foi assessor do Doutor Ulysses.

— Com as dores e delícias de tê-lo sido, meu jovem. Em geral tenho mais delícias do que dores. Espere amanhã e você vai se lembrar disso.

Era uma charada. Jorge Bastos as adorava. Eu preferia chamá-lo pelos dois primeiros nomes do que pelo último, que não sabia se era apelido decorrente de sua etnia, ou se era sobrenome. Levantou a bola com o joelho e cabeceou para mim como se estivéssemos numa caixa de areia jogando futevôlei.

— Tralalalá... Costa Pinto, o Benito te espera.

Seguimos nossas direções opostas. A alegria de Moreno era quase esfuziante. Quando cheguei ao gabinete do presidente da CPI do PC quem me recebeu foi o líder do PFL, Luís Eduardo Magalhães. Tinha um ar discrepante com nossa amizade. Estava sério.

— Lulinha! — Manteve o tom de festa na voz, mas não combinava com o que via em seu rosto. — Precisamos conversar.

Luís Eduardo me puxou pelo braço levando-me para o reservado do gabinete. Benito não estava lá. Com a outra mão trancou a porta e me apontou a cadeira diante da escrivaninha. Ele sentou-se do outro lado. Tive a sensação que tirava uma faca de uma bainha imaginária e media o espaço entre minhas costelas para cravar a lâmina. Ocorreu-me no ato a metáfora sobre lealdade e traição em Brasília que me fora contada por Ricardo Fiúza, quando cheguei à cidade.

— Olhe isso aqui — entregou-me duas cópias em *xerox*.

Uma delas continha o cheque de José Carlos Bonfim nominal a ele mesmo, em frente e verso. Banco Rural. Também continha cópias do cheque administrativo do Banco Rural sinalizando ter sido descontado para a montadora Fiat Automóveis S.A. A outra página era a indicação interna da Fiat determinando que o carro, uma Elba, fosse entregue à revendedora CVP no Distrito Federal e repassado a um portador "do senhor Fernando A. Collor de Mello". Senti uma falta de ar instantânea. Era como se um ferro em brasa irradiasse calor, em ondas, da primeira à última vértebra da coluna. Engoli em seco.

— Luís Eduardo, isso é matador. O presidente da República ganhou um carro de presente do PC Farias. Um dos fantasmas assinou o cheque. Essa é a Elba que Collor usa para lá e para cá?

— É a Elba. É tudo isso. Mas quem vai dar este furo é o Moreno. Você não poderá falar para ninguém — ninguém — que viu isso aqui. Ou que sabe disso. Entendeu?

— Porra, mas por quê?

— Vou te explicar e quero que você me compreenda, até porque não acho que o presidente mereça cair. Muito menos por causa disso. Cometeu erros, mas quem pode tirá-lo de lá é a urna. Não se brigou tanto por isso? Voto direto? Como disse o PC Farias, na CPI, não podemos ser hipócritas e fingir que as campanhas são todas transparentes. Nunca foram. E há sobras de campanha, sim. E tem muita gente que vive dessas sobras, embolsa, transforma isso em negócio familiar.

— Não aceito isso. O Moreno não pode...

— Aceite, sim. Hoje é quarta-feira, a revista só circula no sábado. A oposição localizou esse papel ontem. O pessoal do PT ia fazer um carnaval. Não sei se a turma da farda ficaria tranquila, nos quartéis, com tudo desandando de uma vez. Na política, aprenda isso, até as derrotas precisam ser planejadas para não dar margem a rupturas e a retrocessos.

— Por que o Moreno?

— Lula, você sabe que o Jorge Bastos tem a confiança de toda a cúpula de *O Globo*. Doutor Roberto jamais duvidaria de um furo levado ao jornal por ele.

O líder do PFL se referia a Roberto Marinho, presidente das Organizações Globo e com quem a família Magalhães tinha uma dívida imensurável. Marinho dera-lhes a lucrativa afiliada baiana da TV Globo, tirando-a de um adversário político de Antônio Carlos.

Dividia minhas atenções entre os papéis — tão perto, tão longe — e o particularíssimo nó italiano largo da gravata de Luís Eduardo, que seguia falando.

— Você sabe também que a presença do Doutor Ulysses na costura do que vem por aí é muito importante. E ninguém faria uma conspiração do bem com o velho melhor do que o Jorge Bastos.

— É verdade. Quem mais sabe desse cheque?

— Alguns integrantes da CPI. Poucos.

— Sigmaringa?

— Sim. Ele que alertou. Covas, Dirceu, Genoíno, Simon.

— Moreno vai publicar quando? Encontrei Sig agora. Ficou calado.

— Amanhã. Publica amanhã. Doutor Ulysses, logo cedo, declarará que o limite do suportável foi ultrapassado e que a Nação saberá trilhar seus novos caminhos. Combinaram isso agora, na minha frente. *O Globo* dando isso na manchete, estando claro que existe uma convergência da oposição mais radical com o centro político mais aprumado que Ulysses representa, o risco de ruptura é zero.

— E Itamar?

— Essa é a preocupação de todos nós. Esse cheque pode cassar o Collor sem tirar Itamar. Com Itamar há uma transição constitucional. Mas o que pensa Itamar?

— O almirante Mário César Flores tem falado com ele.

— Tem. Genoíno também. Covas, Jobim, Miro, Dirceu, eu... o governador.

— ACM?

— Todos nós que pensamos o país nos falamos, por mais que estejamos em lados diferentes. É assim. Por isso eu te peço: aceite esse furo. Estou sendo leal a você, mas preciso do seu silêncio. Sabe fio da navalha?

Fiz uma cara de quem não entendia a pergunta deslocada, ali. Ele continuou sem dar bola para meu estranhamento.

— Estamos caminhando descalços sobre ele, atravessando a Esplanada em ziguezague. Haverá cortes, deve aparecer sangue, mas é possível que todos se salvem.

— Feito, Luís Eduardo. Não falo.

Deixei-o e fui para a sucursal de *Veja*. Tranquei-me com Eduardo em seu pequeno aquário de móveis estofados em cor salmão. Pedi para falarmos baixo. Fechei a trava da porta. Sentamo-nos de costas para o resto da redação. Sentia-me na obrigação de dar aquela satisfação, de contar mais um furo doloroso que levaríamos. Acertamos um limite para nossa indignação: o acordo com o líder do PFL não poderia ser rompido e o furo de Moreno, em *O Globo*, teria de sobreviver até a manhã seguinte. Eduardo ligou para Mário Sérgio em São Paulo, tomou a precaução de delimitar as reações antes, impediu que houvesse vazamento da conversa deles e contou o que ocorreria. Ainda havia cadeia de comando nas redações. E o comando era vertical.

A conversa entre o diretor de redação de *Veja* e o chefe da sucursal de Brasília foi amena. Mário disse a Eduardo que a publicação do furo em *O Globo* seria uma derrota das regras do jogo. Na lógica peculiar dele, que também sabia ler o panorama global, perdíamos aquele furo, mas o processo daria em algo e na origem de tudo quem estava era a *Veja*. Acendemos esse rastilho de pólvora. Se Collor não caísse a partir dali, se não o derrotássemos, a Editora Abril é que correria risco de morrer.

Na madrugada da quinta-feira 23 de julho de 1992, o jornal *O Globo* circulava com a manchete de uma linha varada em seis colunas da primeira página:

"Fantasma" de PC pagou carro de Collor.

No texto, uma mentira aceitável, um pecado jornalístico venial, foi cometido a fim de proteger as fontes de Moreno e afastar a possibilidade de alguém ver na notícia uma grande conspiração de fim de governo. Era do jogo, sabíamos. Assim estava escrito na primeira página de *O Globo*:

"Um 'fantasma' chamado José Carlos Bonfim assinou o cheque para a compra da Fiat Elba do presidente Collor. Fontes do Banco Rural, de Belo Horizonte (eis a pequena mentira) *revelaram a* O Globo *que este é o nome que consta no cheque utilizado para pagar o carro — e que segundo o ex-deputado Sebastião Curió* já foi usado também por Jorge Bandeira (ex-piloto e sócio de PC Farias) para assinar um outro cheque, que lhe fora dado para a sua campanha eleitoral. O cheque administrativo enviado à concessionária de veículos — também endossado no verso pelo mesmo Bonfim (que, sustenta Curió, seria Jorge Bandeira) — foi entregue esta semana à CPI do PC pelo Banco Central. O cheque original (usado para a emissão do cheque administrativo), igualmente assinado por Bonfim, foi encaminhado ontem pelo Banco Rural ao BC."

* * *

A sessão na CPI estava marcada para as dez horas da manhã, mas bem antes disso o Congresso estava tomado por jornalistas. Podiam ser vistos, desde a porta de saída do plenário do Senado, muitos aparatos de emissoras de TV que transmitiriam ao vivo reações de parlamentares que captassem a repercussão do furo dado por Moreno. Tudo isso sobre o tapete azul do salão principal do Parlamento, e a cada três metros no corredor cinza do "túnel do tempo". Foi assim que apelidamos a passarela sob uma rampa do Eixo Monumental que ligava o edifício-sede aos anexos em que ficavam os plenários das comissões e a maioria dos gabinetes de senadores, além da biblioteca e do arquivo.

O "Broadcast" da Agência Estado, o melhor e mais ágil serviço de informações daquela época pré-internet em que não existia "jornalismo em tempo real", era muito usado pelo mercado financeiro. Foi por meio dele que Ulysses Guimarães decidiu vazar sua mudança de posição: passaria a apoiar o *impeachment*. Conforme Ulysses disse ao Broadcast, os fatos publicados por *O Globo* naquela manhã haviam-no convencido.

O Senhor Diretas, o homem que foi capital na desconstrução da ditadura militar e na transição para o retorno do país ao regime civil e constitucional, mudava de posição e chancelava as negociações a favor de um relatório duro na CPI que terminaria por pedir o *impeachment* presidencial. As emissoras de rádio que começavam a se dedicar exclusivamente a notícias também registravam o novo posicionamento do deputado paulista. A estratégia de vazar seletivamente o cheque do fantasma de PC para pagar o Fiat Elba de Collor dera certo.

Recebi um recado de Eduardo em meu *pager*. "Teremos um furinho nosso também. Consegui a fatura do Fiat Elba."

Àquela época a telefonia vivia ainda a Era de Neandertal do ponto de vista da tecnologia dos aparelhos celulares. Havia celulares, mas eles pareciam telefones fixos eventualmente sem fio. O que usávamos em *Veja* era composto por uma base do tamanho de uma bíblia daquelas encapadas em couro preto conectada, por meio de um fio preto ondulado, a um fone idêntico aos de aparelhos fixos. Obviamente, não andávamos com ele. Ao receber a mensagem no *pager* corri ao gabinete do senador Mário Covas e pedi para usar o telefone.

— Boa, Eduardo. Só nós teremos a fatura?

— Sim. Conversei com o Jack Corrêa, da Fiat. Depois te apresento a ele. É uma baita fonte. A fatura tem o nome do Collor, o endereço da Dinda. Ele vai entregar à comissão, mas só fará isso na sexta à noite. A gente publica antes, claro.

— Excelente. Quero conhecer esse Jack.

— Toca a vida, roda bolsinha por aí. Somos putas da notícia, Lula.

Era pouco, mas era alguma coisa.

A imagem eloquente do cheque do fantasma José Carlos Bonfim, ao lado da foto do presidente da República dirigindo a Elba paga de forma espúria, e tudo aquilo ao lado do documento comercial de compra do carro em nome de Collor, formava o que chamaríamos de conjunto robusto de provas. Corríamos para equilibrar o jogo no campo da mídia.

Quanto ao governo, desconjuntou-se de vez com a revelação da identidade de quem pagou pelo automóvel usado por Collor. Passou a jogar como a defesa da Seleção Brasileira confiada a Dante e a David Luiz na partida contra a Alemanha, no Mineirão, na Copa de 2014. Apagão total, desentendimento e gols contra a própria meta. Desde essa época, Jack Corrêa se tornou um grande amigo, e assistimos juntos a diversos jogos da Copa no Brasil e à queda ou à ascensão de todos os presidentes, legítimos e ilegítimos.

* * *

Um bando desconexo de advogados criminalistas, contadores, empresários e alguns políticos ainda fiéis a Fernando Collor, foi reunido às pressas por Alcides Diniz. Herdeiro do Grupo Pão de Açúcar, mas afastado da gestão empresarial pelo irmão Abílio, Diniz tinha relação antiga com Fernando Collor. Conhecedor dos meandros da elisão fiscal, saber necessário para manter a rentabilidade de seus negócios, Cidão (*era assim que o presidente o chamava*) decidiu ter uma ideia. Era uma ideia ruim, revelaria desrespeito às regras da prudência na gestão de crises, e a regra número um em meio a uma crise é justamente identificar e neutralizar os idiotas. Afinal, a pior categoria deles é a constituída dos idiotas com iniciativa.

Alcides Diniz não foi neutralizado. Seu escritório em São Paulo se tornou o *bunker* de uma tropa desconexa que urdiu a derradeira e desastrosa tentativa feita por Fernando Collor de Mello para vencer o *impeachment*.

Cláudio Vieira, secretário particular da Presidência; Lafayette Coutinho, presidente do Banco do Brasil; o advogado Arsênio Duarte Correa, diretor jurídico das empresas de Diniz e os empresários Paulo Octávio Pereira e Luiz Estevão de Oliveira, amigos do presidente e de seu irmão Pedro uniram os conhecimentos que tinham na arte de dialogar com doleiros, emular empréstimos para burlar a Receita Federal, produzir documentos e desenhar versões para serem apresentadas à Justiça e à imprensa. Foram diversas e exaustivas reuniões no escritório de Alcides Diniz. O resultado da iniciativa do grupo foi a Operação Uruguai, como o episódio passou à História depois de atravessar o relatório final da CPI do PC.

Os meandros da tentativa de burla dos fatos, a fim de preservar Fernando Collor na cadeira presidencial, eram tão rocambolescos que exigiriam extenso apêndice para explicá-los. Sobretudo quando se tira o enredo do contexto temporal de 1992, momento em que nada precisava ser detalhado porque o Brasil acompanhava o desenrolar de fatos como se fossem capítulos de uma novela televisiva. O capítulo 9 de *Os Fantasmas da Casa da Dinda*, livro lançado em 1992 e escrito por mim e pelo também jornalista Luciano Suassuna (Ed. Contexto, esgotado na praça) resumia assim o enrosco final que desmoralizou o presidente da República antes de ter seu mandato cassado por corrupção:

> *"Entre as contas da secretária Ana Acioli, abastecidas por fantasmas de Paulo César Farias, e a Casa da Dinda, o governo do presidente Fernando Collor tentou erguer uma barreira uruguaia. Depois que havia dito em rede nacional de rádio e televisão que seu secretário particular, Cláudio Vieira, era o único responsável pelos suprimentos das contas de Ana Acioli, a CPI convocou o advogado alagoano para um segundo depoimento. No início dos trabalhos, Vieira havia sido ouvido para confirmar a veracidade das declarações de Pedro Collor, que disse ter relatado ao secretário particular de Collor as negociatas de PC Farias. (...) ele retornou à CPI e explicou de onde tirava dinheiro para abastecer a conta que pagava as despesas da Casa da Dinda: de um empréstimo de 5 milhões de dólares contraído em 1989 no Uruguai, convertido em cruzados novos por um cambista uruguaio e transformado em aplicações no mercado de ouro no Brasil por um doleiro nascido no Uruguai, residente em São Paulo e acusado, no Rio Grande do Sul, de contrabandear prata e ouro brasileiros para seu país de origem".*

Era uma versão mambembe, mas foi o último tiro a sair do tambor do revólver com o qual o presidente da República tentava manter o mandato. A pólvora estava molhada, falhou. Na narrativa de *Os Fantasmas da Casa da Dinda*, coautoria vencedora do Prêmio

Jabuti de melhor livro-reportagem em 1992, deixamos claro que a Operação Uruguai formava uma babel de erros.

A Alfa Trading, empresa uruguaia que emprestara os 5 milhões de dólares a Collor e Vieira, tinha capital social de apenas 1% desse valor — US$ 50 mil. Além disso, não estava registrada na União de Bancos do Uruguai. Ricardo Forcella, dono da Alfa, estava condenado a nove meses de prisão por falsificação de documentos. O contrato de empréstimo entre um brasileiro e um uruguaio foi redigido em inglês sem tradução juramentada e não fora registrado no consulado do Brasil em Montevidéu — isso o transformava em letra morta, inútil. O foro de Maceió, em Alagoas, era definido pelas partes para dirimir desavenças jurídicas e não se sabe exatamente o porquê, pois Forcella jamais fora à cidade e Vieira já morava em Brasília. A Alfa Trading dispensava garantias legais para conceder o empréstimo, o que era incomum. Por fim, o escrivão uruguaio Rodolfo Delgado reconhecia como original uma assinatura de Forcella aposta no contrato, por meio de uma certidão numerada por N816168 e datada de 16 de janeiro de 1989, mas as certidões de padrão de numeração iniciadas por "N" na burocracia estatal do Uruguai só correspondiam a papéis reconhecidos em 1985. Logo, era uma manobra efetuada usando sobra de blocos de certidões. O escrivão Delgado também respondia a uma ação de falsificação.

Os empresários Paulo Octávio Pereira e Luiz Estevão de Oliveira, íntimos de Collor desde a adolescência vivida em Brasília, eram os avalistas do empréstimo flagrantemente falso.

A avidez falsária dos amigos do presidente brasileiro conseguiu cooptar até um braço da mídia. Etevaldo Dias, chefe da sucursal do *Jornal do Brasil* em Brasília, depois de ir ao Palácio do Planalto ter uma conversa reservada no gabinete presidencial, concordou em viajar ao Uruguai a fim de chancelar midiaticamente a operação mambembe. Em paralelo à divulgação da versão pelos advogados palacianos o JB, veículo que havia sido um baluarte na luta pela redemocratização, publicava os textos de Dias que tentavam pintar com as cores da verdade o que era uma evidente montagem. Emílio Bonifacino, um doleiro uruguaio usado pelo esquema urdido pelos amigos de Collor, revelou depois ao jornal *Zero Hora*, numa entrevista, que havia recebido instruções de Cláudio Vieira para conversar exclusivamente com Etevaldo Dias e passar para ele a versão alinhada entre os integrantes do grupo liderado por Alcides Diniz.

* * *

Mas Cidão esquecera um detalhe crucial na construção da patética Operação Uruguai: ocultar as tratativas de sua secretária. O vaivém interminável de personagens que figuravam diariamente no noticiário nacional ali, nas pequenas salas da *holding* de um dos herdeiros do Grupo Pão de Açúcar, chamou a atenção da auxiliar de escritório Sandra Fernandes de Oliveira.

As reuniões que viravam noites, a presença constante de advogados e o ingresso de indivíduos com o indefectível perfil suspeito dos doleiros num eterno entra e sai no escritório do patrão fugiam à rotina de Sandra. Casada com um bancário, sindicalista bissexto, ela revelou o estranhamento para o marido e reportou a ele alguns dos diálogos ouvidos. Com a ajuda da agenda telefônica de um dos diretores do Sindicato dos Bancários, a secretária de Alcides Diniz chegou até o senador Eduardo Suplicy. Dono de um ouvido generoso, capaz de escutar a todos, o parlamentar paulista recebeu Sandra e deu relevância à história. Ligou para os deputados José Dirceu e José Genoíno que, juntos, decidiram levar a secretária a Brasília.

Sandra Fernandes foi colocada sigilosamente no gabinete de Suplicy, que tinha o número 02 do Senado e ficava no térreo do prédio. O secretário particular da Presidência estava depondo na comissão parlamentar de inquérito quando alguns jornalistas foram avisados, por assessores do senador e dos deputados petistas, que haveria uma bomba pronta a ser detonada e implodir Vieira e sua Operação Uruguai.

No plenário da CPI, Dirceu e Genoíno puxaram Benito Gama e Amir Lando para a pequena sala reservada atrás da mesa de comando da sessão e disseram que havia uma testemunha-chave a ser ouvida aguardando no gabinete de Suplicy. Lando aceitou fazer o depoimento às pressas sem saber do que se tratava. Benito, não. Exigiu que lhe fosse dito qual era a questão central a ser tratada pela secretária. Genoíno revelou sem rodeios. O deputado do PFL balançou a cabeça, olhou para baixo e concordou: "Ok, façam". Pediu para um funcionário da comissão evitar que outras pessoas se aproximassem dele e, usando o telefone fixo da sala, ligou para o líder de seu partido.

— Luís, essa operação montada pelo governo vai ser desfeita agora. A oposição tem uma testemunha-bomba. Aceitei ouvi-la.

— Diz o quê, essa testemunha? — perguntou o líder do PFL, com aquele jeito de falar bem característico dos baianos, invertendo a ordem de algumas palavras e às vezes confundindo o raciocínio.

— Segundo o pessoal do PT, mais uma secretária. Assistiu ao que seria, segundo ela, montagem da versão dos empréstimos uruguaios.

— Secretária de quem?

— Do Alcides Diniz, do Pão de Açúcar, parece.

— Ok, meu irmão. Ok. Vou falar com quem de direito, para cima. No Palácio.

* * *

A Operação Uruguai não ficou de pé nem mesmo nos telejornais daquela noite. Se não há crime perfeito, aquela versão foi pródiga em furos e flancos. Ruiu na origem. A tensão se ampliou no Palácio do Planalto. O presidente Fernando Collor tentou fazer o porta-voz Pedro Luiz Rodrigues, que era diplomata de carreira e jornalista por formação, manobrar verbas publicitárias para comprar espaços em veículos de comunicação maleáveis, a fim de conferir ao menos capilaridade à mentira inventada por seus amigos em desespero. Pedro Luiz se negou a ser instrumento de corrupção midiática. Collor gritou com ele. Diplomaticamente, sem alterar o timbre, o porta-voz pediu demissão.

Tão logo deixou o Planalto, o recém-demitido porta-voz informou a Eduardo Oinegue, na *Veja*, que estava saindo e o porquê. O chefe da sucursal da revista ofereceu-lhe espaço nobre e um *slash* na capa desde que nos concedesse uma entrevista contando os motivos de sua saída e o clima do momento entre os palacianos, desde que não desse entrevistas a mais ninguém por uma semana. Assim foi feito.

Depois da reportagem de *Veja* com Pedro Luiz Rodrigues, o ministro do Meio Ambiente de Collor e integrante do "Ministério Ético", José Goldemberg, físico da Universidade de São Paulo respeitado no meio acadêmico em todo o mundo, também entregou o cargo. "Não me misturo com doleiros", protestou.

Começava então a sangria derradeira, mas ainda haveria quem permanecesse escutando cantos de sereia no mar contaminado e repleto de minas que era a Esplanada dos Ministérios nos estertores de Collor: Etevaldo Dias aceitou trocar a direção da respeitada sucursal do *Jornal do Brasil* na capital pelo posto de porta-voz de um Palácio que naufragava no solo árido do Planalto Central.

* * *

No dia 12 de agosto não havia mais dúvidas entre os formadores de opinião da mídia, da sociedade civil, nas associações empresariais: a CPI do PC seria encerrada com um relatório duro censurando o presidente Fernando Collor, cujo processo de *impeachment* poderia ser pedido a partir das conclusões da comissão. Mas ainda eram escassos os movimentos de rua contrários ao homem que se elegera menos de três anos antes sob o manto protetor de um discurso tão fácil quanto falso de faxina ética e de representar o novo na política. Naquele dia, numa solenidade convocada para celebrar os 43 anos do presidente e inflada com funcionários públicos chamados às pressas e taxistas reunidos pela Legião Brasileira de Assistência, ocorrida no próprio Palácio do Planalto, eclodiu o evento que terminou por estimular a ocupação popular de praças e avenidas. Com ele exigia-se a deposição por *impeachment* do primeiro presidente eleito diretamente depois de 21 anos de ditadura e de uma transição conduzida aos trancos e barrancos por José Sarney.

Num discurso de quatro minutos, que virou peça de oratória estudada com afinco por quem se interessa pela disciplina "*marketing* reverso" nos cursos de Ciências Políticas, diante de uma claque de não mais do que 150 pessoas no Salão Leste do Planalto, de pé e tendo por fundo de palco uma tapeçaria ilustrada por desenho de Marianne Peretti, Collor invocou contra si todos os demônios de um Brasil indignado:

— *Nós somos a maioria. Nós, aqui presentes, somos a maioria. A maioria silenciosa, é verdade, mas uma maioria fiel e trabalhadora.*

Enquanto discursava, manobrava o torso em movimentos periféricos de 120º, sempre olhando acima da testa de sua plateia cativa. Prosseguiu num fôlego só, fazendo pequenas pausas para manter compassados a respiração e o tom:

— *A minoria atrapalha. A maioria trabalha. Nós temos, minha gente, nós temos que dar um sinal a esse país. As nossas cores são as cores de nossa bandeira. Verde, amarela, azul e branca. Estas são as nossas cores. Vamos mostrar a essa minoria que intranquiliza diariamente o país que já é hora de dar um basta a tudo isso. A sociedade brasileira quer tranquilidade para poder trabalhar pelo engrandecimento da nossa pátria querida. Todos nós desejamos poder avançar com as reformas de modernização cujos recalques, cujos complexos, frustrações, ódio, inveja, tudo isso articulado naquilo que chamei de Sindicato do Golpe, filiados à Central Única dos Conspiradores, não quer. Nós temos de mostrar a eles que nós desejamos trabalhar pelo país, mostrar a nossa verdadeira força, nosso verdadeiro credo, a nossa verdadeira fé. A nossa fé é na ordem e no progresso. A nossa crença é no país. Vamos inundar esse Brasil de verde e amarelo. Vamos mostrar as nossas bandeiras. Vamos mostrar as cores que balançam o nosso coração. Que são o verde, o amarelo, o azul e o branco.*

Nesse momento fez uma pausa um pouco mais longa, deixou que ecoassem aplausos. Eram poucos, mas ainda havia quem o aplaudisse. E seguiu:

— *Por isso, quero pedir aqui a todos vocês que, voltando aos seus estados, às suas comunidades, aos seus cargos, afixem uma fita verde e amarela nelas. Peço às suas famílias para que no próximo domingo — e essa é uma mensagem que eu dirijo a todo o Brasil e a todos aqueles que têm essa mesma profissão de fé — que saiam no próximo domingo de casa com uma das peças da roupa com as cores de nossa bandeira. Disponham na janela, e exponham nas suas janelas, toalhas, panos, o que tiverem nas cores de nossa bandeira. Quero pedir isso a vocês e irei cobrar de vocês esse pedido que lhes faço porque assim, no próximo domingo, nós iremos demonstrar aonde está a verdadeira maioria. Na minha gente, no meu povo, nos pés descalços, nos descamisados, naqueles por quem fui eleito e para quem estarei governando até o último dia do meu mandato.*

* * *

Desde as primeiras horas do sol que nascia nas praias de Ipanema, no Rio de Janeiro; de Boa Viagem, no Recife; de Pajuçara, em Maceió; ou do Farol, em Salvador; desde o amanhecer no Vale do Anhangabaú, em São Paulo; na Praça da Liberdade, em Belo Horizonte; ou na Esplanada dos Ministérios em Brasília; ficou evidente que Collor perdera a aposta alta feita na convocação popular.

O Brasil amanheceu com milhares de pessoas vestindo roupas pretas, como se a Nação estivesse de luto, naquele 16 de agosto de 1992. A História registra o dia como Domingo Negro. Sem dispor de *smartphones*, internet ou redes sociais, numa espécie de predição das *flash mobs* que marcariam a segunda década do século XXI, milhões de brasileiros decidiram ir às ruas para protestar espontaneamente contra o governo e o presidente da República.

No Rio, liderados pela União Nacional dos Estudantes, os manifestantes começaram a pintar os rostos com tinturas de maquiagem ou com guache — em geral, listas verde e amarela que contrastavam com o preto das roupas e conferiam um colorido especial aos protestos. Numa marcha ao mesmo tempo dura contra o governo e carregada de uma singela simbologia saudosista, os estudantes entoaram "Alegria, Alegria", de Caetano Veloso, composição que havia marcado o ano de 1968, ponto de inflexão do endurecimento da ditadura militar. Também gritavam palavras de ordem que logo se espalharam pelo país — "cheira Fernandinho, Fernandinho cheira, acabou sua carreira" e "um, dois, três, quatro, cinco, mil. Queremos Collor fora do Brasil" eram os *hits*.

Ao fim dos programas dominicais como *Fantástico*, *Repórter Record* e "Silvio Santos", que tiveram de noticiar o Domingo Negro, o governo de Fernando Collor estava na lona. Na esteira daqueles eventos os caras-pintadas, como os manifestantes passaram a ser chamados, não saíram mais das ruas. Encerradas as aulas e os expedientes normais de trabalho, populares e estudantes uniam-se a funcionários públicos e mesmo a sindicalistas e militantes políticos. Iam todos a mobilizações, pequenos comícios e passeatas. Os rostos eram pintados tão logo onde se concentravam as aglomerações populares. Instalara-se no ar uma sensação de concórdia universal em torno da queda do presidente. Os movimentos da Comissão Parlamentar de Inquérito estavam legitimados, mas havia jogo no submundo brasiliense.

* * *

— É preciso chamar algumas pessoas para conversar. Vai cair no seu colo, Itamar.

Chefe da assessoria legislativa do PFL na Câmara dos Deputados, o mineiro Henrique Hargreaves era o amigo do vice-presidente Itamar Franco mais próximo do olho do furacão. O fenômeno político acumulava energia no Congresso e devastava as bases de apoio do presidente Fernando Collor de Mello. Itamar não queria sair da posição de centroavante diante do gol adversário a esperar pelo melhor passe a fim de concluir o ataque justamente por causa da Lei de Gerson: não desejava em hipótese alguma passar a imagem de conspirador, de alguém que se associou à oposição para catalisar antagonistas e oferecer uma saída alternativa ao resultado das urnas. Enfim, de quem procurava levar vantagem em tudo como o ex-meia da seleção de futebol anunciava num comercial infeliz de cigarros nos anos 1970. Também havia alguma superstição a explicar a inércia.

— Presidência é destino, é predestinação. Quem luta pela cadeira de presidente paga um preço alto por isso — costumava dizer

Itamar a seus interlocutores. — O caso de Tancredo e de Ulysses está aí para provar. Sarney era um predestinado.

No limite da linha divisória entre agir e aguardar a marcha inexorável dos fatos, Itamar aceitara apenas receber os senadores Pedro Simon e Mário Covas, acompanhado do almirante Mário César Flores, ministro da Marinha, alguns dias antes daquela conversa de análise e atualização de cenários que mantinha com Hargreaves. Covas foi o mais direto.

— Você conhece o PC? Esteve com PC? Pegou dinheiro com PC? — quis saber.

— Não, não e não — respondeu com uma ponta de indignação o vice de Collor.

— Itamar, desculpe, mas tenho de fazer essas perguntas. Não faremos meio trabalho na CPI. O senador paulista foi duro com o vice-presidente.

Depois de ouvir a advertência de Covas, no fim de dois segundos de intervalo, depois de morder um pão de queijo, com a boca ainda cheia e falando propositalmente para dentro, mas gesticulando com a mão direita como quem afasta algo de si, Itamar deu a senha:

— Podem seguir, por mim segue, segue.

Os senadores se entreolharam e seguiram. Informado da conversa pelo ainda vice, Hargreaves tornou diários aqueles relatos prospectivos da temperatura do Parlamento e das ruas. Em alguns dias chegou a ir mais de uma vez ao anexo 1 do Palácio do Planalto, onde se situava o gabinete de Itamar, distante quase um quilômetro da sala do presidente da República, no 3º andar. Insistia para que se formasse um grupo de transição para um eventual e a cada dia mais iminente "governo Itamar".

— Não vou chamar ninguém. Se tiver de vir, virá. Não vou conspirar pelo poder, porque isso atrai coisas muito ruins.

— Mas quando vier, será de uma vez e você será cobrado por uma equipe de governo que nem sequer pensou em formar. Vamos começar a ouvir alguns técnicos, ampliar essas conversas.

— Hargreaves, se depois de tudo isso não houver um governo de união nacional, de consenso, de reconstrução do país com a Constituição nas mãos, será um desastre. As coisas se acomodam.

— Itamar...

— Hargreaves... sei o que estou fazendo. E se os partidos, todos eles, não quiserem ajudar, sabe o que mais? Digo a eles que fico só alguns meses no cargo e convoco uma eleição para o eleito concluir esse mandato legitimado pelas urnas.

— Aí o Lula se elege, porque é o PT quem está liderando esse processo na rua.

— Azar de quem não quiser o Lula. Por isso eles vão se unir aqui e vão ajudar na montagem de um governo de união, se for o caso de montá-lo e se o presidente Collor cair. Tudo porque não querem o Lula.

— Vai cair.

— Vamos esperar.

A placidez astuta de Itamar Franco enervava o experiente chefe da assessoria legislativa do PFL, um dos mais competentes profissionais de técnica legislativa em atuação em Brasília. A inapetência do vice para agir na direção de acelerar o *impeachment*, contudo, foi justamente o dínamo de autoridade e legitimidade que lhe permitiu dialogar com todas as siglas partidárias e com diversos setores da sociedade quando, enfim, a Presidência desmoronou em seu colo.

* * *

Depois do Domingo Negro estava configurado o cenário para que o relatório final da CPI do PC fosse um pedido de *impeachment* do presidente. José Múcio Monteiro, deputado do PFL pernambucano que integrava a comissão de inquérito e ia a quase todas as sessões, mantendo-se em geral calado, procurou o líder Luís Eduardo Magalhães e anunciou que se convencera das provas reunidas até ali. Estavam a sós num gabinete da Câmara. Havia dias, o ar de angústia de José Múcio prenunciava o rumo daquela conversa.

— Se ficar na comissão vou votar a favor do relatório do Amir Lando, que deve ser obviamente pela condenação do presidente.

Luís, por lealdade, venho expor isso aqui para você. Sei que meu assento ali é do partido. Se quiser dar a minha vaga a outro, dê. Sei muito bem a contabilidade que foi feita por todos, contando com esse voto. E não posso dá-lo ao governo.

Anos depois, já presidente da Câmara dos Deputados, Luís Eduardo narrou aquele diálogo enquanto bebíamos duas generosas doses de vodca na casa de Moreno, no Lago Norte. Segundo ele, a surpresa maior que teve foi com a postura do deputado pernambucano, e não com a mudança do posicionamento em relação à culpa de Collor no curso do processo.

— Múcio, antes de mais nada, obrigado pela lealdade. Mas você acha que não tem jeito nenhum? — perguntou o líder, de acordo com seu relato.

— Não tem jeito.

Luís Eduardo tomou ar, reclinou-se na cadeira, olhou para cima.

— Ok, meu amigo. Obrigado. Poucos homens agiriam como você. Entre nós, tudo perfeito. Vou trocar você.

— Está certo, obrigado.

Apertaram as mãos, abraçaram-se. Luís Eduardo ainda pediu, batendo no ombro do colega:

— Deixe que eu encontro uma maneira de vazar isso, ainda hoje. Vão te procurar, só confirme. Vou elogiar sua lealdade.

— E eu vou falar de sua maturidade. Prefiro isso a entrar em detalhes sobre minhas convicções. Afinal, são somente minhas mesmo. Confirmo o que você disser e saio de cena.

A CPI começara com uma estreita maioria de doze votos da oposição contra dez do governo. Como o presidente da comissão, Benito Gama, só votaria em caso de empate, a contabilidade correta era 12 a 9 contra Fernando Collor. Mas, além de José Múcio, outros parlamentares mudaram de lado no curso das investigações, e quanto mais se aproximava o dia da leitura do relatório final, mais larga ficava a margem a favor da imputação de crime de responsabilidade contra o presidente e consequente início de processo de cassação.

* * *

A quinta-feira 21 de agosto foi o último dia de reuniões da comissão de inquérito. O relatório final estava rascunhado, estruturado pelo senador Amir Lando. Ele gostava de posar de advogado intelectual. Sempre foi um boa-praça, bom papo, exímio churrasqueiro. Havia duas semanas, contudo, que fazia o gênero sorumbático e tentava criar um ar de acadêmico no semblante até meio parvo que lhe caía bem. Andava a dizer que lia *Z*, do grego Vassilis Vasilikos, nas escassas horas vagas que tinha. No livro, o personagem central era um juiz pressionado por dois lados numa Grécia sob regime ditatorial. Perambulava com uma edição de *Z* em *paperback*, aquelas impressas em papel jornal, e grifara um trecho que repetia sempre para os jornalistas com os quais conversava — não decorara, sempre recorria à citação grifada em marca-texto amarelo: *"O juiz sabe tudo. Está cercado. Duplamente cercado. Pelos que estão acima dele e pela massa popular, que o olha como se olhasse para o único salvador. O juiz vigia. Já tem uma opinião formada, mas não quer falar. Deve deixar que os fatos falem por si"*. Era o resumo da estratégia que adotara para a redação do texto final.

A concentração do relator foi quebrada quando Benito Gama telefonou. Queria acertar detalhes para uma reunião com consultores externos da Kroll Associates, uma empresa privada de investigações internacionais que fora contratada a fim de levantar contas bancárias e patrimônio no exterior de PC e de Collor. Desaparelhada, sem regras que assegurassem a transparência de seus procedimentos e sem uma rede de informantes capaz de apurar informações melhor que a imprensa brasileira, ou mesmo o Ministério Público e a Polícia Federal, que ensaiavam independência operacional do Poder Executivo pela primeira vez desde a promulgação da Constituição de 1988, os relatórios preliminares da Kroll apontavam para uma tremenda decepção.

— Benito, eles chegaram a algum lugar?

— Parece que não, mas temos um problema.

— Eu sei. Foi cara a contratação deles.

— Uma decepção.

Marcaram de recebê-los na Sala do Cofre, no subsolo do Senado. Foi uma reunião de reclamações dos parlamentares. Materializou-se, ali, um profundo arrependimento. O custo da contratação da Kroll, contudo, aproximava-se de um milhão de dólares e fora bancado pelo orçamento do Congresso Nacional. Uma comissão de inquérito que havia sido criada para estancar a sangria de desvios de verbas públicas não poderia arcar com aquele desgaste. Presidente e relator da CPI receberam o relatório da Kroll e determinaram que os detetives da empresa não dessem entrevistas. Foram ao apartamento de um parlamentar na SQN 302 e convocaram outros integrantes da bancada de oposição, a fim de definir o que fariam com o trabalho inconclusivo da firma internacional de investigação.

— Dá para especular um número, uma ordem de grandeza, e atribuir a esse levantamento da Kroll? — quis saber um dos presentes.

A reunião se desenrolava no escritório do apartamento funcional. Eu tinha conseguido chegar até a sala. Escutava-os encostando a orelha na parede, como vira em alguns filmes policiais "B". Outros repórteres faziam o mesmo. Era uma cena meio patética.

— Mais ou menos — respondeu Gama. — Se juntar as pontas, as denúncias de Pedro àquilo que investigamos, é possível dizer que o esquema pode ter girado em torno de um bilhão de dólares.

— Um bilhão de dólares? É demais! — protestou outro parlamentar cuja voz não foi identificada.

— Calma, interveio o relator Lando. — O Pedro Collor disse, no primeiro depoimento dele, que o senhor Paulo César Farias havia feito uma festa para comemorar o primeiro bilhão de dólares do esquema. Então, não há de ser muito.

— Não há. Vamos fechar em um bilhão? Temos de dar essa satisfação à população. Fechamos em um bilhão? — perguntou o presidente da CPI.

Ouvimos um "fechamos" quase uníssono. Saíram da sala reservada e deram uma entrevista no apartamento funcional em que estavam. O *lead* do dia seria aquele: "Esquema PC desviou US$ 1 bilhão". Aquele bilhão de dólares era uma conta aproximada, sem provas reais, mas a força elástica do volume de dinheiro no imaginário popular faria com que poucos perguntassem como se dava a composição da cifra.

Anunciou-se também a data de 25 de agosto para a leitura e votação do relatório final da CPI do PC. Era meu aniversário. Mais relevante que isso, eu tinha dois problemas. O primeiro deles: era uma segunda-feira, e a *Veja* sairia velha no fim de semana se não antecipássemos o texto final ou se não atrasássemos a revista. O outro: como estaria sozinho em Brasília naquela semana, havia planejado um jantar de aniversário com aquela que se convertera em minha melhor amiga, a repórter do *Zero Hora*.

* * *

O primeiro de meus problemas seria sanado com a montagem de um engenhoso sistema de logística de informações estruturado a partir de uma ideia ousada do deputado Miro Teixeira. Até hoje, confesso, sinto-me um privilegiado por ter sido contemplado pela argúcia de Miro naquele momento.

— Vou te dar a precedência ao relatório final da CPI como presente de aniversário — avisou-me o deputado carioca na noite de quinta-feira enquanto tomávamos uísque e comíamos pastéis numa mesa do restaurante *Piantella*.

— Como?

— Amanhã, às oito e meia da noite, pegue-me em casa. Vou de carona com você até o Prodasen. Lá eu te mostro.

Cumpri o horário combinado. No trajeto até a central de processamento de dados do Senado, onde Amir Lando redigia as conclusões de seu texto, Miro explicou-me o que seria feito. A chave era a conexão que ele faria entre mim e o filólogo Antônio Houaiss, que havia aceitado revisar página a página todo o relatório. Na portaria da garagem, o deputado do PDT mandou que eu me portasse como seu motorista. Assim o fiz. Exibiu a carteira de parlamentar e pediu uma vaga exclusiva, dentro do prédio, porque teria documentos a descarregar com "o assessor". Entramos.

À medida que cruzávamos com integrantes da comissão, o parlamentar carioca pedia silêncio e compreensão em torno de minha presença. Abriu uma porta e estava lá, sozinho, austero como os bons professores de antigamente, vestindo um cardigã bordado que combinava com sua idade, magro e circunspecto, o professor Antônio Houaiss. Havia sete anos que ele se dedicava ao projeto de fazer a primeira edição do dicionário da Língua Portuguesa que levaria o seu nome.

— Professor Houaiss, bom dia.

— Bom dia, Miro!

O filólogo levantou-se e veio simpaticamente ao nosso encontro.

— Deputado, muito obrigado pelo convite. É uma honra fazer isto que estou fazendo aqui.

— Professor, uma honra para o Congresso brasileiro é ter esse relatório, histórico, revisado pelo senhor... Olhe bem, este aqui é o Luís Antônio, meu assessor. Chamamos ele de Lula.

Cumprimentamo-nos. Elogiei-o. Perguntei a quantas andava o seu trabalho no dicionário. Ele sorriu e falou um pouco da tarefa que consumiu as duas últimas décadas de sua vida. Miro interrompeu.

— Professor, o Luís Antônio (*ele usava, espertamente, o complemento de meu pré-nome de batismo*) ficará à sua disposição para trazer aqui, de três em três, as páginas do relatório final à medida que elas sejam liberadas pelo senador Lando. O senhor as revisa e o Lula as leva de volta para Amir Lando. Combinado?

Saímos da saleta em que estava Houaiss, e Miro me puxou a um canto, virando à direita no corredor.

— Aqui tem uma *xerox*, Lula. Está liberada para você. A sala do Amir Lando é aquela — apontou-me uma porta fechada com um adesivo escrito "não entre". — Você vai ter trânsito liberado aqui dentro com esse crachá — entregou-me um deles. — Você pega as páginas do Lando, traz para o Houaiss. Ele revisa. Quando você pegar as páginas revisadas, porque não serão mais mexidas, tira uma cópia de cada uma delas e devolve para o Lando. Compreendeu?

— Compreendi. Espetacular. Muito obrigado. Mas como envio daqui para a redação? Se eu usar o *fax,* alguém vai ver e vai me tomar muito tempo.

— Ah, Lula! Pô, aí é problema seu. Resolvi até aqui.

— Miro, excelente. Muito obrigado. Vou dar um jeito. Daqui eu me viro.

Entrei na sala de Amir Lando. Miro Teixeira já havia explicado o sistema de antecipação do texto para nós. Estava combinado. Era pacífico o merecimento daquele prêmio por empenho para a nossa redação. O senador disse que em quinze minutos liberaria as primeiras páginas para a revisão do filólogo. Liguei dali mesmo para Eduardo, contei como teria o relatório antecipado, mas teríamos que segurar a impressão da revista até a madrugada do domingo.

— Seguramos — disse-me — Darei um jeito para você enviar as páginas para lá, sem *fax*.

Duas horas depois daquele telefonema para Oinegue a solução chegava de motocicleta. Foi montado um sistema de *courrier* via *motoboys* que aguardavam minhas remessas a intervalos de uma hora na sexta-feira e de trinta minutos no sábado, até o fim dos trabalhos. Usavam um colete verde sem identificação da Editora Abril. Levavam tubos de PVC de meia polegada nos quais carregavam as cópias do Prodasen para a sucursal. Funcionou como um relógio. Antecipamos o relatório. Não era orgulho vão — naqueles tempos, os leitores sabiam distinguir a dimensão e a amplitude dos esforços jornalísticos. Ter antecipado trechos do relatório final da CPI ampliou a credibilidade de *Veja* e coroou meses de mergulho profundo nas águas turvas daquele mar de lama.

* * *

Esperei a entrega executiva de alguns exemplares da revista que tinham saído da gráfica em São Paulo no primeiro voo da madrugada e só saí de casa perto das nove horas da manhã, levando-os para os principais parlamentares da comissão de inquérito. Seria um mimo para as fontes, estratégia de relacionamento.

Estava ali na reportagem, com destaque, a epígrafe bíblica que o poeta Vinicius de Moraes poderia classificar de "lindíssima, e ao mesmo tempo terrível":

Exmos Sres. Membros da
Comissão Parlamentar Mista de Inquérito
criada pelo Requerimento nº 52/92-CN

Conhecereis a verdade
e a verdade vos libertará.
Jo. 8,32

"Conhecereis a verdade, e a verdade vos libertará."

O versículo 32 do capítulo 8 do Evangelho de São João abria o relatório final da Comissão Parlamentar de Inquérito, que foi a lâmina da guilhotina por meio da qual se apeou Fernando Collor de Mello do poder. Decorridos vinte e seis anos, a mesma citação bíblica seria esgrimida nas ruas por um político populista, de extrema-direita, adotado por empresários e financistas do país, a fim de evitar a quinta vitória consecutiva do Partido dos Trabalhadores nas urnas de 2018. Era o ciclo da História sendo cumprido com fina ironia — da tragédia à farsa.

* * *

A sessão daquele dia não seria no plenário 2 do Senado, mas sim no Auditório Petrônio Portela, o principal espaço do Legislativo depois dos plenários, com capacidade para 495 pessoas. Montou-se, de fato, um cenário teatral. A mesa diretora da Comissão Parlamentar de Inquérito foi instalada no palco, de onde o senador Amir Lando leria integralmente as 240 páginas de seu relatório. A plateia de convidados recebera recomendação expressa de evitar manifestações. Concentrados em poltronas reservadas, próximos ao palco, os integrantes da comissão de inquérito cujos nomes seriam chamados pelo presidente dos trabalhos, Benito Gama, para que cantassem seus votos num microfone — em alto e bom som.

Entrei no auditório, fui direto ao espaço reservado aos parlamentares, estendi o exemplar para Miro Teixeira.

— Você é o primeiro. Saiba o que o senador lerá. Disse aquilo com um sorriso vitorioso.

Malandro, Miro virou-se para Sigmaringa e fez troça. Disse-lhe que tinha em mãos "o vazamento que você ajudou a fazer". Sig fez cara de quem não havia entendido nada. Distribuí a revista ali e fui procurar um lugar na área reservada à imprensa.

— Aqui, guardei o seu — era a repórter do *Zero Hora*, tirando a bolsa para que pudesse sentar-me ao seu lado. Foi um gesto singelo de quem parecia que ainda ocupava bancos escolares, mas obviamente deslocado para nossas idades e para o clima de revanche política instalado ali.

Aquilo me deu uma sensação especial, quebrada logo depois pelos olhares de um dos editores da *Gazeta Mercantil* e por Heraldo Pereira, repórter especial da TV Globo. Eles testemunharam a cena e sorriram sarcasticamente.

— Lulinha, também quero o meu lugar guardado — disse Heraldo.

— Camarada Lula, isso vai dar confusão — soprou-me o editor da *Gazeta*, ao ouvido. — É o que você quer? Vá em frente.

Havia uma energia magnética quase palpável naquele lugar, naquele momento. A sensação era boa, é o que me lembro.

A sessão durou quase oito horas ininterruptas. Ao final, uma derrota acachapante para o Palácio do Planalto de Fernando Collor de Mello. Por 16 votos a 5 estava aprovado o relatório que descrevia meandros de operações corruptas do presidente e de seu ex-tesoureiro e recomendava à Câmara dos Deputados que instaurasse uma Comissão Especial para avaliar um processo de *impeachment*.

Dias depois a Ordem dos Advogados do Brasil (OAB) e a Associação Brasileira de Imprensa (ABI) redigiram um pedido de impedimento do presidente Fernando Collor, tendo por base as conclusões do relatório de Amir Lando. O advogado criminalista

Evandro Lins e Silva, jurista que fora cassado pela ditadura militar em 1969, quando era ministro do Supremo Tribunal Federal; e o jornalista Barbosa Lima Sobrinho, remanescente da luta contra o Estado Novo de Getúlio Vargas, eram as primeiras assinaturas no rol de subscritores do *impeachment*.

A força das denúncias de Pedro Collor, combinada ao rastro de provas apontado pelo motorista Eriberto França e à imposição dos movimentos de rua, amalgamaram-se e ganharam contornos definitivos naquele pedido conjunto da OAB e da ABI. As duas instituições, por sua vez, simbolizavam e vocalizavam o que era costume chamar de "sociedade civil organizada". Na coreografia legal de processos como aquele, até então inéditos, o pedido de *impeachment* teria de ser formalmente apresentado ao presidente da Câmara dos Deputados. Uma vez aceito por ele, encaminhado à Comissão de Constituição e Justiça da Casa.

Ibsen Pinheiro, o presidente da Câmara, sabia a dimensão do momento e estava preparado para tal. Cancelou a reunião formal em seu gabinete, que seria fechado, marcada para receber Lins e Silva e Barbosa Lima Sobrinho. Sendo impossível restringir o acesso de outros parlamentares e de diretores das duas instituições que desejassem estar presentes, determinou a armação de uma estrutura de pequeno comício no Salão Verde da Câmara, diante da porta de acesso do plenário do Legislativo. Mandou que a comitiva da OAB e a da ABI entrassem no Congresso pela rampa principal. O pedido de *impeachment* entraria, portanto, pela porta por onde entram os Chefes de Estado em visita ao Brasil, assim como os nossos presidentes da República em dias de posse para inaugurar mandatos.

Ibsen recebeu formalmente o relatório da CPI, e o consequente pedido de *impeachment*, das mãos de Marcello Lavenère, presidente da Ordem dos Advogados. Limpou a garganta, puxou o microfone que estava com um assessor, empertigou-se, assumiu o ar circunspecto e ereto que costumava ter.

— Quero dizer a vocês, a todos vocês... — lançou um olhar panorâmico num raio de 180º e continuou — que este não é um momento de felicidade para ninguém. Mas esta Casa, que é a Casa do Povo, não foge às suas responsabilidades. Por meses a fio, uma Comissão Parlamentar Mista de Inquérito trabalhou arduamente para apurar denúncias que não se podiam ignorar.

Aplausos, palavras de ordem, estudantes que haviam entrado no Salão Verde, levados pela União Nacional dos Estudantes (UNE), entoaram alguns dos cânticos que ganhavam as ruas em todo o país. Ibsen seguiu.

— Fique sossegado o Brasil. O que o povo quer, esta Casa acaba querendo!

Foi como a pronúncia de uma senha capaz de incendiar a cena. O *impeachment* estava em curso.

* * *

Na noite de 16 de setembro, quando o pedido de *impeachment* já havia sido aprovado na Comissão de Constituição e Justiça da Câmara, Onaireves Moura, um deputado obscuro do baixo clero parlamentar — definição dada por Ulysses e destinada a designar deputados e senadores que jamais rezariam uma missa no Parlamento, ou seja, nunca teriam o direito a "fazer homilias" e a serem ouvidos pelos colegas; não chegariam a bispo e muito menos a cardeais na Casa — convocou um jantar de adesão e solidariedade ao presidente Fernando Collor em sua residência no Lago Sul.

Revelou-se um desastre, outro capítulo para o manual de *marketing* reverso que a turma de Collor escrevia aleatoriamente por atos e omissões políticas. A votação do pedido de *impeachment* no plenário da Câmara dos Deputados estava marcada para dali a treze dias. Apenas sessenta deputados e quatro senadores compareceram. Um presidente opaco, abatido, estava lá e permitiu que o uísque em excesso liberasse a tampa do pote de mágoas em que se transformara.

"A oposição só tem cagões e bundões", xingou. *"O Ulysses Guimarães está senil, é um esclerosado. É um bonifrate dos interesses de grupos econômicos de São Paulo"*, atirou contra o parlamentar cuja autoridade

moral chancelou todo o processo que terminou por convencer lideranças civis e militares da necessidade da queda do presidente. *"Ibsen Pinheiro é um canalha, escroque, golpista imoral"*, prosseguiu nos ataques. "É um golpe contra mim, contra o voto popular, e conta com o apoio de Sarney e de sua filha Roseana. Sarney e a família dele são ladrões da História." Por fim, voltou-se contra a imprensa que iniciara todo o processo contra ele: *"Essa imprensa de merda, esses cagalhões vão engolir pela boca e pelo outro buraco tudo o que estão falando de mim. O* impeachment não passará."

Nem o próprio Collor acreditava naquele vaticínio. Poucos dias depois o deputado Ulysses Guimarães foi ao programa de entrevista do humorista Jô Soares, que se convertera ao primeiro *talk show* da televisão brasileira, copiado dos programas que celebrizaram âncoras e apresentadores nos Estados Unidos. A missão de Ulysses era precisa: falar de fora para dentro do Congresso, consolidando a certeza do *impeachment*. Sentado no sofá de Jô Soares, num fôlego só, o velho parlamentar deu um espetáculo ao deslindar o mecanismo de processos políticos quando eles amadurecem.

— *Getúlio renunciou duas vezes e por motivos que não eram esses que estão aí, de quadrilhas, corrupção... Ele renunciou para evitar uma guerra civil e, numa das vezes, renunciou à Presidência, e renunciou à vida. O mesmo aconteceu com o Jânio, que foi uma recusa polêmica, mas ele a fez achando que, com isso, beneficiava o país. Sem falar no Juscelino... de maneira que eu quero dizer que o Brasil acordou, sim. O presidente acordou. Acordou e está bem acordado, olhando bem esse cenário de vergonha e de indignação que aí está em todo o país. O Collor não é mais presidente. É o Fernando, e, para os amigos, Fernandinho. Não pense você ou vocês que aqui estão, e aqueles que me veem e ouvem, que eu estou sendo malcriado. Eu quero dizer o seguinte: quem diz isso e, irrevogavelmente, lavrou essa sentença, é o povo, porque ele foi eleito, mas a dimensão de uma eleição é menor do que a de um plebiscito. A dimensão da praça pública é maior do que na urna. Você sabe que, na praça pública, e as praças estão cheias, nós temos lá a infância, o velho, com o seu bastão, os estrangeiros... Portanto, se ele foi eleito, ele foi agora repudiado pela praça pública.*

Ele foi repudiado na Presidência da República. Não é mais presidente, é o Fernando, o Fernandinho. Este presidente, este Collor é um chicharro. Ele morreu civicamente, morreu no respeito da nação e não acredita que morreu. É um fantasma. E a Casa da Dinda está cheia de fantasmas. Ele é um fantasma com esses fantasmas todos. Mas é um fantasma que aumenta a inflação, é um fantasma que aumenta o desemprego, que faz a queda das bolsas e enlameia o nome do Brasil lá fora. Então, temos que exorcizar esse fantasma. E vamos exorcizá-lo de acordo com a nação no dia 29 — anotem os brasileiros este dia. 29, terça-feira, deste mês. Quero dizer a você rapidamente que existe a tropa do lado de lá, que é a de choque, reformada pelo Gastone Righi, pelo José Lourenço, pelo Fiúza, e outros personagens. Então eu quero dizer que a tropa de choque não é o cheque da tropa, é a tropa de choque. Eles vão pôr cascas de bananas e, possivelmente, vão querer perturbar a sessão, podem não querer convocar na comissão, mas nós estamos prevenidos. Não somos bobos. Vamos cumprir religiosamente, dependendo da decisão, que eu sei que vai reconhecer, inclusive, o voto da coragem, o voto transparente, não é o voto da vergonha e é o voto que não é só a votação simultânea no painel, não senhor... tem que chamar o senhor Ulysses Guimarães, do PMDB de São Paulo. Como vota o senhor Ulysses Guimarães? Porque o painel pode confundir e depois não tem jeito. Eu já confundi. Você vai lá votar e, na hora, tem alguém falando com você... chamando, não tem jeito.

Jô arriscou uma intervenção.

— Imagina se você vota errado na hora, deputado.

— *Aí eu tenho que sair do Brasil... O cidadão, agora, conforme o próprio presidente, e nisso ele está certo, acordou. O cidadão está na rua e, neste momento, em todo o Brasil, em um velório, em uma missa, se é que está se realizando uma agora, em um bar na esquina, na rua e nas demonstrações, o cidadão está se manifestando em nome da cidadania. A cidadania é mais do que um cidadão porque um cidadão pode errar em nome da cidadania, como, por exemplo, 35 milhões de brasileiros erraram entendendo que exercitavam a cidadania em benefício do país e trouxeram essa desgraça que está aí. Mas isso pode acontecer em qualquer democracia. Mas a descoberta do cidadão, que agora está vigilante, está atuando, acompanhando nos meios de comunicação, eu considero o que há de mais importante. É por isso que nós, no Congresso e na Câmara, também estamos sendo vigiados. Agora somos juízes e, se o resultado não for aquele que a Nação quer, passaremos a réus, cúmplices disso que aí está. No sistema presidencial, o chamado primeiro escalão... ministro, presidente de banco... Lafayette Coutinho, do Banco do Brasil, Caixa Econômica... eles, salvo as exceções, em geral são serviçais, são cúmplices. Se o presidente quer roubar e é corrupto, criam-se as quadrilhas. Se o presidente quer perseguir um deputado independente, eles fazem. São serviçais, são cúmplices. Se quer beneficiar à custa do direito da nação? Sim. O povo é o chefão. O povo é o* boss. *Por isso que Saens Peña dizia que era preciso educar o soberano. Quanto mais você educa o cidadão e o soberano, você tem uma democracia mais aperfeiçoada.*

Na mesma noite em que Collor participava do jantar na casa de Onaireves Moura e protagonizava um dos mais vis momentos de um presidente da República em nossa História, o destino tratava de desenhar uma solução final para o drama pessoal vivido por Dona Leda.

A mãe de Pedro e de Fernando fora deitar já depois da meia-noite. O caçula regressava pela primeira vez dos Estados Unidos desde meados de julho, quando mudara para lá com Thereza e os dois filhos. Em Miami, Pedro concedera nova entrevista ao *Jornal do Brasil* e a *O Estado de S. Paulo*, concentrando-se nas picantes histórias pessoais que permeavam o folclore em torno do irmão. Ia de cocaína à magia negra, passando por traições e experiências sexuais diversas.

Hipertensa, a matriarca dos Collor de Mello automedicou-se e foi deitar-se por volta das duas horas da madrugada. Foi acordada por um telefonema de Ana Luíza, a filha que intercedia por Pedro. Ana Luíza argumentava para que a mãe resistisse a cortar os cartões de crédito internacionais que mantinham o filho no exterior. A pressão pelo garroteamento financeiro do homem que denunciara Fernando Collor era feita pelos irmãos mais velhos — Ledinha, Leopoldo e o próprio Fernando. No meio do telefonema, por volta das sete e meia da manhã do dia 17 de setembro, Dona Leda interrompeu arfante o diálogo com Ana Luíza.

"Eles estavam me contando esse episódio da madrugada anterior (as pressões para o corte dos cartões de crédito), *quando Dida Mello pediu a Ana Luíza que ligasse para mamãe no Rio a fim de saber como passara a noite. Outra vez Dona Leda abordou a questão dos cartões de crédito"*, narra Pedro Collor em *Passando a Limpo — Trajetória de Um Farsante*. E segue:

— *Mas, mamãe, você não pode ceder à pressão e cortar os cartões de crédito. Não é justo. Pedro vai viver de quê?*

Ana dizia esta frase quando, do outro lado, o telefone emudeceu. Mamãe arfava pesadamente, tentava falar, mas saíam apenas sons ininteligíveis, como se roncasse. Minha irmã telefonou para o outro número de telefone do apartamento e chamou Maria Helena:

— *Entre no quarto, mamãe está passando mal!*

— Não posso, a porta está trancada e Dona Leda não responde.

Quando voltou ao telefone, a empregada, apavorada, disse que mamãe estava desmaiada em cima da cama. (...) Minutos depois mamãe chegava ao Pró-Cardíaco ainda consciente, conversando com o médico. (...) No hospital, mamãe teve três paradas cardíacas sucessivas, sendo reanimada com massagens e medicamentos. Sofreria nova parada do coração no domingo seguinte e ressuscitaria apenas 45 minutos depois. Essas paradas cardíacas viriam a comprometer irremediavelmente o córtex, justamente a parte do cérebro que assegura ao ser humano o estado de consciência.

(...) Naquele início de noite de 17 de setembro de 1992, vendo minha mãe em estado de coma, experimentei a mesma sensação de perda de sete anos antes. O coração doía como se uma garra bem afiada me estraçalhasse o peito. Por segundos cheguei a duvidar de mim, uma ponta de culpa me invadiu, até que os médicos esclarecessem que o mal de mamãe era estritamente físico. Mesmo assim, pensei: meu Deus, por que tudo isso está acontecendo? Que destino maldito, que sofrimento implacável que a vida nos impõe".

Dona Leda ficou 29 meses em coma. Sua morte cerebral só foi decretada no dia 25 de fevereiro de 1995 por médicos do Hospital Albert Einstein de São Paulo, para onde ela fora transferida inconsciente um mês depois da sucessão de infartos sofridos no Rio.

* * *

Em 20 de setembro de 1992, três dias depois da internação da mãe no Pró-Cardíaco no Rio, o presidente Collor chamou uma cadeia nacional de rádio e TV e tentou se defender fazendo um derradeiro pronunciamento à Nação. Falou por dezenove minutos. Estava profundamente abatido, com sulcos nas bochechas e vincos na testa. Usou terno cinza-escuro e gravata cinza. Parecia trajar luto. Falou sentado na biblioteca do Palácio da Alvorada.

> "— *Como muito bem diz a Bíblia: há tempo de plantar, há tempo de colher. Decidi-me hoje, momento que me parece adequado, vir à Nação para, de coração aberto, analisar o processo político e dar as explicações necessárias.* (...) É preciso deixar bem claro que nem mesmo no relatório da CPI existe a afirmação de que a operação financeira feita para custear *as despesas de minha campanha teria sido ilegal, inexistisse ou que tivesse afrontado qualquer norma regulamentadora a despeito de eventuais insinuações.*
>
> *(...)*
>
> *A minha casa, a Casa da Dinda, e os seus jardins, são típicos das boas residências de Brasília (...). Todos sabem que aos domingos costumo fazer exercícios. Vou dirigindo meu carro até um bosque de eucaliptos próximo da minha casa. Num desses domingos, sofri um acidente. Bateram no meu carro. Vocês devem se lembrar desse fato, que foi amplamente divulgado. Mandei consertar, mas o carro não voltou a ser o mesmo. Pedi então ao meu secretário que vendesse a Veraneio e comprasse com o dinheiro da venda um Fiat, de menor valor, mais simples e mais barato. Isto foi feito. Se na compra de outro carro usaram um cheque com falsa identidade, chamado cheque fantasma, descobrirei. Determinei à Polícia Federal a*

abertura de inquérito para apurar as responsabilidades deste e de todos os cheques chamados fantasmas. Existem no Brasil milhões de contas fantasmas, em dezenas de bancos, como se descobriu no bojo das investigações. Determinei ao Banco Central que tomasse providências imediatas para acabar com esta fraude. Quero que os correntistas que usam falsas identidades e os bancos que acolhem essas contas sejam rigorosamente punidos. Só assim, combatendo na sua origem, acabaremos com esse crime. Hoje, qualquer um pode ser vítima dessa irregularidade porque não é possível a todos nós conhecer a natureza espúria de um cheque.

(...)

O sistema presidencialista como é o nosso concentra imensas e difíceis decisões na pessoa do Presidente da República. Cada ato, cada decisão, afeta interesses, vontades e ambições. Essa soma de responsabilidades impede o Chefe de Estado de tratar das questões de seu cotidiano familiar. Relembro os compromissos que firmei para reafirmar meu compromisso com a lisura e com a moralidade pública. Fiz e continuarei fazendo tudo para acertar. Mas cometi erros. Quem não os comete? Errei por não ter imaginado o efeito das tentações que movem os aproveitadores. Errei por confiar demais em pessoas que mostraram posteriormente não serem merecedoras dessa confiança. (...) Mas o que posso lhes afirmar é que não há dolo ou má-fé nos erros que cometi. (...) Não posso crer, não quero crer, que tenham esquecido tudo o que passamos para ressuscitar os julgamentos sumários, os processos inquisitoriais ou os tribunais de exceção. É engano imaginar que tenho desmedido apego ao poder. Estes sentimentos têm aqueles que desejam atropelar o processo democrático e a consolidação de nossas instituições. Eu tenho, sim, sonhos, ideais e programas para o nosso país.

(...)

Confio nos meus aliados porque conheço a formação moral, pública, daqueles que estão ao meu lado. Sei que não se deixarão intimidar pelas manifestações orquestradas nas ruas. Os homens de bom senso e os verdadeiros patriotas, estes sim, estarão ao meu lado. A nossa geração política já pagou preço excessivamente alto pela renúncia de 1961. Por isso tudo e pela minha família, peço a Deus que me conceda a perseverança para atravessar esse momento. Muito obrigado, vamos com Deus."

No dia 29 de setembro, a Câmara dos Deputados reuniu-se para votar o *impeachment* de Fernando Collor de Mello, primeiro presidente eleito diretamente no Brasil depois de 21 anos de ditadura militar e ao cabo de uma transição de cinco anos em que o país foi presidido por José Sarney. Assim como fizera ao receber das mãos dos presidentes da OAB e da ABI o pedido de *impeachment* no Salão Verde do Congresso, Ibsen Pinheiro desenhou um ritual rigoroso para a sessão. Não admitiria discursos longos nem carnavalizações no plenário da Casa. Chamaria pelo nome, por estado da federação, em ordem alfabética, cada um dos deputados. Como símbolo do que se passava ali, optou por chamar antes de todos, e furando a fila, Roberto Campos. Mato-grossense, embaixador de carreira, economista por formação, um dos intelectuais civis que hipotecara maior apoio ao regime dos generais, Campos saíra de uma internação hospitalar apenas para votar. Estava numa cadeira de rodas. Voltaria para o hospital logo depois.

— Como vota o nobre deputado Roberto Campos?

— Sim, senhor presidente.

O voto afirmativo era pró-*impeachment*. Para aprová-lo eram necessários 336 votos — a Câmara tinha, naquele ano, 503 integrantes. Só depois o estado de São Paulo ganharia dez cadeiras a mais, perfazendo o total de 513 deputados federais.

O *impeachment* de Collor obteve 441 votos "sim". O presidente da República recebeu escassos 38 votos favoráveis à permanência no cargo — mesmo tendo realizado um jantar dias antes com 64 parlamentares na casa de Onaireves Moura. O próprio Onaireves, por sinal, votou contra Collor.

— *Como vota o nobre deputado Onaireves Moura?* — perguntou Ibsen.

— *Pela minha família, sim, senhor presidente* — respondeu um patético Onaireves do microfone de apartes.

Não foi a maior das surpresas ou decepções.

— *Como vota o nobre deputado Cleto Falcão?* — perguntou o presidente da Câmara dos Deputados ao convocar o ex-líder de Collor, o parlamentar que o acompanhou desde Alagoas, que foi um dos coordenadores de sua campanha vitoriosa em 1989.

— *Por Deus, pela minha família, pelo Brasil e pela liberdade, voto sim. Sim!, senhor presidente* — gritou Cleto. Haveria, contudo, surpresas com o sinal invertido naquele dia.

Dono de uma das mais promissoras carreiras da política nacional até então, o deputado baiano Luís Eduardo Magalhães tinha tudo para seguir o voto dos demais e chancelar o *impeachment*, caso pensasse apenas no futuro imediato.

— *Como vota o nobre deputado Luís Eduardo Magalhães?* — perguntou Ibsen.

— Não, senhor presidente. Voto não. *O Brasil não merece este dia.*

Quando o deputado mineiro Paulo Romano deu o voto 336, sacramentando o impedimento do presidente, ouviu-se o hino nacional em todo o país. Nas ruas, populares se abraçavam. No plenário da Câmara, celebração da oposição e daqueles que migraram de bancada do governo para o numeroso núcleo anti-Collor. Nas galerias do Congresso, onde estavam os jornalistas, muitos confraternizaram.

— *Carpe Diem* depois? — perguntou-me a repórter do *Zero Hora.*

— *Carpe Diem*. Espere-me lá.

Cheguei ao restaurante onde tínhamos marcado depois das onze e meia da noite. Toda a imprensa brasileira havia corrido para lá. Convenci minha amiga a fugirmos dali. Fomos para o *Gates Pub*. Era noite de jazz num dos inferninhos mais tradicionais de Brasília. Jazz e gin. Na terceira dose, na boca da madrugada, Collor já era passado. Havia futuro pela frente.

* * *

Na manhã de 2 de outubro, o senador catarinense Dirceu Carneiro, primeiro-secretário da Mesa do Senado, entrou no Palácio do Planalto pela portaria do térreo carregando dois livros de capa dura. Cada um deles continha um ato diferente. Num, a notificação da Câmara dos Deputados com o resultado da votação de afastamento do presidente — 441 votos a favor, 38 contra, 23 ausências e uma abstenção. No outro, o ato de posse do vice-presidente Itamar Franco. A partir dali, era ao Senado que caberia processar um Fernando Collor já afastado da Presidência da República. Itamar governaria.

Não havia populares dentro nem fora do Planalto. Raros foram os ministros que se despediram pessoalmente de Collor. A Casa Militar assumira o controle interno do palácio, a fim de evitar surpresas promovidas por amigos mais afoitos do presidente afastado. Um helicóptero da Força Aérea estava pousado no heliponto localizado na laje de um dos blocos do edifício anexo.

Carneiro deveria colher a assinatura do presidente que estava sendo comunicado de seu afastamento, com o horário da notificação. Foi levado ao gabinete presidencial no 3º andar. Lá dentro, Collor e Rosane. Hirsutos, calados. Poucos auxiliares. "Não havia choro nem ranger de dentes", lembrou anos depois o último porta-voz, Etevaldo Dias. Entre os poucos ministros que foram se despedir do chefe derrubado estavam Marcílio Marques Moreira, da Fazenda; Célio Borja, da Justiça; Celso Lafer, das Relações Exteriores. Além deles e de Etevaldo, só o embaixador Marcos Coimbra, da Casa Civil. "*Expus sucintamente os motivos do afastamento*", contou o senador catarinense ao rememorar numa reportagem o dia em que carregou debaixo dos braços uma República do tamanho do Brasil — os atos de afastamento e de posse de dois presidentes. "*Ele precisou ver as horas três vezes. Não conseguia colocar o horário no papel. A mão estava trêmula, com dificuldades para assinar o papel. Fixou o punho e não tirou a mão do lugar. Só mexeu o polegar e o indicador para assinar.*"

Afastado, Collor desceu de mãos dadas com Rosane até a garagem do Planalto. Foi de elevador. Já considerado ex-presidente da República, embora as formalidades processuais não autorizassem ninguém a dispensar-lhe tal forma de tratamento, teria de atravessar um pequeno túnel de acesso aos anexos.

Na laje de um dos blocos, o helicóptero oficial do Grupo de Transporte da Presidência os esperava para conceder ao casal uma carona fora da liturgia do cargo presidencial. Era uma deferência dos antigos subordinados militares. Estava longe de ser uma obrigação. Não há ritos nem solenidades para ex-presidentes e logo ele entenderia isso. Cumprimentou o piloto, que os aguardava solitário para levá-los à Casa da Dinda. Só então Collor pronunciou as primeiras palavras depois de rubricar o ato que o impedia de seguir governando, apartando-o definitivamente do mandato para o qual fora eleito com mais de 35 milhões de votos, apenas três anos antes. Pediu ao comandante para sobrevoar um centro pedagógico que mandara construir na Vila Planalto, a poucos quilômetros do Palácio. Era o programa dos Centros de Atenção Integral à Criança e ao Adolescente (CAICs), que unia os ministérios da Saúde e da Educação, o trunfo com o qual apostava ser capaz de eleger o sucessor em 1994 ou até mesmo de tentar uma hipotética reeleição (àquela altura, vetada pela Constituição brasileira). Seco, duro, breve, o piloto respondeu pelo sistema interno de comunicação da aeronave sem nem sequer se voltar para encarar os dois passageiros:

— Não tenho combustível para isso. A ordem é levá-los para casa. É o que farei.

* * *

ÍNDICE ONOMÁSTICO

Q

R

S

INFORMAÇÕES SOBRE A

GERAÇÃO EDITORIAL

Para saber mais sobre os títulos e autores
da **GERAÇÃO EDITORIAL**,
visite o *site* www.geracaoeditorial.com.br
e curta as nossas redes sociais.

Além de informações sobre os próximos lançamentos,
você terá acesso a conteúdos exclusivos
e poderá participar de promoções e sorteios.

geracaoeditorial.com.br

/geracaoeditorial

@geracaobooks

@geracaoeditorial

Se quiser receber informações por *e-mail*,
basta se cadastrar diretamente no nosso *site*
ou enviar uma mensagem para
imprensa@geracaoeditorial.com.br

GERAÇÃO EDITORIAL

Rua João Pereira, 81 – Lapa
CEP: 05074-070 – São Paulo – SP
Telefone: (+ 55 11) 3256-4444
E-mail: geracaoeditorial@geracaoeditorial.com.br